国家出版基金项目
NATIONAL PUBLICATION FOUNDATION

《三联经典文库》

第二辑

2012 年国家出版基金项目

三联经典文库

154

中国近代史

（上编　第一分册）

武波　编著

生活·讀書·新知　三联书店

图书在版编目(CIP)数据

中国近代史. 上编. 第一分册 / 武波编著. -- 北京 : 生活·读书·新知三联书店, 2014.1
（三联经典文库第二辑）
ISBN 978-7-108-04593-5

Ⅰ. ①中… Ⅱ. ①武… Ⅲ. ①中国历史－近代史 Ⅳ. ①K25

中国版本图书馆CIP数据核字(2013)第152226号

154 中国近代史（上编 第一分册）

责任编辑 曹明明
封扉设计 蔡立国
责任印制 常宁强
出版发行 生活·讀書·新知 三联书店
(北京市东城区美术馆东街22号)
邮 编 100010
经 销 新华书店
印 刷 北京鹏润伟业印刷有限公司
版 次 2014年1月北京第1版 2014年1月北京第1次印刷
开 本 787毫米×1092毫米 1/32 印张 18.375
字 数 262千字
定 价 66.00元

《三联经典文库》出版缘起

适逢生活·读书·新知三联书店八十华诞，为弘扬传统，接续文脉，回报读者，服务社会，我们决定策划出版《三联经典文库》。

1932年7月，生活书店在上海创办，此后，读书出版社和新知书店相继成立。本文库第一辑、第二辑所选图书，来自于这三家出版单位及其分支机构，以及1948年生活·读书·新知三联书店成立后的出版物，始于1932年，截至1951年，两辑各一百种。此为第二辑，涉及政治、经济、社会、军事、思想文化诸领域，涵盖专著、文集、散文、小说、诗歌、传记、报道等体裁，既有直面现实、追求真理、讴歌真善美、抨击假恶丑的原创作品，又有引介世界各国先进文化、传播新知、开启民智的迻译之作，真实记录了那一代知识分子的思考与探索、理想与愿景和对中华民族文化传承与创新所做出的努力与贡献。

本文库所辑入各书，多为名家名作，在版本方面，以初版一印本或经著译编者审定、修订、增订过的版本为首选，因此本文库又具有较为珍贵的版本价值和收藏价值。

本文库还将编选续辑，使之成为恢弘文化工程。诚挚希望读者给予批评和指正，帮助我们完善编选工作，再现三联经典作品之风采。殊为遗憾的是，由于年代久远，一些原著译编者及其后人未能取得联系并奉付稿酬，诚盼版权所有者与我们联系。祈愿三联前辈所创造的精神财富能薪火相传，为中华文化的伟大复兴增光添彩。

《三联经典文库》编辑委员会

2013 年 8 月

凡　　例

一、本文库为重排本，由繁体字竖排版改为简体字横排版。

一、以忠实于原作、整旧如旧为编辑原则，对当时使用的专有名词、外文译名，以及民国时期的语言和特色予以保留。

一、原书注释如旧，编者所出的注释，均以“编者注”标明，以示与原书注释的区别。

一、对原书残缺或字迹漫漶之处，以□示代。

一、对繁简文本转换时的“如右”、“见左”一类，对应改为“如上（前）”、“见下（后）”。

一、对原书中各种错讹脱衍之处，直接订正，不再以其他符号标示。

一、对数字、标点符号的用法，在不损害原文语义的情况下，做必要的规范。

一、本文库各书均前插原书书影、原书版权页和文库版“本书出版说明”。

一、本书出版说明的撰写，以客观中立为原则，扼要介绍本书的内容、版本流转、著译编者的情况。

本书出版说明

本书是《中国近代史》上编的第一分册，记述的是一八四〇年到一九〇五年间中国遭受的侵略史和中国人民反帝反封建的斗争史，基本上按照时间顺序叙述了第一次鸦片战争、中国人民反英反满斗争、太平天国革命、第二次鸦片战争、洋务派自强、甲午战争、戊戌变法、义和团运动等重大历史事件。结合大量文献，运用马克思主义对中国近代史进行研究，是历史唯物主义与近代科学研究相结合的拓荒之作。

本书于 1947 年 10 月由读书出版社初版，生活·读书·新知上海联合发行所于 1949 年 6 月出版沪初版本。此后有多种修订版本出版。1954 年出版第九版时作者将书名改为《中国近代史》(上册)。此次出版，即以 1947 年初版本为底本。

范文澜（1893-1969），字云台、芸台、仲云，小名麒麟，笔名武波、武陵。浙江绍兴人。1917年于北京大学毕业后赴日本留学，曾任蔡元培私人秘书。先后在南开大学、北京大学、北京师范大学、河南大学、辅仁大学等校任教。建国后，任中国科学院中国近代史研究所所长、中国史学会副会长、中国科学院哲学社会科学学部委员。著有《中国通史简编》、《历史考略》、《群经概论》、《文心雕龙注》、《太平天国革命运动》等。

生活·读书·新知三联书店

2013年8月

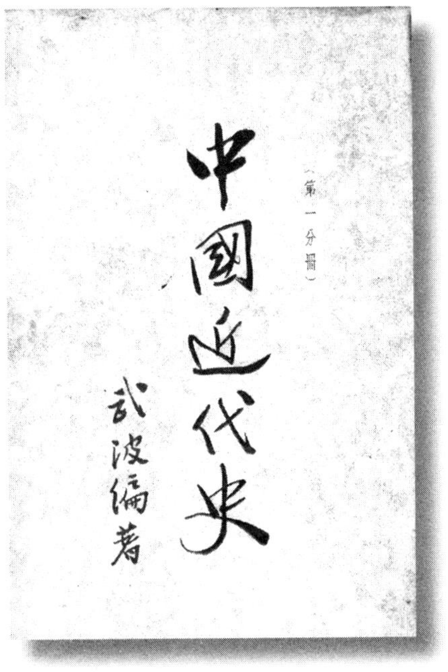

读书出版社 1947 年 10 月初版书影

編著者　武波

發行人　黃洛峯

發行所　讀書出版社
上海四川北路五〇六弄一六七號
重慶民生路七三號
香港德輔道中廿二號

分發行所　重慶三聯書店
各地聯營書店

一九四七年十月初版(S)

基本定價每冊國幣十三元

(2000)

原书版权页

目次

说　明

一、《中国近代史》分上下两编，上编叙述旧民主主义革命时代，下编叙述新民主主义革命时代。上编又分两个分册，一八四〇年至一九〇五年为第一分册，一九〇五年至一九一九年为第二分册。本书是上编的第一分册。

二、本书纯属草稿性质，各分册拟陆续付印，目的在便于读者审阅。其中观点错误、取材不当、繁简失宜、语句欠妥等病，所在多有；切盼读者阅览时随手标出应改之处，以便将来搜集许多宝贵意见，作修改草稿的南针。

三、自鸦片战争以来，中国人民饱受外国侵略的苦难，永远不能遗忘。稿中列举某外国如何残暴，如何诡诈，都是专指侵略者说的，与各国爱好和平民主的人民无涉。

四、凡引用原文，如文句较长，多注明出处；数句或数字，多省略不记，惟概标“”符，以明语有所本，非出臆造。

上　编

旧民主主义革命时代——鸦片战争至五四运动

一八四〇年（道光二〇年）至一九一九年

（民国八年）

第一分册

半封建半殖民地社会的形成及中国人民旧式的反抗运动

一八四〇年至一九〇五年（光绪三一年）

第一章　第一次鸦片战争

一八四〇年至一八五〇年

（道光三〇年）

第一节　绪言

十八世纪后半期，英国已是世界第一个商业和殖民地强国。以一七六三年（乾隆二八年）瓦特完成蒸汽机的制造为起点，早在全国普遍发展的纺织工业首先获得划时代的大进步，接着蒸汽机应用到其他工业上，使英国的制造厂变成了巨大的机械化的企业，作为英国纺织业中心的曼彻斯特，烟囱林立，也成为全世界纺织中心了。一八一二年（嘉庆一七年）完成了轮船的装制，一八二五年（道光五年）又制造火车铁道，这个最先进的资本主义国家，驾驶着新式运输工具，带着可怕的杀人大炮和精美而又廉价的纺织品，开辟世界市场，她决不允许地大物博人口众多的中国，闭关自守，孤立于资本主义世界之外，那是完全自然的。

可是中国——世界第一个老大封建帝国，她是小农业与家庭手工业结合的社会，广大人民过着勤俭穷苦的生活，曼彻斯特的机器布，敌不过中国土布的结实而便宜；社会上层人士，四季服装有一定制度，材料全用丝织品，中国的养蚕业和丝织工业在当时是举世无匹的。“天朝物产丰盈，无所不有，原不借外夷货物，以通有无”（一七九三年——乾隆五八年给英王乔治上谕）。这种自给自足的经济基础，支持了满清的严格闭关政策，英国布匹和毛织物在中国市场不能取得必需品的地位，如果不依靠可耻的鸦片贸易（直到一九〇〇年英国一向依靠鸦片来维持贸易优势），很难打破中国的大门。下列简表显示战前中英贸易的概况(单位：千元)：

年份	中国对英输出额	英国对华输入额	输入额中所包括的鸦片价	除去鸦片，中国出超额
一八一八年（嘉庆二三年）	14 144	16 004	4 745	2 885
一八二五年（道光五年）	14 401	15 932	7 608	6 077
一八三三年（道光一三年）	17 814	22 304	12 878	8 388

鸦片在中英贸易中成为决定性的商品，中国既决不能放任，英国又决不肯放弃，英国资本主义逐步发展，鸦片输入额依国力而逐年增大；反之，中国统治阶级逐步腐化堕落，无法阻止大量白银因鸦片输入而逐年流出，最后必需出于战争，战败者自然是中国。

第二节　可耻的鸦片输入者

第一期输入情况　一七五七年（乾隆二二年）英国东印度公司占领鸦片产地孟加拉。一七七三年（乾隆三八年）东印度公司独占鸦片专卖权，开始对中国经营鸦片贸易。为要顾全公司的“名誉”，表面上禁止公司船贩运鸦片，但给予私人商船的执照中，却列有一项条文，注明这些商船除运输东印度公司自己生产的鸦片以外，不得运输任何鸦片，违则罚款。从此输入量逐年增大，一七八〇年（乾隆四五年）至一八一六年（嘉庆二一年），公布的数字为每年输入约四千至五千箱，据东印度公司航务长的记录说：“一七八六年中至少已有六千箱鸦片运入中国，较前六年每年所输入者，已超过五六百箱，”

足见实际输入比公司发表的数字大得多。本期内满清政府感觉到鸦片的压力，于一七九六年（嘉庆元年）、一八一三年（一八年）、一八一五年（二〇年）三次严令禁止，但东印度公司把鸦片的种植及其向中国的私卖，作为自己财政系统中的重要组成部分，决不放松对鸦片贸易的鼓励。

第二期输入情况　一八一六年，东印度公司允许鸦片自由贸易，这给了英国私贩们的营业以新的强大的推动，输入更旺，至一八三四年（道光一四年），竟达二万一千八百八十五箱的巨额。本期内英国工商业愈益发展，不仅需要中国大量茶叶供给本国及欧陆各国，一八二〇年起，又需要中国大量生丝供给本国丝织工业，中英贸易的支付方法是英国向印度输入大批布匹，换取鸦片，转向中国换取丝、茶和白银。中国感到鸦片威胁的严重，一八一七年，满清政府执行禁烟法令，要求搜船并令其立“不售鸦片”字据。东印度公司通令公司船、私人商船坚决拒绝，认为“为保持英国之尊严及公司之利益，凡悬挂英国国旗之船，必须拒绝搜查”，又认为“若公司应允签写此种誓书（字据），将来对于欧洲与中国之贸易，恐发生恶果”。如果私人商船出立字据，“航务委员会便取消彼等之贸易特许权”。它派兵船一艘到广州示威，把怯懦的满清政府吓倒了。此后清政府于一八二二年（道光二年）、一八二九年、一八三二年、一八三四年订立各种法令，企图禁运禁吸，但除了一八二一年鸦片商船自黄埔、澳门移至伶仃洋，贸易更觉便利以外，丝毫不生禁阻的效果。

第三期输入情况　一八三〇年以来，英国工业空前发展。一八三二年，工业资产阶级在国会选举中取得胜利，自由党（代表资产阶级）代保守党（代表大地主阶级）当权。一八三四年，取消作为商务机关的东印度公司，改组为殖民地总督的统治，因此对华贸易就变成了英国私人企业所完全能够执行的事务。这种私人企业的对华自由贸易当时发展得非常迅速，不管中国政府拼命抵抗，它们在一八三七年将价值二千五百万元的三万九千箱鸦片运入中国；一八三八年，运入四万零二百箱。中国发生银源枯涸的危险，当然要讲求自救之道。可是自称文明的英国政府，强迫一部分印度农民种植罂粟，用垫款办法来引诱更大一部分农民也去种植，用严格垄断的办法操纵这种毒药的全部生产。在政府市场上，由国家官吏拍卖给商人，偷运到中国。每箱鸦片上英国政府所化的费用，约二百五十印洋，而在加尔各答拍卖时，却按照每箱一千二百一十印洋至一千六百印洋的价格发售。印度的英国政府就依靠这样的非法贸易取得七分之一的收入，它不惜发动武力来阻止中国的自救行动，资产阶级所谓“文明”、“自由”的实质就是“强权即公理”。

第三节 腐烂的“天朝”

鸦片输入与满清腐烂统治是互为表里的。中英双方都玩弄两面手段来推进鸦片贸易，英国明禁暗运，满清明拒暗受，贯通双方的是贿赂。

鸦片贸易从乾隆后半期开始发达，那时候正是骇人的受贿者和珅做大学士，他开两座洋货库，出售大呢、羽缎、哔叽等英国货，很可能私卖鸦片。咸丰九年法律规定洋货店有出售鸦片权，当是和珅以来的旧例。如果这个推测不误，鸦片不仅和地方官吏（主要是广东督抚、粤海关监督）勾结，而且和朝中大官也直接联系着，更不待说政以贿成的间接联系了。任何禁令不能阻止鸦片贸易的增大，中国方面的主要原因在此。

事实上满清皇帝也是鸦片贸易的受贿者，他禁止外商在其他海口通商（康熙时有江浙闽粤四海关），保证粤海关独占利薮，海关监督又必用满人，替他搜括金钱玩好。监督于正税外，勒索贿赂，称为“规费”。雍正、乾隆以来，皇帝经常以清查积弊为名，“将规费改正归公。行之既久，陋规渐又增加，无所底止，华夷各商，咸受其累”（道光二三年耆英奏）。皇帝勒索监督，监督勒索洋行，洋行勒索外商，费上加费，循环不已。耆英所谓“从来清厘积弊，另定新章（陋规归公），大抵如此，不独关税一事为然”。确说破了满清统治者在各方面剥削的秘密。若干年一次的海关陋规归公以外，还有每年照例贿赂，定出办贡、备贡、人参变价三种名目。办贡是随时献纳新奇物品，备贡（年贡）每年三次，是无代价的献纳呢、羽、钟表等英国货，参价是朝廷发给海关若干斤人参（吉林贡品），按高价变钱献纳。海关从鸦片得肥，皇帝从海关分肥，因之朝廷可以严禁鸦片，但不能严禁官吏受贿。英政府质问“大清国家岂得开一眼而鉴远人（英商）犯罪，闭一眼不鉴官宪犯罪乎”（琦善转呈:《与外部大臣致中国宰相书》），这正是禁烟失败的重要原因，满清皇帝是一只眼看鸦片的毒害，一只眼又看鸦片的利益的。专制政体的皇帝，个人态度对政治起极大的作用，这就是说，不管嘉庆帝如何积极严禁，丝毫不能阻止鸦片的输入，禁令只供官吏利用，向鸦片商勒索更多的贿赂。从一七二九年（雍正七年）以来，历次禁烟都证明这一事实。试看开始积极禁烟的嘉庆帝得些什么效果?

一七九六年嘉庆帝颁布禁烟法令。一七九八年航务长向印度长官报告说:“一般人均相信，海关监督因暗中鼓励此种违法贸易，借以发财，彼决不能积极设法禁止。”一八〇二年航务委员会报告:“中国政府虽然一再颁布禁烟法令，而鸦片之销路确已大增，毫无疑问。”

一八〇九年（嘉庆一四年）两广总督兼代理关务百龄发令禁运。一八一一年航务委员会报告:“据观察，总督关于禁烟之语，不过官样文章而已，毫无积极禁止贸易之意，因政府久以纵容私运为发财之机会。”

一八一三年（嘉庆一八年）嘉庆帝令刑部拟定军民

人等买食鸦片烟分别治罪条例，上谕斥责官吏说：“各海关竟有私征鸦片烟税银者，是竟导奸民以贩鬻之路，无怪乎流毒愈炽也。”一八一五年航务委员会记载：“当时因官吏阻碍贩烟，阿立加先生遂决定每箱抽税四十元，以分与中国官吏。”

嘉庆帝禁烟的结果就是这样。道光帝继续严禁，结果还是一样。

一八二二年（道光二年）十二月上谕严禁海口守巡员弁卖放偷漏说：“鸦片烟流行内地，大为风俗人心之害。总由海口守巡员弁卖放偷漏，以致蔓延滋甚，着阮元（总督）达三（监督）认真查拿。”阮元密奏请“暂时羁縻，徐图驱逐”。这八个字的后面，自然是大批贿赂。一八二六年（道光六年），总督李鸿宾设巡船。“巡船每月受规银三万六千两，放私入口”（《圣武记》）。一八三一年（道光一一年）上谕严禁贩运吸食及私种烟苗。次年，东印度公司航务记录说：“最近伶仃洋内所运入之货，特别加多。中国政府虽欲消灭此种贸易，兹无论其有无诚意，而并未成功。”“水师副将韩肇庆，专以护私渔利，与洋船约，每万箱许送数百箱与水师报功，甚

或以水师船代运进口，于是韩肇庆反以获烟功，保擢总兵，赏戴孔雀翎，水师人人充橐，而鸦片遂至四五万箱矣。”(《圣武记》)

广东官吏从鸦片贸易获大利，内地官吏当然不甘落后，欢迎鸦片广泛流行，从中取利。陕西巡抚富呢扬阿奏称:“鸦片之禁已非一日，其风不息而愈炽者，非立法之不严，实稽察之不力。查夷船载运烟土，至广东黄埔、老万山二处停泊，内地奸商分设窑口接运。其大宗由海运至福建、浙江、江南、山东、天津、关东各海口，而各海口又各有专司收囤转贩之户。其由内河兴贩至南北各省，盈箱累筒，载以舟车，实繁有徒……是兴贩者确有来踪，不难稽查。而开馆者则咸在通都大邑，更不能掩人耳目。如果各省大吏，督率僚属，认真查缉，何至不可遏绝。”这说明官吏是鸦片贸易的保护者，他们的利益早和鸦片混成一片。内地大量种烟，也由于官吏的默认。

天津是鸦片第二大市场，贵族官僚集中地的北京盛行吸烟可以想见。又在天津经营鸦片业的英国人郭子立(又译作郭士利)，熟悉中国官场情形，道光一六年，英政府派领事义律驻粤，义律约郭子立商议推广鸦片的方法，郭子立议论滔滔，大意说："清廷百事泥旧，毫无进步倾向，惟知傲慢自尊，不顾世界大势。要路显官，尽为私人奸佞之徒，惟苞苴是尚。朝廷命官多嗜好鸦片，故倘以贿赂扩张贩路，必能达到目的。"（武堉干：《鸦片战争史·义律小传》）义律大喜，托郭子立包办朝廷方面苞苴之事，后来首席大学士穆彰阿指使投降派有计划的破坏林则徐禁烟，满足英国的侵略欲，不能不想到郭子立与穆彰阿、琦善、耆英这一群卖国贼的秘密关系。

马克思说："英人收买中国当局，收买海关官吏和一般的官员，这就是中国人在法律上抵制鸦片的最近结果。贿赂行为和鸦片烟箱一同侵入了'天朝'官僚界之肺腑，并破坏了宗法制度底柱石。"的确，自高自大的"天朝"，在英国鸦片商人看来，完全有理由予以藐视。皇帝自称为"国父"，他的官吏自称代皇帝行施"父"权，这个作为国家柱石的封建伦常，曾是欺骗人民的一种重要手段，但是事实揭露他们的极端无耻，在人民看来，完全有理由予以驱逐。侵略的鸦片战争以及革命的太平运动，都是从满清腐烂统治产生的。

第四节　烟毒泛滥于中国

杀人的英国侵略者与自杀的中国统治者合作，尽量推广鸦片贸易，到道光时代，对中国社会造成了骇人的破坏现象。

从鸦片销场看，鸦片已流行全国。道光九年上谕："鸦片流行内地，皆由番舶分销各省商船，载往各处售卖。"一一年上谕："鸦片局各处城乡市镇所在皆有。"鸦片"由海路运至天津，有数栈代为包办关税。山陕等处商贾来津销货，即转贩烟土回籍"(《宣宗圣训》)。"盛京等处，为我朝根本重地，沾染恶习日深，几成积重难返之势"（黄爵滋、耆英等奏）。这些说明英国鸦片在全国范围内组成了经济侵略的毒网。

从鸦片吸食者看，鸦片渐渐取得对中国统治阶级及依附统治阶级的各色人等的统治权。道光一八年黄爵滋奏："上自官府缙绅，下至工商（作坊、商店主人）优隶，以及妇女僧尼道士，随在吸食，置买烟具，为市日中。"蒋湘南《与黄爵滋论禁烟书》："今之食鸦片者，京官不过十之一二，外官不过十之二三，刑名钱谷之幕友，则有十之五六，至长随吏胥不可以计数。”蒋湘南的估计，当然只是一些感想，但所谓京官不过一二，经上谕指出有亲王、辅国公等高级贵族，有宫中侍卫，内廷太监等皇帝亲近人，有“世职官员相率玩法”，决非一二少数。尤其使朝廷恐慌的是兵丁吸食鸦片，“南北各省，情形如出一辙”（道光九年，上谕）。镇压人民的力量削弱了。自从“鸦片吸食者不可胜数”，以北京为中心，全国遍布着满洲贵族、旗丁、太监、官吏、地主、绅士、士人、幕友、商贾、优伶、隶役、绿营兵、僧尼道士、娼妓一大群鸦片瘾者，据道光一五年估计，吸洋烟人数，约二百万以上，几乎腐蚀了大部分的统治阶级及其依附人。不仅“拿办烟案之人即吸烟售烟之人，互相庇护，狼狈为奸，绝无被查拿之时”（《宣宗圣训》），而且吸食者的生命，掌握在英国鸦片商人手中，他们惟恐鸦片不能源源接济，瘾发丧生，自动帮助烟商破坏禁烟法令的实施，把禁烟派看成死敌，有意或无意作了英国侵略者的忠实内应。

从财政经济方面看，中国每年出口丝茶等土产，不能抵偿鸦片价，还要补足白银数百千万两，人民“竭其终岁之操作，不足以偿暗室之一灯”（夏燮:《中西纪事》）。就是说，人民整年的劳苦生产，替剥削群偿付鸦片价还不够，这样，财政上发生银荒，经济上生产力大遭破坏。例如，“苏州之南濠，湖北之汉口，皆阛阓聚集之地，叠向行商铺户暗访密查，佥谓‘近来各种货物销路皆疲，凡二三十年以前某货约有万金交易者，今只剩得半数’。问其一半售于何货，则一言以蔽之，曰‘鸦片烟而已矣’”（林则徐:《宜重禁吸烟以杜弊源片》）。旧商货一半被鸦片夺去，情势严重可以想见。一部分统治阶级感到银荒的危险，力主禁烟，道光一八年黄爵滋奏折，主要从这一点着想。他说:“自道光三年至一一年，岁漏银一千七八百万两，自一一年至一四年，岁漏银二千余万两，自一四年至今，漏至三千余万两之多。此外福建、浙江、山东、天津各海口，合之亦数千万两。以中国有用之财，填海外无穷之壑，易此害人之物，渐成病国之忧，年复一年，不知伊于胡底。”黄爵滋所举银数未必确实，但金银大量外溢，确使政府痛感:“若再数年间，银两愈贵，奏销（国家开支）如何能办，税课如何能清，设有不测之用，又如何能支。”自然，政府总是向人民，主要是农民敲剥的，这就是旧捐税已经繁重得难以负担，旧捐税外又加上新捐税，农民无力负担重税，陆续破产流亡，有的在官吏保护下种植鸦片，放弃正当生产，如广东、福建、浙江、云南、山西等省，种烟田亩继续增加，土烟较洋烟价廉，因之烟毒扩大到社会下层去。林则徐在《宜重禁吸烟以杜弊源片》里说："食贫之人，当中熟之岁，大约有银四五分即可过一日，若一日有银一钱则诸凡宽裕矣。吸鸦片者每日除衣食外，至少亦须另费银一钱，是每人每年即另费银三十六两。"这里鸦片价是指洋烟。贫民生活穷苦，受购买力的限制，不能吸食洋烟。自土烟盛行，价廉易得，烟毒侵入贫民层，生产力的萎缩和破坏更不堪设想。

英人马尔丁描绘当时烟祸说："鸦片腐化了、降低了和毁坏了不幸福的人底精神生活，而且还毒杀了他们的身体。鸦片贩卖者时时刻刻向贪欲无厌的吃人神贡献新的牺牲品，而充当凶手的英人和服毒自杀的华人，就彼此竞争，向吃人神的祭台上贡献牺牲品。"这是多么悲惨的一幅图画。统治阶级迫诱劳苦人民服毒，当作牺牲品贡献给吃人神，这种情况，直到现在的所谓"寓禁于征”政策，本质上很少有变动。

第五节　统治阶级对鸦片的态度——抵抗、妥协、投降三大派

白银外溢，到一八三四年以后，形势实在严重不堪了，满清政府必须处置当前的紧急问题，一派人主张弛禁，对鸦片妥协；一派人主张严禁，彻底消灭烟毒；又一派人无所表示，实际是主张维持现状，这一派人最后取得胜利。

妥协派——许乃济为首　道光一六年许乃济奏请弛禁，理由是：“闭关不可，徒法不行，洋银有出无入，食鸦片者几遍天下。”事实证明禁烟失败了。他主张承认鸦片为合法贸易，“仍用旧例，准令夷商将鸦片照药材纳税，以货易货，不得用银购买”。民间贩卖吸食，一律勿论，只禁文武员弁士子兵丁等吸食。内地种烟，听民自便，土烟大量生产，英商无利可图，洋烟不禁自绝。这一派的主张纯从挽救漏银的观点出发，以为首先是“税额轻于行贿，偷越之弊，不戢自消”；其次是“以

货抵货，有赢无绌”（广东总督邓廷桢等奏）；又其次是“以中国之鸦片抵夷人之鸦片，夷人为利而来，必至折本而去，久之自不复贩”（蒋湘南：《论禁烟》）。这一派主张如果实行，英印国库可能遭受暂时的损失，但决不能“不禁自绝”，因为洋烟性味酷烈，适合中国吸食者的口味，成本不大，可以减价竞争，弛禁的结果，势必洋烟土烟同时盛行，鸦片战后情况就是明证。例如，浙江台州出产土烟，“黄岩一县，无不吸烟，昼眠夜起，杲杲白日，阒其无人，月白灯红，乃开鬼市，烟禁大开，鬼世将成”（道光二二年，浙抚刘韵珂：《致伊里布等书》）。妥协派公开宣布禁官不禁民，准备牺牲人民的生命，全国出现无数黄岩县，他们是不会伤心的，这种露骨的残忍主张，当时被抵抗派严厉斥责，道光帝在抵抗派影响下，革许乃济官职，“以示惩儆”（一八年，上谕）。

抵抗派——林则徐为首 道光一八年，黄爵滋奏请严禁官民吸烟，来抵抗鸦片的输入。办法是限期一年戒绝，过期犯禁，常人处死刑，官吏加等治罪。道光帝令各省督抚大员商议。反对派琦善、伊里布等二十人，其中满员十三人；赞成派林则徐等八人，其中汉员六人。二十八人中反对派占多数，满员又占反对派中多数，这说明禁烟派势力是薄弱的。但道光帝受银荒、兵弱的威胁，倾向禁烟派，看到林则徐奏文称“鸦片流毒天下，为害甚巨，法当从严。若犹泄泄视之，是使数十年后，中原几无可以御敌之兵，且无可以充饷之银”（《宜重禁吸烟以杜弊源片》），大受感动，决定严禁，任命林则徐为钦差大臣，往广东查办鸦片。

投降派——穆彰阿为首 这一派人势力最大，人数最多，主要是满洲贵族，道光帝最信任的首席大学士穆彰阿暗中主持，为本派首领。他们反对弛禁，因为他们不单依赖于鸦片贸易，而且还依赖于这个贸易的偷运性质，与英印政府利益一致。他们又反对认真严禁，以免丧失大宗收入。他们以“有伤政体”来反对妥协派的合法输入，以“圣朝宽大”来反对抵抗派的严刑禁止，形式上表示宽严得中，实际是外国鸦片商的代理人。当道光帝倾向于抵抗派的时候，他们暗中破坏烟禁，等到英国侵略者占领定海，道光帝动摇时，他们公开打击林则徐，割地、赔款、开放海口、鸦片无限制输入，迎合英国当时最大限度的需要。这一派人在统治阶级中占领导地位，本身利害与外国侵略者相符合。伴着外国侵略的逐步深入，他们的卖国事业也逐步发达；从穆彰阿开始，继承人有曾国藩、李鸿章、袁世凯、段祺瑞、汪精卫以及现在的中国反动集团的领袖，百年来一脉相传，逼迫中国走上殖民地化的道路。

第六节　轰轰烈烈的禁烟运动

林则徐是中国封建文化优良部分的代表者，又是满清时代维新运动的重要先驱者。他在一八三〇年（道光一〇年）与黄爵滋、龚自珍、魏源等结宣南诗社。这一小诗社中人，黄爵滋发动禁烟运动，龚、魏发动维新思潮，林则徐成为他们的首领。他后来探询外情及意图制造新式船炮，思想上是早有某些基础的。

道光一八年黄爵滋奏请严禁鸦片，林则徐正在湖广总督任上，首先实行黄氏主张，捐廉配制大量断瘾丸，强迫吸食者戒绝。一面大举搜查，缴获烟枪五千五百余杆，土膏一万二千余两，两湖禁烟大见成效，增强他的自信心，奏称："查看舆情，并非不可挽救。"（《查拿烟贩收缴烟具情形折》）道光帝得奏，以为"所办甚属认真"，十一月任林则徐为钦差大臣，节制广东水师，查办鸦片事件。一七二九年（雍正七年）以来口头上喧哗的禁烟法令，开始变成实际行动了。

一　严厉的禁烟

一八三九年（道光一九年正月至同年九月）

道光一九年正月，林则徐在往广州途中，原来赞成弛禁反对严禁的两广总督邓廷桢，放弃旧主张，写信给林则徐，立誓"所不同心者有如海"，愿"合力同心除中国大患之源"，从此邓廷桢成为第二有力的禁烟派首领。中国官吏惯用"虎头蛇尾"的方法讹取贿赂，起初禁令森严，对被讹者示威，等到贪欲满足，禁令即成具文，义律懂得这一惯例，住澳门观望形势。不料林则徐是特殊的官吏，有决心禁绝鸦片，在路上密札广东官吏按清单严拿"包买之窑口，说合之孖毡（Merchent），兴贩各路之奸商，护送快艇之头目"（正月，《密拿汉奸札》）。二十五日林则徐到广州，英国老鸦片商查顿见势不佳，逃离中国境。伶仃洋面之趸船二十二艘（每艘存鸦片一千箱上下），企图开船暂避，被林则徐派水师制止。

二月，林则徐传集伍怡和等十三洋行，宣布谕帖，令转谕各洋商公司人等报明存烟实数，谕帖中声明："若鸦片一日未绝，本大臣一日不回，誓与此事相终始，断无中止之理。"满清官吏表示如此坚决的意志，百余年来鸦片商不曾见过，义律无法推诿，来到广州，但仍取观望态度，暗中反抗缴烟，指使老鸦片商颠地夜间逃遁。林则徐查明截回逃人，按照"违抗封舱"旧例，下令停止中英贸易，派兵严密围守洋馆，撤退沙文（Servant，即所谓买办），断绝趸船与洋馆往来交通。义律大窘，陆续交出全部鸦片二万二百余箱，值英金三百万镑，核银约八百万两或银元一千二百万元。林、邓、怡良（广东巡抚）三人会奏："凡夷人名下缴出鸦片一箱者，酌赏茶叶五斤，如蒙恩准，所需茶叶十余万斤，应由臣等捐办，不敢开销。"（《夷人趸船鸦片尽数呈缴折》）

缴烟是何等严重的大事件，林则徐很顺利地做成了。一眼看鸦片祸害的道光帝，以为"外夷"畏惧"天朝”，因而发生虚骄心。但他另一眼看的是鸦片利益，禁烟成功对他和大部分的统治阶级是有损害的，因而发生鄙吝心。至于缴烟将发生何种后果，他在精神上丝毫不曾作准备。他的虚骄心，表现在林则徐奏折上朱批“卿之忠君爱国、皎然于域中化外矣”，“所办可嘉之至”一类的话上；他的鄙吝心，表现在十余万斤茶叶钱让林、邓等私人捐办，不问钱从何来，只要不动用公款，乐得“照所议办理”。义律、郭子立、穆彰阿这些老奸看透他的弱点。侵略者从外面用轮船大炮来对付虚骄心，投降派从内部用“劳师糜饷”来对付鄙吝心。事变演进全为他意想之外。从三月起，他在投降派阴谋影响下，开始表示动摇，此后他左右摇摆，虚骄心招致战祸，鄙吝心造成惨败。

三月林则徐、邓廷桢会同水师提督关天培督率文武官员收缴鸦片，驱逐外国鸦片商，查拿吸烟贩烟人，深得广东人民拥护，进行极顺利。各省禁烟运动受广东影响，相继发展起来，鸦片贸易确是可危了。道光帝突然下一道严谕，斥责禁烟的官员，说“其弊不可胜言”，禁止收缴“民”间烟土烟具，“嗣后各省拿获吸烟人犯不准以呈缴烟土烟具入奏”。他还讥笑那些自首戒烟的人说:“何必呈缴烟具以自表其改悔?”这一道实际停止烟禁的上谕,主要是打击禁烟最严的林则徐。林、邓见前途危险,恳求道光帝坚持禁烟政策,说:“无知蚩氓,相率传讹,转幸明谕之颁,冀遂深藏之术。若因此顿更大局,非独前功可惜,更虞挽救无方。且风闻外夷于呈缴之后,知内地民人烟可不缴,不无反唇相讥者,于国体尤有关系。臣仰蒙委任,专办此事,下怀实深焦急。”(《沥陈民间烟土烟具仍宜收缴片》)道光帝不听。这是投降派对抵抗派第一次打击,取得胜利。

四五两月,林则徐收缴全部鸦片二百三十七万六千二百五十四斤,在虎门滩上烧毁(公历六月三日开始,至二十五日烧毕)。当时“各国洋商,闻风来观,作文纪事颂中国之政”(《圣武记》),“该夷人等咸知一一点头,且皆时时掩鼻,旋至臣等厂前,摘帽敛手,似以表其畏服之诚”(林、邓等会奏:《销化烟土一律完竣折》)。这一伟大行动,是以林则徐为代表,第一次向世界表示中国人民纯洁的道德心和反抗侵略的坚决性,一洗百余年来被贪污卑劣的官吏所给予中国的耻辱。六月三日,是中国人民值得纪念的一日。投降派方面也在五月中拟出一个“查禁鸦片章程三十九条”，由道光帝公布。章程所定刑罚极严，条文极密，似乎政府决心禁烟，但最重要的一条是“吸食之案只准官弁访拿，不许旁人讦告”，这等于保证官吏有权贪污，鸦片瘾者有权吸食。抵抗派山西巡抚杨国桢奏称：“在官人役及官亲幕友长随人等，托足公门，势必互相容隐，巧为弥缝，请变动新例，准军民人等告发。”道光帝下谕批驳，言语支吾，说不出“不许讦告”的理由，只能依恃君权硬说：“所请军民告发之处，格碍难行，着毋庸议。”（《东华录》）这是投降派对抵抗派第二次打击，取得胜利。

鸦片贸易是英印政府的重要财源，是满清官吏的巨大弊窦，又是数百万贩烟吸烟人的生活命根，禁绝鸦片决不像林则徐所想所做的那样简易，这是很显然的。林则徐的才能、道德，在当时自然是第一流，但闭关时代的传统知识，限制了他不知道中国以外的世界，而且是资本主义的世界。他起初和一般士人一样，抱着“天朝声威”可以“慑服夷人”，“茶叶大黄，外夷若不得此即无以为命”，“绝市闭关，尔各国生计从此休矣”一类自高自大不识时务的旧见解。在与外人实际接触中，林则徐逐渐改正旧思想，开始从蒙昧无知进到探求新知，从严禁鸦片进到奖励通商，他的思想是在向进步方面变化中，因为思想里包含保守进步两种成分，不多的进步成分使他获得某些成效，浓厚的保守成分使他终于卤莽致败。

林则徐不同于一般保守分子的特色，就是他愿意了解外国国情。《圣武记》说："林则徐至粤，日日使人刺探西事，翻译西书，又购其新闻纸。"林则徐也说"沿海文武员弁，不谙夷情，震于英吉利之名，而实不知其来历"，因此"必须时常探访夷情，知其虚实，始可定控制之方"。他积累材料，编成《四洲志》草稿，叙述各国历史、疆域、政治等情况。他的友人魏源根据《四洲志》，编《海国图志》（道光二四年初版），记事更详备，日本明治维新，受《海国图志》影响甚大。其余如汪文泰著《红毛英吉利考略》（道光二一年出版）、杨炳南著《海录》（道光二二年出版）、徐继畬著《瀛环志略》（道光二八年出版），都比《四洲志》后出。林则徐是满清时代开眼看世界的第一人。他有这些逐渐增加的新知识，对外态度，显起变化。例如致英女王维多利亚照会初稿中说："汝海外夷人，敢于侵犯天朝，实属罪不容诛，今姑先予警告，如能悔罪输诚，尚可曲宥，否则大兵所至，汝区区三岛立成灰烬矣。"（濮兰德：《清室外纪》）这表示对世界情况的完全无知。第二次照会（一九年十二月发），改为："向闻贵国王存心仁厚，自不欲以己所不欲者施之于人。并闻来粤之船，皆经颁给条约，有不许携带禁物等语，是贵国王之政令本属严明，只因商船众多，前此或未加察，今移文照会，明知天朝禁令之严，定必使之不敢再犯。"区别英政府与鸦片商，留出交涉余地，比初稿确有进步。西人《澳门月报》说："林则徐留心外国事务，观其知会英王第二封书，足见其学识长进之效验。"这是公正的批评。虽然"天朝"、"蛮夷"等旧观点并未改变，但多少有异于盲目办外交的流弊。

林则徐对外国鸦片商坚持强硬态度，令进口各船出具"永不夹带鸦片，如有带来，一经查出，货尽没官，人即正法，情甘服罪"的甘结。他的第一理由是"贸易一事，该国（英）之国计民生皆系于此，断不肯决然舍去。若果英夷惮于具结，竟皆歇业不来，正米利坚等国之人所祷祠而求，冀得多收此利者”（会奏:《轰击夷船情形折》)。他的第二理由是“论者或恐各夷商因此（具结）裹足，殊不思利之所在，谁不争趋，即使此国不来，彼国岂肯不至。纵或一年偶少，次年总必加多，且闻华民惯见夷商获利之厚，莫不歆羡垂涎，以为内地民人，格于定例，不准赴各国贸易，以致利薮转归外夷。就此察看，则其不患无人经商，亦已明甚矣”（附奏:《夷人带鸦片罪名应议专条夹片》)。他看出英美间矛盾又看出华商与外商间矛盾，不怕英国也不怕各国商人停市挟制。尤其是商船往南洋一带贩茶，获利倍蓰(《圣武记》)，使他更有恃无恐。同时各国商船，主要是美国商船，具结进口，带来洋钱一二百万元，呈“近年颇为罕见”的新现象。林则徐获得这些成效，愈益坚持不具结不准进口的主张。投降派奏请道光帝免鸦片商具结，说“虽责以万分切实之结，亦将甘心出具，徒开含混之路”，这是代表义律及贪官污吏的意见。因为当时义律已经承认“如有鸦片，将货物尽行没官”，对“人即正法”字据，则坚决拒绝。在义律清楚懂得“缴烟系一时之事，具结乃长远之事”。林则徐调走后，“货尽没官”，要用大贿赂使成具文，已是对禁烟退让一步，“人即正法”，要用更大贿赂，实不甘再让。在贪官污吏获得“货尽没官”甘结，足够借端勒索，饱填欲壑，不再希望“人即正法”的权利，认为禁烟应该就此结束。林则徐也懂得这些情形，却以为“夷情最重信字”（会奏:《谕办英夷情形折》），“夷人最重然诺，即议一事、订一期，从不爽约，其视出结之事，绝无仅有，非比内地公牍结多而滥，以致视为泛常”（复奏:《责令夷人出结甫经遵依片》）。他看到侵略者的小信，没有看到小信所掩盖的大诈，企图强迫出具“人即正法”甘结，借外人的守信来肃清鸦片来源。

林则徐坚持“货尽没官，人即正法”的主张，英国以外各国商船全部具结进口，少数英国商船也愿具结，被义律武力阻止，中英交涉表面上争“人即正法”四字，实际是义律为代表的鸦片集团（包括英印政府，中国投降派、中外鸦片商贩及吸食者）与林则徐为代表的禁烟集团（包括禁烟派及中国人民）作生死的斗争。鸦片集团方面，义律口头表示退让，说“义律在粤有年，此次并无别心，所求者惟欲承平，各相温和而已”（《上澳门同知书》）；暗中仍“潜卖鸦片”，准备武力（林、邓会奏：

《九龙洋面轰击夷船情形折》)。投降派散布谣言，对林、邓污蔑陷害，“始而风影讹传，继且歌谣远播，以查拿为希旨，以掩捕为贪功，以侦缉为诡谋，以推鞫为酷罚，甚至诬以纳贿，目为营私，讥廷议为急于理财，訾新例为轻于改律”（邓廷桢等奏），又“假托姓名，胪列款迹，向内外衙门投递揭帖，希冀代奏”（《东华录》）。当时道光帝的主要倾向还在禁烟一面，宣称“林则徐、邓廷桢皆朕亲信大臣，现在查办鸦片正在吃紧之时，断不可因群言淆惑，稍形懈弛”，支持了禁烟集团。禁烟集团方面，林则徐据理驳斥义律各种饰词，揭破一切狡计阴谋，在义律面前，不是遵令具结，就是武力解决，再没有其他妥协途径。道光帝在投降派影响下，给林则徐一道谕旨：“着林则徐、邓廷桢体察情形，相机筹办，务使闻风慑服，亦不至骤开边衅，方为妥善。”（五月，上谕）就是说，如果海疆有事，林、邓该负不妥善的责任，这无异启示义律以开边衅，并预留林、邓未来的罪名。林、邓面对投降派所设陷阱，毫不畏缩，一面指明“义律借边衅暗为恫吓”（林、邓奏:《审察敌情折》)，一面积极筹备战守。林则徐察看海口形势，安设木排铁链，添置炮台炮位，购西洋各国自五千斤至八九千斤大洋炮二三百尊，排列两岸，又整顿水陆官兵，号令严明，声势壮盛。水师提督关天培认真操练，用旧洋船作式样，令兵士演习攻首尾、跃中舱诸法。一向腐败贩烟的水师，转成勇猛耐战的精兵。沿海岸及海中小岛屿，派兵防守，带大量毒药，必要时投入溪泉，使大洋中敌船不得汲取饮水。林则徐抵抗侵略者最特出的方法，尤在于始终相信“民心可用”（《答徐广缙问驭夷书》），他说：“号召民间丁壮，已足制其（外国鸦片商）命而有余；”（二月，《谕各国夷人呈缴烟土稿》）又说：“臣等察看民情，所有沿海村庄不但正士端人，衔之刺骨，即渔舟村店，亦俱恨其强梁，必能自保身家，团练抵御。彼见处处有备，自必不敢停留。”（七月，林、邓奏：《审察敌情折》）这种依靠民众的正确思想，大异于一般统治阶级的疑民心理，这是他真心对外的证明。当他在禁烟期中，不仅信任普通人民，而且还信任所谓“贪利亡命”的枭徒疍户，招募渔疍丁壮五千人，每人发月费银六元，赡家银六元，“取平时所装大小火船，教以如何驾驶，如何点放，每船领以一二兵弁，余皆雇用此等民人以为水勇，先赴各洋澳分投埋伏，至夜深察看风潮皆顺，一齐放出，乘势火攻，焚烧匪船夷船”（《烧毁匪船以断接济折》）。后来中英开战，水勇成水师的重要助手，立功不小。

林则徐筹备战守，确尽了最大限度的心力，在“民心可用”的信念下，拥有未曾发动的两广无限人力，对外贸易方面，外国商船进口超过往年的总数，可以购买新式船炮，船坚炮利，英国不能独擅其长。林则徐备具这些条件，又采取“以守为战，以逸待劳”的战略，广东海防不可否认是巩固的。但道光帝既不派遣得力官员防备广东以外各海口，又不许林、邓动用广东库款，设防募勇等费，全由洋行，盐商及潮州客商分捐。林、邓只希望他“明降严旨，切责臣等务将夷船新烟，查明全缴”，不敢请求拨用款项，怕触动他的鄙吝心，会放弃禁烟，倾向于投降派。

广东防务的效力，从军民反抗精神表现出来，林则徐的领导也起着极大的作用，下列事实，说明人民是齐心的，兵士是能战的。

五月，英船水手殴毙村民林维喜，林则徐严令义律交出凶犯抵罪。义律抗不交凶，声称：“遵国主之明谕，不准交犯，按照本国之律例秉公审办。”林则徐斥为“谬妄”，勒令交凶按中国法律惩办。在双方交涉中，林则徐驳义律禀文有“天朝以大字小，不得率将‘相和’字样写入禀内”等语，否认中英间平等地位，自然是不识外情，妄自尊大。但义律坚执“照本国律例审办”，有意破坏中国主权，更属恃强不法。林则徐令洋商通事劝导英国商船具结进口，并不因惩凶交涉妨碍合法贸易。英船三十二只，停泊外洋，被义律阻止，所载洋米、洋布、棉花等货，潮湿霉烂，损失甚巨，不敢进口卸货。鸦片船混入船群中，私放舢板，潜赴偏僻口门，用木片作招帖，写明鸦片一个，洋银几元字样，随潮流入海口，诱人偷买贱价毒货。义律借惩凶交涉扩大事态，企图争取治外法权，继续鸦片贸易，正义显然在中国方面。七月，林则徐下令“禁绝英夷柴米食物，撤其买办工人”。对英人罢市。罢工的结果，义律及英商无法在澳门居住，退到海面货船上，托澳门葡人出面调停，但仍拒写“人即正法”甘结。中英关系恶化，责任全在义律为代表的鸦片集团。它采用各种手段来破坏烟禁。七月下旬，竟试图武力威吓。义律率兵船一只，武装商船十只，突然向九龙山口岸巡船三只开炮。巡船奋勇回击，岸上炮台发炮应援，交战十小时，击翻英方双桅飞船一只，击死英兵至少十七名，中国兵死二伤六，英船逃回大洋。八月初，水师兵勇又烧毁鸦片趸船一艘。向来中国水师不敢接仗，英船“安假炮于船旁，画炮眼于船板，虚张声势，粉饰观瞻”，就吓倒傲慢自大的“天朝”，这次交战，不料被少数巡船击退，义律自知威吓无效，要求继续谈判。自然，谈判难关仍在“人即正法”四字。

道光帝接得林则徐等奏报，朱批：“朕不虑卿等孟浪，但诫卿等不可畏葸，先威后德，控制之良法也。”这似乎是支持了林则徐的强硬态度，但称正常抵抗为“孟浪”，对“人即正法”的争执不表示明确意见，所谓“后德”，又是含糊其词，投降派就潜伏在这些含糊词句后面，等机会驱逐抵抗派。

二 坚决的抵抗

一八三九年（道光一九年九月）至一八四〇年（道光二〇年七月）

林则徐、义律双方态度都极坚决。九月底，英商船两艘遵令具结，义律派兵船两只到穿鼻洋面阻止，不许进口。林则徐派水师保护英商船一艘进口（一艘逃去），英兵船开炮来攻，水师提督关天培亲督兵勇回击，激战两小时，英兵船一艘受伤，战败逃走。从九月底到十月初，中英接仗七次，中国俱获全胜，当然，这些胜利是微小的。但当时中国军队是怎样一种军队呢？将校兵卒是一群乌合的无赖流氓，炮是一二百年前的旧炮，火药是三分钱一斤的火药，主要武器是弓箭刀矛。澳门新闻纸论中国武备说："中国之武备，普天之下，为软弱的极不中用之武备，及其所行为之事，亦如纸上说谎而已。其国中之兵，说有七十万之众，未必有一千人合用。其师船之样，若得我等或米利坚之兵船，在一点钟之久，即可赶散各师船。中国敌外国人不过以纸上言语，真可谓之纸上王国矣。"这样的军队，经林则徐整顿，居然打了七次小胜仗，不能不说是巨大的成绩。

林则徐积极筹备战守，但并不专恃武力，他的策略是"苟知悔悟，尽许回头"，"奉法者来之，抗法者去之"，"他国货船遵式具结者，固许进埔，即英国货船，亦不因其违抗于前而并阻其自新于后"（会奏：《叠次轰击英夷船情形折》)。这就是全力禁阻一部分英国鸦片商，既不牵涉其他合法贸易，也不拒绝鸦片商悔悟自新。道光帝自九龙山获胜后，虚骄心增强，穿鼻洋战前数日，下谕“断绝大黄茶叶，永远不准交易”，要停止英国一切贸易，正中义律的奸谋。林则徐奏称：“具结之船，不宜与观望营私之他船一例办理，以示区别。”道光帝恰接到七次战胜的奏报，竟正式下谕：“即将英吉利贸易停止，所有该国船只，尽行驱逐出口，不必取具甘结。着出示晓谕各国，列其罪状，宣布各夷；”并批斥“奉法者来之，抗法者去之”，说：“同是一国之人，办理两歧，未免自相矛盾。”这种谬妄的指导，完全破坏了禁烟计划，扩大了战争危机，而且替义律惩罚了具结进口的英商船。林则徐当然不敢违抗上谕，十一月一日起，遵旨封港，断绝中英通商关系。

义律及英商居住海上，生活困苦，义律投递禀帖，大意说：“请准许英国商人家眷等复得回澳门居住，至英国兹时所求，惟欲仍作正经贸易，凡事钦遵大清律例而不违本国制度，俾可两为同存也。”林则徐不便违旨重开交涉，只好严词驳斥，有“现奉大皇帝谕旨，永断尔等贸易，将尔罪状明白宣示各国，业已钦遵办理”等语。既不许通商，又不留体面，世界第一强国的英吉利，必然将借口蒙受辱害，发动武力侵略。道光帝却以为禁烟事了，调林则徐为两江总督，要他去整顿政府重要收入的漕务，谕称：“林则徐已放两江总督，现虽专办此事，岂能常川在粤？即邓廷桢统辖两省，公务烦多，亦不免顾此失彼。仍当通盘筹画，办理结实，俾日后净绝根株，方称一劳永逸。”林、邓会奏也以为派一道员驻札澳门，“督同澳门同知等查办夷务，稽察澳夷额船，断绝英夷冒混，缉拿汉奸接济”，就可以“一劳永逸”。事实却不是这样容易，迫使道光帝改任林则徐为两广总督，任邓廷桢为两江总督，旋又不得不改任邓廷桢为闽浙总督，因为福建水师收受陋规，包运烟土，厦门成走私大海口。这说明英国丝毫不放松鸦片贸易的利益，但满清君臣并未意识到战争已迫在目前。

道光帝停止中英贸易，从中国方面说，自然是绝对有利。禁烟时期，各国商船（英国除外）进口特别增多，截至十一月，广州到船六十二只，美船占四十五只，带来现洋将及二百万元（会奏：《察看英夷反复情形遵旨不准交易折》)。白银外溢一变为白银输入，这使道光帝自信停止贸易是有效的政策。大官僚曾望颜代表极端闭关主义者，奏请封关禁海，无论何国夷船，概不准其互市。这样荒谬的建议，正合道光帝的志愿，即时寄交林则徐等，意思是要他们照办。停止中英贸易已经造成大错，何况停止各国贸易，与世界为敌？愚昧自大，闭关排外，是当时指导外交的主要思想。林则徐比较明白外情，奏称："今若忽立新章，将现未犯法之各国夷船，与英吉利一同拒绝，是违抗者摈之，恭顺者亦摈之，未免不分良莠，事出无名！此中控御之法，似可以夷治夷，若概与之绝，则缺望之后，转易联成一气，勾结图私。"这一反对意见，被道光帝采纳，因此战祸限于中英两国。

中英停止贸易，从英国方面说，自然是绝对有害。英印两政府岁入总额六分之一，从对华贸易取得。英国输入华货，每年收关税四百二十万镑，其中茶税占三百六十点六万镑。印度输出鸦片，每年收烟价二百万镑，占印度岁入十分之一（战后增至七分之一）。贸易停止，英印政府损失六分之一的收入，无法弥补，这是发动战争的主要原因。英国对华正当商业，如茶、棉、毛、纺织等，营业骤然停滞，银行利息上涨（《中西纪事》），并影响到英国布匹对印输出，因为英国布匹在印度很大部分的消费是靠鸦片生产为转移。

贩茶利益被美国夺去，呢羽钟表等贡品，法国向粤海关声明愿多制货物，来粤贸易。国际商业的竞争，更威胁英国既得的商业霸权。所有这些原因的总和，便产生英国的武力侵略——鸦片战争。这个战争，改变了中国社会的性质，同时也改变了资本主义世界的面貌，广大的中国加入世界市场，使英国工厂数目空前增多起来，英政府看到目前的损害与未来的利益，决心为开放市场而战争。

一八四〇年二月英政府任命印度水师提督乔治·义律为对华谈判全权大臣，作为用兵的第一步骤。陆军大臣答复国会质问时提出三个理由：第一，报复中国政府对英国领事及商民的侮辱；第二，赔偿英商所受的损害；第三，保障英商身体财产的安全。至于不体面的鸦片偷运应否停止，英国政府并不愿考虑。四月，英国会开会辩论，议员中也不乏公正议论，经三天激辩，终于以九票多数通过军费支付案，正式派遣侵略军。当时侵略军海陆两部总数不过一万五千人，陆军归乔治·义律统率，海军归伯麦统率，乘军舰二十六艘，载大炮五百四十门，于六月（道光二〇年五月）间陆续到达广州口外海面。老大的封建帝国，在侵略军威胁下，暴露了它的极度腐烂性，因此遇到意外惨重的失败。

林则徐是少数进步人士的代表者，这种进步性主要表现在依靠人民的力量，坚决抵抗外国侵略。在他的言行中，丝毫不曾畏惧英国的船坚炮利，他极畏惧的却是掌握政权的腐烂势力。事实也是林则徐在军事上不败于英军，而在政治上败于道光帝的谬乱指导和投降派的阴谋破坏。

道光二〇年五月初，英兵船四艘游弋于广州口外，保护鸦片商船，“日则暗放舢板，分运烟土，引诱奸民，零星贱卖（比禁烟前减价十分之七）；夜则抛锚寄碇，并招集办艇（华人卖食物用具小船）环护，支更瞭望，以防我兵火攻”（林则徐:《焚剿夷船擒获汉奸折》）。英陆军大臣在国会宣布出兵理由是“中国政府侮辱侵害英国，若不出兵，不但损国威，辱国体，实大不列颠民族之大耻辱”，似乎正义全在英国方面。不过这些辞句并不能掩饰武装贩卖鸦片的事实，宜乎林则徐斥为“实属可恶已极”。林则徐对抗侵略者首先是发动民众，他颁发“英夷鸱张安民告示”，内称:“英吉利夷人本多狡诈，且以鸦片害我民人性命，骗我内地资财，当亦吾民所兵仇共愤；本部堂今与汝等约，如英夷兵船一进内河，许以人人持刀痛杀。凡杀白头鬼一名，赏洋银一百元，杀死黑鬼子一名，赏洋银五十元。”一个官员敢于允许“人人持刀痛杀”侵略者，在统治阶级看来，实是骇人的措施，林则徐却看作最可靠的力量。虽然“夷兵腿足缠束紧密，屈伸皆所不便，若至岸上更无能为”的估计是可笑的，但“以守为战，以逸待劳”(《密陈夷务不能歇手折》)，利用民力，在持久抗战中争取胜利，并不是无理由的空想。他利用民力，确实达到颇高的程度，水上有水勇、疍民、渔户、引水及“素谙夷语线民”，陆上有乡勇、团练及自愿持刀杀敌的民众，水陆到处与侵略者为敌。英船在内海，必需雇引水领路，官府据引水探报，得知英船行动。线民“假装济夷办艇，作为内应，配合各队水勇火船，出其不意，纵火焚烧夷船”。英船被火攻以后，不敢停泊在一处，“每日东飘西泊，莫定行踪，夜更游弋不停，深恐我兵复用火船往烧”。对汉奸也不敢信任，“洋船之汉奸，皆为英人所疑忌，尽遣去”（《圣武记》）。船上缺淡水，“以布帆兜接雨水，几于不能救渴”，到小岛汲取，又“夷兵吸水受毒，患病者甚众”。英船在外洋不知陆上虚实，“遇见内地出入之盐船、商船，即潜遣舢板拢近，采询官兵消息，迨内地各船驶近口门，则又不敢追问”。在这些情况下，英军无隙可乘，企图封锁广州海口又不遂，乃成坐困之势。伯麦得本国训令向中国北部活动，六月初，率舰队三十一艘北驶。五艘攻厦门，被邓廷桢督水勇火攻，英军战败逃走，二十六艘攻陷浙江定海县（舟山岛），居民多避归内地，英军伙食无多，费用浩繁，大张招贴，每鸦片一斤，只卖洋钱一元，谋诱回居民，取得食粮，但很少人受诱。七月底，留粤英军进攻澳门附近关闸一带，林则徐、关天培督水陆兵勇猛烈回击，接仗至三四时辰之久，英军败回外洋。

投降派以定海失陷为契机，全力攻击林则徐，本来动摇的道光帝，更转到投降派方面。正当林、关在关闸战胜之时，道光帝下严谕斥责林则徐，说：“外而断绝通商，并未断绝，内而查拿犯法，亦不能净，无非空言搪塞，不但终无实济，反生出许多波澜，思之曷胜愤懑。看汝以何词对朕也。”从此抵抗派得罪，坐待处罚；投降派大得势；英国侵略军无阻碍地横行南北海疆，收获意外的胜利。

禁烟失败的主要责任不在林则徐而在投降派和道光帝，咸丰帝宣布穆彰阿罪状的上谕里已经论定了。此后任何严肃的历史学者无不同意这一论定，因为它符合于当时的事实。过了一百年，中国的反动集团依然保持着穆彰阿的投降路线，却无耻地颠倒是非，谀颂投降派是“知己知彼”的“爱国者”，诬林则徐是“不肯牺牲自己的名誉去与时人奋斗”的“伪善者”。这种抹煞事实的謷说，丝毫不能证明林则徐为首的抵抗派是错误了；相反的，投降派及道光帝被确证为祸国殃民的负责人。

林则徐原定计划是禁绝鸦片，奖励合法通商，如果道光帝不停止中英贸易，英政府对华军费案未必在国会通过，因为正当工商业者的利益与鸦片贸易并不一致。虽然英政府决不放弃鸦片利益，无论何种借口，它定要发动战争。满清政府腐败落后，即使不因鸦片启衅，它仍不免沦为半殖民地。但就鸦片战争本身说来，却是道光帝促成的。林则徐给其妻郑夫人家书里说：

> 外间悠悠众口，都谓我激起夷衅，殊不知实出圣躬独断，屡颁严旨，谓不虑诸臣操之过切，只愁诸臣畏之过甚耳。予明知禁烟妨碍奸夷大利，必有困难，而毅然决然不敢稍存畏葸之心者，盖以身许国，但求福国利民，与民除害，自身生死且尚付诸度外，毁誉更不计及也！

这是夫妻间私信，当然不是所谓“不肯牺牲自己的名誉”，也决不是推诿自己的责任。他所称“圣躬独断”，实指停止中英贸易而言，这正是促成战争的重要原因。

林则徐等筹备海防，道光帝置身事外，丝毫不给以财政上的援助。募集兵勇，添造快船，制备新器械，购买外国大炮，修筑炮台，都“不敢请动帑项”（《尖沙嘴官涌添建炮台折》），惟设法向当地富商募集。他在《密陈夷务不能歇手片》里说：“自道光元年至今，粤海关已征银三千余万两。收其利者必须预防其害，若前此以关税十分之一制炮造船，则制夷已可裕如，何至尚形棘手？”他不仅指出了过去的错误，还希望补救于将来。在同片里他说：“粤东关税，既比他省丰饶，则以通夷之银，量为防夷之用。从此制炮必求极利，造船必求极坚，似经费可以酌筹，即裨益实非浅鲜矣。”这里已有输入外国军需工业的意图，在当时可以说是一种进步的思想。对于这种意见，道光帝批斥说：“一片胡言。”当时投降派的主张是“内地船炮非外夷之敌，与其旷日持久，何如设法羁縻”。这种守旧消极思想，和林则徐所代表的思想正是显著的对照。

英国侵略军到达广东，林则徐就“飞咨闽、浙、江苏、山东直隶各省，饬属严查海口，协力筹防”（《英夷续来兵船情形片》）。道光帝据奏报，也迭经降旨，令沿海各督抚严加防范。不过这些督抚，除了邓廷桢，不是投降派首领（直隶总督琦善、两江总督伊里布），便是“形同木偶”的腐败官僚，从浙江到直隶，海岸“毫无准备”（《东华录》）。林则徐深知无法挽救，给郑夫人信里说：“而今英夷兵船来华，既不能在粤思逞，必然改窜他省。

他省海口皆无设备，苟有疏失，则该督抚必然诿罪于余之惹启夷衅焉，则是非亦只可听之公论而已。”他这个“必然诿罪于余”的预见，定海失陷后完全实现。

投降派配合英军向林则徐进攻，对道光帝大进谗言，说“夷兵之来，系由禁烟而起”，“上年广东缴烟，先许价买而后负约，以致激变”，“邓廷桢厦门军报不实”。尤其阴毒的是诬蔑林则徐接受英吉利国王文书，私自销毁，引起道光帝大疑忌。林则徐处在猛烈的谣言攻势下，奏请“钦派大臣来粤查办”。道光帝决心投降，给他一个“看汝以何词对朕”的训斥。林、邓失势孤立，但直到被革职为止，还继续在粤闽坚持抗英。

腐烂的满清必然遭受失败，这是丝毫不容怀疑的。林、邓抵抗派受满清政府支配，失败也是必然的。他们禁烟并未成功，但值得被中国人民纪念和尊敬。这首先是由于他们懂得抵抗侵略必需依靠民众这一真理；其次是不畏任何困难，富于坚决顽强的精神。投降派对人民采仇视态度，对侵略者采不抵抗政策，正和抵抗派走相反的道路。

第七节　投降派第一次“胜利”

一八四〇年（道光二〇年七月）至一八四一年（道光二一年正月）

投降派有两个基本思想。第一，即林则徐所说：“夫震于英吉利之名者，以其船坚炮利而称其强，以其奢靡挥霍而艳其富。”（林、邓会奏：《审察敌情折》）第二，即蒋湘南所说：“世方奇货之居，人切染指之愿。”（《与黄爵滋论禁烟书》）换句话说，就是英国不可抗，鸦片不必禁。在本时期内，上起道光帝，下至一般烟民烟贩，形成庞大的投降集团。大学士直隶总督琦善代表这个集团出面实行投降主义的交涉。

一　出面求降的直隶总督琦善

六月初，定海失陷，道光帝开始恐慌。七月，决定采取投降政策，敕沿海督抚，遇洋船投书，即收受驰奏，企图在受书所在地办理交涉。英兵船五只、火轮船（当时轮船只作通讯船用）一只到天津海口，他恐慌更甚，但求敌船退归广东，一切都可商议。琦善的任务在如何退敌，下面就是他的退敌法。

英船投递英政府致满清宰相抗议书，说明出兵理由是反对停止通商。对贩卖鸦片，说是英国少数人违禁行为，大英国主不愿包庇。对林则徐在粤举动，说是“某官宪奉大清皇帝之钦命，残害实信之英人，强迫、凌辱大英领事”。在毫不容情地攻击多年来粤省官宪收受规银、助运鸦片、不法已极、大清政府开一眼鉴远人犯罪、闭一眼不鉴官宪犯罪以后，提出六条要求：（一）偿给货（鸦片）价；（二）割让一岛或数岛；（三）两国文书平等往来；（四）赔偿军费；（五）不得以外洋贩烟之船牵累正当商人；（六）废止洋行商把持勒索并赔还欠款。当时英国主要要求在平等通商，补偿损失，对鸦片价讳称货价，足见自知不名誉，可能有意作一定程度的让步。天津道陆建瀛建议，“严持禁烟为名，以鸦片烟之至不至，决数事之许不许”。这是合理的交涉方针，琦善以为“书生之见”，拒绝采用，与道光帝、穆彰阿密定一套卑劣的办法。

琦善在答复英军统帅乔治·义律信里，把一切责任推给林则徐（后来耆英订《南京条约》同样归罪于林则徐）说："上年钦差大臣林等查禁烟土，未能仰体大皇上大公至正之意，以致受人欺蒙，措置失当，必当逐条查明，重治其罪。"所谓"林等"，是指林则徐、邓廷桢等抵抗派。英国侵略者还不便提出这样的要求，清政府却保证重治其罪，也就是保证恢复鸦片贸易，作为"贵统帅等应即返棹南还"的条件。侵略者自然满意，约定"中堂若赴广东，我等即可永远和好"。八月，英船退往广东，道光帝命琦善为钦差大臣，赴广东查办，并谕沿海各督抚："洋船经过或停泊外洋，不必开放枪炮。"

二 惩罚抵抗派，开放烟禁

英船在天津时，乔治·义律等二十余人赴琦善宴会，"嘻笑怒骂，有舞洋枪飞刀于坐上者。琦善隐忍受辱"（《中西纪事》），禁人传说。向道光帝却报称："情词恭顺，窥其词色，似有愧悔之心。"山东巡抚托浑布奏报洋船过境，"各人向岸罗拜，情形极为恭顺"。九月，洋船到浙江，钦差大臣伊里布"遣其奴张喜赴洋船馈牛酒，首贺以林、邓革职之事。洋酋伯麦摇首曰：林公自是中国好总督，但不悉外国情形耳。断鸦片可，断一切贸易不可。贸易断则我国无以为生，不得不全力以争通商，岂仇林总督而来耶？”（《圣武记》）。洋人肆行侮辱，投降派说是夷情恭顺；洋人自称“断鸦片可”，投降派保证重办林、邓。从表面看来，似乎是一片呓语，实际是中外协调，因为只有这样，才能恢复鸦片贸易，解决交涉的中心问题。

道光帝根据“夷情恭顺”的奏报（两江总督裕谦因奏称“英人呈递书字，语句狂悖”，大受训斥）来惩办林、邓，表示自己的“大公至正”。八月，林则徐侦知英兵船五艘在磨刀洋，派副将陈连升率兵船五艘载兵勇三千人往攻，英船战败逃走，捞获英兵死尸十余及军器军旗若干。道光帝得报，斥为“贪功启衅，杀人灭口”。不久，下一道谕旨说:“林则徐、邓廷桢在广东查办鸦片，将逾两年，尚未绝除根株，转致该夷赴京畿呈诉冤抑，成何事体？已将该总督误国病民、办理不善之处，降旨宣示。”林、邓既被加以“误国病民、办理不善”的罪名，自然应该受处罚，于是接着又下一道谕旨说：“英夷船只游弋沿海，福建、浙江、江苏、山东、直隶、奉天诸省征调纷纷，糜饷劳师，此皆林则徐办理不善所致。林则徐、邓廷桢均交部分别严加处罚。”林、邓得革职处分，听候琦善查问差遣，同时任命琦善为两广总督。这是投降派整套阴谋的大成功。林则徐还想作最后请求，想去夺回定海，奏称：“倘蒙格外天恩，宽其一线，或令戴罪前赴浙省随营效力，以赎前愆，臣必当殚竭血诚，以图克复。”他的办法是：“或将兵勇扮作乡民，或将乡民练为壮勇，陆续回去该处，诈为见招而返，愿与久居；一经聚有多人，约期动手，杀之将如鸡狗。”道光帝当然不理，在他反对“羁縻”（投降）的警句——“夷性无厌，得一步又进一步。且他国效尤更不可不虑”——下面，朱批道：“汝云英夷试其恫吓，是汝亦效英夷恫吓于朕也。无理可恶！”这样蛮横的词句，目的在恫吓林、邓及其他抵抗派，不敢再有所论争。

林、邓革职，等于禁烟运动从此结束。十月，道光帝颁布开放烟禁的上谕，很巧妙地说：“上年颁发新定章程（即查禁鸦片章程三十九条），严立科条，宽予期限（一年六个月戒绝），……薄海内外，必已父戒其子，兄勉其弟，咸知畏法自新。……即日限期届满，或以无知触法……是在内外满汉诸臣，训谕督催，不遗余力，转瞬限满，无一藐法干罪之人，用副朕除恶务尽之意。”照章程规定，“吸食之案，止准官弁访拿”，官弁不访拿，那有“藐法干罪之人”，鸦片也就“永绝根株”了。

三　放手卖国的两广总督琦善

十月，琦善到广州，首先替英人“代伸冤抑”。在义律先后缴烟印文里，查不出林则徐的罪状，便诘问磨刀洋袭击，何人先开炮，既是袭击，不待问是广东水师先开炮，他要斩决副将陈连升向英谢罪，发令指使的林则徐自然罪名也不小。这个荒谬的主张，被众人反对，不曾实施，广东水陆军却从此解体。

琦善办理外交的方针是“一切力反前任（林则徐）所为，谓可得外洋欢心”。在军事上实行撤防，裁减兵船三分之二，舵工水勇全部遣散；撤去海口内木排铁链，任令英军派小船探测内河水道，陆续起出水底暗桩及载石沉船，不许军民禁阻。在政治上实行独断，自称专办夷务，省城文武官员不得参与谋议，连广州将军阿精阿、巡抚怡良那样的满洲贵族也被摈退，因为这些人受林则徐影响，曾经出力禁过烟。他把人民看作多是汉奸，未到省之先，就预定“广东省城汉奸充斥，举凡一言一动，罔不潜相窥伺，为夷人私通消息”。到省后，蔽塞自己的耳目，以“防制”汉奸，“凡有报缉汉奸者，则诃曰：‘汝即汉奸。’有探报洋情者，则拒曰：‘我不似林总督，以天朝大吏，终日刺探外洋情事。’”他惟一亲信，往来双方传话的所谓“通晓夷语八品衔鲍鹏”，是什么人呢？是老鸦片商颠地的买办兼娈童，因贩卖鸦片，被林则徐访拿，逃到山东，得托浑布推荐，变成琦善的心腹要员，一切交涉全由琦善、鲍鹏二人商办。义律对鲍鹏，“言语倨傲，动加诃斥”；鲍鹏对琦善，装模作样，危言恫吓；琦善对道光帝，谎话连篇，促成投降；道光帝对英军，希望“夷情恭顺”，自动退兵，送还定海，恢复禁烟前旧状。作为道光帝代表的琦善，实际是义律的代表（所谓“始终为义律乞恩”），在欺骗威胁甚至贿买下，琦善完全满足了义律的要求。

琦善撤防以后，义律宣称：“若多增兵勇来敌即不准和。”琦善遵命不敢增调防兵。义律令琦善承认前在天津提出的六条，并指索香港及鸦片赔款七百万元。琦善一一在口头上承认，但不愿出具文件。双方争点在如何割让香港。琦善主张暗割，义律主张明割。义律宣称“战而后商”。十二月，英军进攻沙角炮台，守将陈连升无援战死，琦善声言：“我不撤兵，必为彼所败，”下令撤退各炮台守兵。英军长驱直入虎门，提督关天培发炮抵抗，派专人回省城哭求增援，文武大员合力代求，琦善一概不理，连夜写信派鲍鹏往穿鼻洋见义律，秘密订立赔烟价、割香港、开放广州、两国公文对等往来等四条草约（《穿鼻草约》），英军停止进攻。

“瞒上不瞒下”是中国官僚重要的办事方法之一。琦善主张暗割香港，就是允许英国自由占领，自己当作毫无闻知，日后被人揭发，不过得“失察”处分，政府也必然承认既成事实。可是义律定要满清政府公开割让，这使琦善陷入窘境，不得不正式奏请，又不得不造出一些重大事变，要求批准。沙角及虎门各炮台被攻，坚决不发援兵，是否故意造成失败，以便订立文据（琦善在刑部供称：“因救急无策，仅允代奏给与香港地方寄居。”又在奏折中捏称“同城之将军、都统、巡抚、学政及司道、府、县均经会商”。实际并无一人参与），当时有人怀疑“此中曲折情形”，不是没有理由的。道光二一年正月，琦善两次会见义律，只许鲍鹏一人在旁，行迹诡秘。道光帝令靖逆将军密查有无受贿情形，后来抄没家产入官，足见受贿的传说不是没有根据的。香港就这样被琦善出卖了。

第八节　清政府的对英宣战

一八四一年（道光二一年正月）至一八四二年（道光二二年七月）

一　决心宣战的原因

琦善在天津答复乔治·义律信里说："钦差大臣林等受人欺蒙，则前项烟价，又将着落何人赔缴，"就是说，要林等及欺蒙者赔缴。他到了广东，找不着谁是欺蒙者，林等又穷无所有，而烟价七百万元又必需支付，这是第一个出乎道光帝意外的痛心事，也是决心用兵的主要原因。琦善捏奏："英夷自知懊悔，愿缴还定海并献出沙角炮台，请准其就粤东外洋之沙角地方，泊舟寄居。"道光帝并不知香港地方离省远近若干里。地形宽狭若何，以为荒僻小岛交换定海、沙角是琦善"委曲从权”的“苦衷”。那时候他已经调湖南、四川、贵州兵往广东听琦善调度，准备示以声威，大加惩创，取消烟价赔偿。不料怡良揭发琦善私割香港，岛上驻兵早被驱逐，居民早被逼令归顺，作为英国国民，全出道光帝意想之外。他赔钱失地，计划落空，怒不可遏，一变投降态度为强硬。正月初，以英吉利索偿烟价、请给码头为由，宣布讨伐令，“着伊里布克日进兵，收复定海；并着琦善激励士卒，奋勇直前”；并表示“烟价一毫不许，土地一寸不给，朕意已定，断无游移”的决心。中英两国正式进入交战状态。

中英战事，中国称为鸦片战争，英国称为通商战争。按照战争的起因说来，自然是由于禁烟贩烟双方的利害冲突，但在林、邓革职以后，战争起因完全不存在了。道光帝所宣布、英国所进行的战争，它的性质，在英国方面是夺地讹款的侵略，在满清方面，虽说是反抗侵略，但反抗意识却非常薄弱，如果烟价有人（“欺蒙者”）赔缴，定海真正送还，道光帝决不会为“尺土一民莫非国家所有”而战，是显而易见的。他出动兵力，原想“彼时该夷恐惧乞怜，再由该将军等酌量情形，代为奏请”，把敌人看作一吓即倒的弱者。交战结果，大出他的意外，发现自己是弱者，他赶快停止反抗，又采取投降政策。

满清猜忌汉人，军权和外交权绝不轻授汉员。林则徐因适逢禁烟，得“钦差大臣”名义，在他看来，确是“生逢盛世，蒙皇上特达之知”（《与郑夫人书》）了。但大小行动必须奏报请求批示，勇饷、防费不敢动用库款分文，权力是极其微弱的。琦善及其他满员就完全不同，他们可以谎报军情，调用弁兵；可以侵蚀饷银，浪费库款，即使被人揭发，仍能获得皇帝的信任和庇护。对英战争的惨败，不只是两国强弱的悬殊，满人排斥汉人，胆大妄为，也是一个重要的原因。

二　广东方面的战事

一八四一年（道光二一年正月至六月）

道光帝调集各省绿营兵一万七千名，派皇侄奕山为靖逆将军，隆文、杨芳为参赞大臣，往广东协同琦善“剿办逆夷”。这些兵将都是分路陆续前往，无计划的到广州集合，因此广东军事可分为琦善、杨芳、奕山三个时期。

琦善力主割让香港，奏称："地势则无要可扼，军械则无利可恃，兵力不固，民情不坚，若与交锋，实无把握，不如暂示羁縻。"这是彻底的投降主义，但主战的道光帝，毫无实际准备，凭自己的虚骄心，妄想"一鼓作气，克服海隅"，受挫以后，同样成了投降主义者，并不比琦善勇敢一些。琦善因为面对敌军，不管道光帝痛骂促战，他总是坚持投降。二月初，英军进攻虎门炮台，提督关天培率兵死战，琦善不发援兵，关天培及将弁兵士四百数十人战死，虎门失陷。上年林则徐所购西洋炮二三百门，全被英军占有。虎门败后，琦善锁逮入京。广东战事由杨芳主持。

杨芳是著名的内战健将，因屠杀大量汉回人民有功封侯爵。对外战事，他是投降主义者，在路上就奏请割香港，理由是"给岙堆货"。他改换字面，请"准令英属之港脚商船在粤贸易"。"港脚"是印度各埠的统称，准印度来船贸易，等于准英商贸易。道光帝下谕严斥，说"断不准提及通商二字，坐失机宜"。杨芳得革职留位处分。三月下旬，奕山到广州，主持广东军事。

奕山，也只有奕山，具备着结束广东军事的资格。

他在统治阶级里地位极高，被看作有极大权能的人物，他都失败了，谁还能说不该投降呢？满清政府政治、军事、民族一切反动性，通过这样的人物，才充分体现出来，因此才招致充分的失败。

奕山等首先是反对广东军民，“屡奏粤民皆汉奸，粤兵皆贼党。故远募水勇于福建而不用粤勇。官兵擒捕汉奸，不问是非而杀之。粤民久不平”。他们又疑忌外来弁兵，用亲信满人西拉本、岱昌等当大将，“将各省之兵，互调分配，各离营伍。兵不见将，将不见兵，纷扰喧呶，全无纪律。所发盐菜口粮，厚薄不均。令十五兵共一帐房”。他们又纵兵杀掠，以收买兵心：“城中逃难之百姓，或指为汉奸，或劫其财帛。夷兵抢夺十三洋行，官兵杂入其中，肩挑担负，千百成群，竟行遁去。城外各处将逃兵数千，应付回省，反以追逐洋鬼迷路为词，当事者犹以众兵追敌放赏。”奕山等招美女日夜饮酒作乐，军官们日日以算口粮、争供应为事，奔走钻营，求制办火药木料等肥差，千、把以上军官都在城内，不到营伍中去。这些都是当时人可靠的记载，只有隐讳，决无夸张。满清对外作战的将军与军队，就是这样不堪的腐朽物。

道光帝责成他们“分路兜剿，务使该夷片帆不返，俾知儆畏。倘夷船闻风远遁，空劳兵力，惟该将军等是问”。这真是骇人的梦呓！英国方面得知道光帝宣战，派陆军少将卧乌古、海军提督巴尔克率大军增援，定海英军也集中广东，共有兵船五十六艘，半泊香港，半入虎门，船上插“出卖鸦片”的旗帜，与鸦片贩交换食粮银钱以充军饷。奕山和随员们以为，“不战则军饷无可开销，功赏无由保奏”，急于侥幸一试。四月初，英军全部驶进虎门，准备进攻，奕山恰恰选定同日分三路攻击英军，遭英军反击，纷纷溃退。英船到天字码头放空炮数声，守兵逃散。泥城、四方两炮台，不战失陷。英军据四方炮台，用火箭火弹直打城中，奕山等面无人色；因英军散布流言，说“专与官为仇，绝不向民加害”，乃下令：“官兵自城外逃回，开门准进；城中百姓，不准放出一人；”希望得些保护。英军连发大小炮，城中兵民死伤无数，奕山等决计投降，在广州城上竖起白旗，派广州知府余保纯向卧乌古行三跪九叩首礼，呈奕山求降书。卧乌古提出休战条约五条，奕山等大喜接受，战事停止。

广东地方这次所谓中英战争，前后凡七天（四月初一日夜半至初七日）。英军步炮兵约二万四千人，战死十四人，负伤九十一人。满清军兵勇约三万五千人，死伤不知确数。战争中破坏最显著的是英军抢掠十三洋行。它是满清政府对外贸易政策的实际执行者，如代官吏索贿，措勒物价，把持贸易，包运鸦片等一切阻碍正当贸易的恶劣行为，都是洋行在政府支持下作为合法的专业，被抢以后，全部破产，标志着封建特权被外国侵略者击破了。

按照休战条约，一周内交给英军赎城费六百万元，英商馆损失三十万元。赎金缴清，奕山等率外省兵退驻六十里以外，英军归还所夺炮台，退出虎门。奕山搜括库款四百万及商、民私财，照约实行。英军陆续退去。

四月初八日，广州解严。奕山奏称："初八日焚击痛剿，大挫其锋，"保荐大批有功员弁；又奏："义律穷蹙乞抚，只求照旧通商，并将历年商欠清还。已暂准其与各国一体贸易，从前商欠业已代为清还。"道光帝谕称："朕谅汝等不得已之苦衷，准令通商。"大败改作大胜，投降改作受抚，赔款改作代还商欠，批准投降改作准令通商，一群阿Q们居然大获“胜利”。

阿Q们自称胜利，引起人民及抵抗派广泛的不满，道光帝在舆论的压迫下，曾令林则徐“驰赴浙江军营”。并指明“如有折奏，林则徐毋庸列衔”，就是说，不准他表示意见。两江总督裕谦倾向抵抗派，很尊重林则徐。五月，英船在浙江洋面游弋，道光帝怕林则徐鼓励裕谦“妄动生事”，又怕抵抗派引证广东军事要求起用他，决计先发制人，给林、邓安上战争失败的罪名。他下谕说邓廷桢“懈惰因循，不加整顿，所设排练，空费钱粮，全无实用。以致该省兵丁柔懦无能，诸多畏葸，思之殊堪痛恨”。又说林则徐“既知兵丁染习甚深，便应多方训导，勤加练习，其于夷务亦当德威并用，控驭得宜，乃办事诸未妥协，深负委任”。根据这些莫须有的罪案，把林、邓“从重发往伊犁效力赎罪，即由该处起解，以为废弛营务者戒”。奕山也用同样的方法，说：“此次洋船开入省河，俱是汉奸引导，业经传谕乡勇分路搜杀多名。”实际上是收买地主武装，冤杀人民多名。因为真汉奸有英人保护，他们是不敢杀的。按照“粤民皆汉奸”

的成见，被杀者自然是表示不满的“粤民”。

阿Q们镇压人民和抵抗派，只能堵人之口，到底不能服人之心。他们又采取一套欺骗手段来制造上天保佑海疆平靖的谣言。六月，道光帝宣布：“据奕山等奏请撤兵，分期启行，已明降谕旨照议办理，并谕令沿海各督抚酌量情形，奏请撤兵矣。”奕山又奏：“海风陡发，击碎英夷房寮码头（香港），夷船被风吹没无存，偶留船只，又皆桅舵俱折。该夷等恶贯满盈，竟遭天谴，从此夷胆震慑，不敢再有觊觎。”道光帝据奏宣布上谕说：“仰蒙昊苍垂佑，淹毙夷匪汉奸不计其数，帐房寮篷，吹卷无存。所筑码头，坍为平地，扫荡一空，浮尸满海。”上天替他毁灭香港，怎样答谢呢？他颁发大藏香二十炷，令奕山等“分诣各庙宇虔诚行礼，答谢神庥”，并许保荐文武数百员。这一群愚顽的骗子正在大显神通、得意忘形的时候，英军攻陷厦门，进取浙江了。

三　闽浙方面的战事再起

一八四一年（道光二一年七月至二二年二月）

英政府接到《穿鼻草约》，认为义律在战争胜利的情况下，不能全部实现致满清宰相抗议书中所提各条件，是办理不善，任命璞鼎查代义律为中国贸易正监督官，协同在华海陆军，武力压迫清政府订立正式通商条约。七月璞鼎查到澳门，率大小军舰二十六艘，兵士三千五百人向北出发。六月间，道光帝已谕令沿海各省裁撤防海兵勇，两江总督裕谦得广东方面探报，知道英国新调军队要进攻浙江，奏请免撤防兵。道光帝替英国辩护说："该夷赴浙滋扰，既属风闻，从何究其来历？且果别有思逞，断无先将传播透漏之理。"结果仍着裕谦"遵前旨将江浙调防官兵酌量裁撤，不必为浮言所惑，以致糜饷劳师"。这说明他在思想上丝毫没有战事再起的准备，行动上似乎尽可能给英军以便利。他最亲信的投降派首领穆彰阿是否暗助英人，——是不无可疑的。

本期战事可分为三种战败形式：（一）颜伯焘厦门抗战；（二）裕谦定海抗战；（三）奕经结束战事。

颜伯焘厦门抗战　颜伯焘是极端排外主义者的代表，代替邓廷桢做闽浙总督。到任以后，反对琦善、杨芳的"主款"，邓廷桢的"主守"，提出进攻的主张。他造战舰五十余艘，募新兵数千、水勇八千，添筑炮台三座，铸新炮一千尊，准备到大洋上与英军角逐。道光帝下令“撤兵省费”，水勇全数遣散，空船空炮等于废物，但他仍派多数水兵出巡外洋。七月初，璞鼎查率大军突袭厦门，颜伯焘急调水陆军守鼓浪屿，战斗相当激烈，击沉英军火轮船、兵船数艘，守将江继芸以下将领战死多人。鼓浪屿陷落，厦门又陷，颜伯焘收集溃兵，退守同安县，不久，英军退去，颜伯焘奏称失地收复。

颜伯焘虚骄自大，意气用事，一战即败是必然的。不过他比投降派还是好得多。他力排所谓“抚局”，认真筹备防务；战时身临前敌，亲自督战；战后自认“丧师辱国”，报告军情，不甚虚捏，——在当时应该说是难得的官僚。

裕谦定海抗战　两江总督裕谦是满洲贵族中坚决主战的惟一人物。道光二一年二月，英军调往广东，裕谦收回定海。镇海农民击退侦察队二十余人，捕得副船主等英人二名，裕谦在奏折中叙述虐杀俘虏的情形说：“活剥其皮，以为奴才马鞯；生抽其筋，以为奴才马缰，……再行凌迟枭示。”又令定海军民发掘英人坟墓，在街上焚烧尸体。他如此野蛮残忍，充分表现了地主官僚的残暴性。不过“英军踞定海，虐使定民，用法严酷，杀人者先以刀割裂其皮，纳入水银，周身灌注，遂活剥而悬焉”(《中西纪事》)。英国侵略者却也并不比裕谦更文明更人道些。八月，英军攻定海，汉奸、投降派宣称英军是来“报剥皮掘尸之恨”，并非破坏大局。因为裕谦是满人，没有被道光帝惩罚。

英军舰二十九只、火轮船两只进攻定海，总兵葛云飞、郑国鸿、王锡朋率守兵五千人血战六昼夜，力竭战死，定海再陷。中英开战以来，定海抵抗最力，英军受创不小，把鼓浪屿的军队都调来增援。当时香港兵力单薄，裕谦请求道光帝转令奕山进攻。奕山等每月开销军费三十余万两，大饱私囊，奏称“香港地方洋人并不久居”，又称“守为上策，攻战次之”，完全拒绝进攻的上谕。裕谦及提督余步云率兵四千守镇海。余步云是内战老手，号称“宿将”，对外却毫无战意，说“家有妻女三十余口，可怜”，不等英军来攻，先在招宝山悬挂白旗。裕谦召集各营将士对神立誓：“不得以退守为词，离却县城一步；不得以保全民命为词，收受夷人片纸。”英军攻招宝山，余步云逃走。镇海城守兵不战自溃，裕谦投水死。宁波守城兵勇望风溃散。久居天津的大鸦片商郭子立"出示安民"，管理宁波城。清军退守曹娥江，以防卫绍兴。

奕经结束战事　颜伯焘战败了，裕谦战死了，敌军侵占宁波大城，快要席卷江南财富之区了。道光帝怎样来挽救这个危局呢？他只能重复一番广东方面的旧套，其他办法是不能有的。

九月，道光帝任命皇侄奕经为扬威将军，文蔚、特伊顺为参赞大臣，牛鉴为两江总督，军队由江西、湖北、安徽、四川、河南、陕西、甘肃等省零星凑调，陆续前往浙江集合，重走着过去的旧道路。

奕经等到苏州，借口筹备军务，搜罗美女，勒索供应，酗酒赌博，作威作福，驻扎三个月，不曾检阅一次军队。宿迁人臧纡青建议："浙江老兵不可用，除调川陕河南新兵六千外，宜多用土勇，水勇，招集山东河南江淮之士勇万人，及沿海渔盐枭贩，江湖盗贼二万余，分伏三城（定镇宁），城中伏乡勇为内应，水陆并攻。以南勇为北勇之目，以北勇为南勇之胆。惟用散攻，不动大队，不刻期日。陆路伺敌出入，水路各乘风潮，逢敌即杀，遇船即烧，人自为战，使彼出没难防，而后以大兵蹙之。”臧纡青的战略思想是朴素的人民游击战思想。陆上水上城内随时随地扰击敌人，等到敌人穷困，用正规军配合游击军进攻，敌为客、我为主，敌势孤、我势盛，敌寡我众，敌劳我逸，确是弱国战胜外国侵略者的有效方法。奕经表面同意他的建议，但不实行他的计划。

十二月，奕经做一个梦，见到“洋人纷纷上船，窜出大洋”。第二天早晨他宣布吉兆，文蔚随声附和，自称夜间也做了同样的梦。二人大喜，决意用兵。道光二二年正月，奕经带着同梦的文蔚进驻绍兴，留不做梦的特依顺守杭州。当时大雨大雪，所备火船薪苇，都淋湿不堪用。三城兵勇布置，要二月中旬才能办妥。各路委员要求延期半月，奕经坚不肯等待，指定二十八日恢复三城。一个侥幸速胜的梦，把“原议分伏散战之法，一变而为排阵对战之法”。臧纡青的作战计划，全部被破坏。

奕经、文蔚的速胜计划如下：奕经率兵勇三千驻绍兴，作为后援。文蔚率兵勇二千驻慈溪城北，副将朱桂率兵勇二千驻慈溪城西，目的是镇海。提督段永福率兵勇四千伏宁波城外，余步云率兵二千驻奉化，目的是宁波。郑鼎臣率水勇图定海。奕经以为内应擒缚英人，三城唾手可得，严令各军不许携带火器火箭，只准用刀矛短兵。二十八日各路兵勇冒雨夜间出发。英军探知奕经用兵计划，早有布置。段永福军五百人入宁波城，与英军巷战，死伤过半，段永福督大队到城边时，得知英军有备，立即逃奔，不回防地，直走绍兴。余步云军半路上溃散，浙江老兵不可用，又不带火器，攻宁波军就此一溃了事。朱桂军派河南土勇五百人攻镇海城，英军应战，城外招宝山亦开炮轰击，土勇退回慈溪防地。英军跟踪反攻，朱桂率兵勇四百抵御，文蔚拒发援兵，朱桂战死。文蔚带少数满洲随员连夜逃遁，沿路重赏轿夫船夫，愈快愈好。前线各营因失主将，陆续溃散。二月初，奕经，文蔚逃回杭州，捏奏“汉奸勾结乡勇倒戈相向”，“文蔚大营被汉奸焚毁，烟焰蔽天”。其实一天以后，英军才到空大营，掳获辎重器械无数。又捏奏攻镇海军全军覆没，脱回仅七人，其实仅七人受伤，又捏奏慈溪英兵登陆一万七千人，其实仅二千人。诸如此类，无非虚张敌人声势，表明自己战败无罪，最后奏请“暂示羁縻”。道光帝据奏，认为“俱系实在情形”，决计投降，下谕“不许进兵，并不许擒斩洋人。兵勇杀一黑洋人即行正法，并治官弁之罪”。三路中惟郑鼎臣水勇在定海大有杀获，被严令解散。奕经与奕山同样，经过轻举妄动、一触即溃、丧胆乞降三个程序，结束了浙江军事。

第九节　清政府的求降难

一八四二年（道光二二年三月至六月）

奕经战败后，道光帝停止再调新兵，立即派遣投降派首领耆英、伊里布“驰赴浙江，相机筹办，设法羁縻”。他给奕经的谕旨里说：“该将军惟当协力同心，攘外安内，切不可再失事机也。”译成真实话，就是“要安内了（当时民间已发生起义和骚动），不要攘外，要奕经协同耆、伊切不可失去投降的机会”。道光帝抱着投降的诚意，英国侵略军却毫不理会，继续向目的地南京前进。

一　乍浦失陷——希望“解仇通好”

定海是英军侵略长江流域的根据地。英军决计收缩兵力，攻取南京，乃于三月下旬，放弃宁波。奕经奏称：“大兵进攻宁郡，逆夷畏逼，纷纷窜退，现在派员收复。”四月初，英军守招宝山，放弃镇海城。奕经又奏称乘机暗袭镇海，大获胜利。道光帝奖励这种欺骗，借以维持崩溃着的“天威”。当时定海英军只有兵船四只，兵士千余人，香港只有兵船十四只，兵士千余人。浙粤人民自愿奋勇出袭，火攻洋船，夺回两地，都被奕山、奕经禁阻，说是“恐触其怒”。英军根据地有靖逆、扬威两个将军替它看守，放胆进军，先攻乍浦。

乍浦是江浙两省海防重镇，有满洲驻防兵，平时骄横放纵，凌辱汉人，当作奴役看待。四月初，英军攻乍浦，满人斥汉兵为汉奸，令守海岸炮台及城郊，自己守内城。陕甘兵竭力抵抗，死三百余人。英军攻东门不能胜，转攻南门，福建水勇受满人侮辱，不肯力战，英军攻入南门，这些驻防军大都是废物，束手等待被杀，很少人敢于对敌，被英军杀死二三百人（《中西纪事》）。乍浦战斗，汉兵确极勇敢，英人分不清满汉，以为满兵敢战；满清官吏宣告战况，影射汉兵所立战绩，替满人掩饰耻辱，因此某些中外记载，误认乍浦满兵是顽强的战士。汉兵在战阵上俘获黑白洋兵十六名，送嘉兴城囚禁。伊里布到乍浦，求见郭子立，愿送还俘虏，等到送去，英船已开出海口，又送到镇海，交给招宝山英军，希望“解仇通好”，英军置之不理。

二　求降被拒，失陷吴淞口

五月初英军攻吴淞口，奕经密令两江总督牛鉴：“权宜羁縻。”牛鉴派人携带礼物往见英将，被拒不得见。牛鉴率三四千人驻宝山县，提督陈化成守吴淞炮台。陈化成是中英战争中与关天培齐名的战将。他备战认真，自信可以一战。他请牛鉴军作后援，自己督炮台兵力战，英军死伤颇重，不敢正面突进。牛鉴陈列总督仪仗，率大队增援，被敌舰瞭见，发炮轰击，牛鉴惊骇，抛弃轿子靴帽，混入士兵中乱窜，全军大溃。英军登陆，前后夹攻炮台，陈化成力竭战死。牛鉴一直逃回南京，上海宝山居民逃避一空，两城不战而陷，提督尤渤率陕甘兵守松江，英军进攻，两战两败，自上海驾舢板小船试探行军道路，又被崇明苏州无锡等县人民聚众杀逐。英军怕有力的抵抗，尤其怕人民的抵抗，它是孤军客军，必须避免久战硬战，因此退出吴淞口。

三 长江不守——城下定盟

陈化成战死，道光帝令耆英、伊里布、牛鉴“驰赴上海相机筹办”，就是要他们赶快讲投降条件。英军回答说:“现已集兵，不得不战。”这些投降派仍要求免战，请指定地点，约期会商，英军不答，入长江向南京航行。

南京在当时是仅次于北京的大都会，城门锁钥归满洲驻防将军掌管，总督有急事夜间出城，不得将军令箭，不能开门。它这样被重视，主要由于控制长江运河两大水道，南京失陷，江浙大宗漕米不能北上，北京便成死地。英军选取这个议降地点，比原计划进攻京津更有利，因为数量不大的陆军不能深入内地夺取一个大国的京城。不过英国兵船要进长江也有极严重的困难。长江口非常广阔，两岸半为黄泥所掩盖，大船航行，必需不断地测量深度，以免遭遇大沙滩。江口到崇明岛末端，到处都有沙滩，崇明岛到镇江，水道十分曲折，镇江以上还有不少险要。英军“遣人探水，由沿江一带上溯安徽至芜湖为止，共先后探过七次。每遇险要处，停舟泊岸，周行芦苇间，不见一兵一将，然后放心前进”（英国副使马利逊在南京谈话）。以牛鉴为首的地方官吏，就是这样的一些木偶。投降派认定“该夷船坚炮猛，非兵力所能制伏”（耆、伊、牛会奏），木偶般的不抵抗正是他们最“聪明的”办法。

投降派不守长江，还有另一种计谋。英军在宁波、乍浦发出布告，都说“前往天津议和，遵国王所谕办理”，这当然是满清害怕的事。道光帝早已决心求降，在他看来，南京城下之盟，比“天津议和”要安全得多，所以他从不谕令长江设防。绅民请守险要，都被牛鉴驳斥，并且到处张贴告示，说“长江沙浅曲折，洋船断不能入”，劝两岸居民无庸惊慌。他从上海逃回南京，每天警报传来，一概不理，却天天派人探问耆英的行程。耆英似乎等待着英军先到南京，态度从容，先在苏常一带逗留观望。被投降派盼望的英军，因为水道不熟悉，大船时常搁浅，要等潮水高涨才能驶进，六月初八日才到达镇江。

镇江城形势险固，居民号称十万户，商业繁盛，无论人力、财力、地势都可以坚守，阻遏敌船进犯南京。满洲驻防军副都统海龄把乍浦的旧样又翻出来，拒绝外来援军进城，令在城外作战。驻防满兵一千余人，绿营兵六百余人守城内，寥寥如晨星，守城器械一切不备。禁阻难民迁徙出城，借口搜索汉奸，不论真假，捕杀无数，造成极大的恐怖和混乱。城外军抗战二三日败走，英军攻入城内，先攻满营。这时候满兵才拼死地应战。英军受到坚强的抵抗，损失一百八十五人，为报复这个损失，大肆屠杀，居民被掳掠烧杀，非常惨酷。英军这种极端残酷的手段，和贪欲无厌的鸦片贩行动完全相符合。无辜的镇江人民就在英国侵略者和满洲统治者双重摧残下作了重大的牺牲。

璞鼎查受到意外的抵抗，主张退出长江，改往天津，马利逊精通中国情形，竭力阻止说："此（镇江）中国漕运咽喉，扼以要挟，必可如志。"六月底，英兵船八十余艘到南京下关江面，牛鉴、伊里布通知璞鼎查说："钦差大臣已奉谕旨，永定和好，不日即可到省。"璞鼎查表示接受提议，七月初，耆英到南京。

第十节　投降派大“胜利”

一八四二年（道光二二年七月以后）

投降派的求降，侵略者的求战，实际是相互为用的。当时人民对满清广泛的憎恶以及统治阶级内部抵抗、投降两派深刻的斗争，这使投降派必需利用英军的求战，才能借“万不得已”作口实达到卖国的目的。英军方面专寻抵抗薄弱的地区进兵，以求战来求得满意的受降条件。南京正是双方会合的适宜地点。投降派首领穆彰阿公开发言了，他说：“兵兴三载，糜饷劳师，曾无尺寸之效。剿之与抚，功费正等，而劳逸已殊。靖难息民，于计为便。”依据这个卖国理论，耆英、伊里布上了一个“江南民风柔懦，男妇数万呼号吁救。不若姑允，以保大局”的奏折；道光帝下了一个“念江南数百万生灵，一经开仗，安危难保，既经该大臣等权宜应允，朕亦只可以民命为重”的上谕。耆英、伊里布又上了一个“璞鼎查貌甚恭谨，词甚谆切，不得不俯顺其请”的奏折；道光帝又下了一个“当告以大皇帝以诚相待，允准通商，汝国亦应以诚相待，断不准再启兵端，违背天理”，“通商和约，俱着照所议办理”的上谕。《南京条约》订定了，投降派大“胜利”了，只是中国人民受了“呼号吁救”的侮辱，封建奴隶又加上了半殖民地奴录的负担，灾难重重，一百年还翻不过身来。

六月二十八日，英军到下关，七月初三日伊里布、牛鉴接受英方条件。初九日耆英全部承认，并奏请批准二十四日（公历八月二十九日）《南京条约》正式签字。从提出到签字，不曾经过一次会商，满清政府出卖中国的疯狂性与英国侵略者的贪残性，第一次表现在《南京条约》上。按照条约的规定：开广州、福州、厦门、宁波、上海五处为通商港口；永远割让香港；赔偿鸦片价六百万元，商欠三百万元，水陆军费一千二百万元，共二千一百万元。其余如海关税则、保护汉奸、保护传教等条，权利非常广泛。浙江巡抚刘韵珂论条约的后果说：“夫国家所恃以治天下者法也。民所恃以纳税课通货物者银也。今法穷于夷，银尽于夷，虽欲戢兵，其将能乎？”所谓“法穷财尽”，就是中国在政治上主权不完整，在经济上财物无限止外溢，人民生活加倍穷困，这恰恰是半殖民地社会的情况，《南京条约》开始了这种情况。

《南京条约》对投降派说来，确是大胜利。满清统治中国的两个基本工具：武力是旗兵和绿营兵，政治是汉族官吏和绅士。在战争中，武力的极端腐败完全暴露了（比较能战的绿营兵如关天培、陈化成和定海三总兵都是抵抗派），满汉官绅间矛盾发展到几乎破裂的程度（如林则徐、王鼎及广州团绅不服从官府指挥），道光帝吓得惊惶失措，他可以压制抵抗派官绅，但无法禁止军队的临阵溃散。他在批牛鉴奏折里说："傥将士有所窥伺，稍有解体，将成瓦解，可设想耶？"流露出极大的焦急。他处在这样一个环境里，就是"文官爱钱而又惜死，武官惜死而又爱钱，加以兵无斗志，民有乱心，帑藏空虚，脂膏竭尽"（刘韵珂：《致耆英书》），岌岌可危的形势中。在他面前，摆着两个敌人，一个是英国侵略者，一个是民间抗英反满正在发生着的革命力量。要挽救满清统治的危机，对侵略者投降，保存军队来镇压革命，自然算是他们的胜利。投降派开始就反对禁烟，从皇帝官员到兵丁差役，都得到鸦片的利益。《南京条约》绝不提鸦片一字，就是允许无税大量输入。"广州自道光二四年后，鸦片整箱运输街市中，直如非违禁品"（带威：《议和后之中国》)。“鸦片贸易及吸用均成公开，并不隐避，青天白日之下，街市中常见有运烟者往来”(《中华纪事报》)。洋商在通商口岸销售，奸商运入内地就算“中国货物”，成为“各行之首业”，官吏收受陋规，仍恢复战前的繁荣状态，这又算是他们的胜利。他们是不是也有些损失呢？没有的。赔偿烟价六百万，奕山已用追还商欠名义支付了，《南京条约》又付烟价、商欠九百万，数日内由藩库运库及民捐（向南京人民勒捐），凑足六百万元，交给英军作退兵条件。这种已付未付的赔款，全部要人民额外负担，政府中人丝毫也不肯撙节自己的奢侈浪费。试看道光帝的上谕说：“所称商欠一节，除三百万元由广东查明商欠追还外，其余断难官为保交。”这就是说，政府担保向广东商民勒索三百万元。上谕又说：“至现议先交之六百万元，自应付给，以示诚信。除现在民捐一百数十万两外，其余不敷之处，准其暂于江浙安徽藩运各库，通融借拨，统于捐输项下还款。”这就是说，库款只准暂借，要勒逼人民交出捐款来归还，不许亏短分文。赔偿军费及本国军费数千万元，自然用同样的办法。他谕各督抚说：“国家经费有常，必应量入为出（实际是量出为入)，现在军务紧要，费巨用繁，尤须妥为筹画。在外筹画一费，即在内省拨一项。若各督抚熟筹良法，即行条议具奏。至应征一切新旧正杂钱粮，按款依限征收，毋使短绌。”这就是说，巨大的军费作为额外捐款，人民已负的苛捐重税，不许缺少或拖欠。各省督抚遵照上谕，熟筹所谓良法，不外勒捐和增税。当时人民的痛苦怨恨，从刘韵珂《致耆英书》里反映了一些。他说:“议给之款，各省分拨。承示此项银两须勒绅富捐输归款。浙省自军兴以来，商民捐助饷需为数实已不少。若责以赂夷之款，劝令捐输，势必不应。若议增粮赋，必至忠义之心，渐成怨毒之气，故剿夷之银可劝捐，而赂夷之银不可劝捐。”刘韵珂代表绅富抗议，全部捐款自然落到小民身上。

满清政府搜括财物，那种贪虐无耻，连口头上理由也是不讲的。上海开市，内地湖丝运往上海，比战前运往广州路近，捐税无疑应该减少，耆英却规定:“查明赴粤路程，少过一关即补纳一关税数。”英领事替华商求免补纳，得到的答复是“定章不能更改”。上海开市，粤海关收入短少，耆英商得璞鼎查同意，把主要输出品茶叶每担（百斤）增税两倍，次要输出品棉花每担增税一倍。原来税额茶叶每担九钱，棉花每担二钱，已是轻重悬殊，增税以后，广东一带茶业出口大受摧残，他不顾这些，只求粤海关收入“有盈无绌”。在内穆彰阿，在外耆英，都搜括有“良法”，胜任道光帝的脑和手。

耆英善于执行对外国慷慨出卖、对人民无情剥削的政策。他的外交方针是“抑民以奉外”，他的外交方法是“外国人只可计诱，用好言哄骗，一味奉承”。这些还不够，他得在文字上给道光帝制造一些体面，什么“该夷执礼甚恭，情极驯顺”，“上持国体，下顺夷情”之类，使道光帝有面子来批准屈辱条约。他具备着这一套手段，到广州订立下列条约：（一）《中英虎门条约》（道光二三年）；（二）《中美望厦（澳门附近村名）条约》（二四年）；（三）《中法黄埔条约》（二四年）。这些条约中包括片面的最惠国条款、领事裁判权、关税协定三个最基本的不平等条款，确定了中国半殖民地的地位。

第十一节　围绕着鸦片的各种斗争

臭秽的鸦片当作中英两国斗争的中心，是十九世纪中期特有的社会现象。那时候，英国资本主义工业正在兴旺发展，但并不是绝对强大。在中英贸易上，英国的棉毛织物只抵得中国的湖丝、绸缎，印度的棉花、洋米，远抵不得中国的茶叶、大黄。英印财政依赖对华贸易，成为不可缺少的一部分。中国自给自足而有余，粤海关每年收税不过百余万两，确是“税银何足计较”。中国无求于英，采取傲慢自大态度，英国有求于中，采取隐忍迁就态度，这是很自然的事。中国统治者意识到无限制通商，会招致封建社会的解体，规定禁例，限制或禁止中外交通，如茶叶，不得超过五十万担；大黄不得超过一千担（乾隆时每国限购五百斤）；丝、绸、银、钱、米、谷、豆、铜、铅、铁、锡、硝磺、书籍等物，不准通商，中国商船不准出外洋贸易，洋人不准入内地，洋妇不准到广州商馆，经济、政治、文化各方面都表现严格的闭关精神。更主要的原因是“清朝害怕外国人会扶助很大部分中国人那种不满意满洲人奴役他们的情绪，用这种（闭关）方法来使人民不与可恨的外国人发生任何往来”。满清政府（与明朝比较）对闭关政策特别坚持，排外思想特别浓厚，对新事物特别憎恶，对旧经验特别保守。它不仅为了保护封建制度，而且还为了维持异族统治。二百年来少数满族压迫汉族的成法，它决不敢轻易修改，这使中国的大门格外紧闭起来。英国资本主义的任务是要开辟世界市场，决不允许中国关门，但它的正当商品布匹不能负起这个责任，惟一有效的敲门砖只能用臭秽的鸦片，虽然他们也知道这是“不名誉”的商品。

英国不得不利用鸦片，表示它资本主义力量还不够强大，中国一部分统治阶级对鸦片表示欢迎，因为和他们堕落、荒淫、贪污、无耻一切黑暗腐烂的性质相符合。一部分人表示拒绝，因为他们保持着民族自尊、抵御外侮的历史旧传统。前一部分人多数是满人，后一部分人多数是汉人。鸦片战事从中英两国关系说来，是老大的封建主义社会与新兴的资本主义社会的斗争，也就是闭关自守与开辟市场的斗争。从中国内部说来，是抵抗派与投降派的斗争，这一斗争表现在思想上成为进步倾向与守旧顽固的斗争，表现在政治上转成满汉民族的斗争。总的结果，英国侵略者、满洲统治者赢得胜利，中国人民、进步倾向者遭受失败。

一　英国资本主义与中国封建主义的斗争

鸦片战争，英国侵略者必然战胜。为什么？因为他的对手是守旧顽固的、投降主义的、猜忌汉人的满洲统治者。也就是说，腐烂了的封建主义决不能对抗新兴的资本主义。上面所举事实完全证明了。但英国遭遇的对手，如果是另一部分封建主义者，就是有民族精神的、进步倾向的抵抗派，那么就会改变战争形势。在当时，抵抗派如林则徐、臧纡青以及著书立说的魏源（《圣武记》、《海国图志》）、夏燮（《中西纪事》）都主张发动民众、“以夷治夷”（利用国际矛盾），他们的军事路线含有民族战争的性质，外国侵略军最害怕的正是这样的一种战争。

英军的长处是船坚炮利，封锁海口；它的短处是离本国遥远，兵力不能过大，给养困难，人地生疏。就长处说，英军也并不占绝对优势，那时候兵船还是帆船，火轮船只供通讯，效用不大。大炮射程比中国土炮远，确是英军的特长，但中国购入西洋（葡萄牙）美国大炮，可以对抗。封锁海口对中国妨碍极微，它不靠航海通商立国，甚至希望永远闭关孤立。英兵船吃水深，只能停泊洋面，不得中国引水引导，不敢行驶近海，更不敢驶入内河。兵士登陆，必需用舢板，每只容十人至二十人，当然不能携带大炮。中国防范严密，禁止汉奸接济，它就无法取得大批舢板和食物。如果中国海口都采取林则徐的办法，英军即使夺得几个定海那样的海岛，对中国并无大妨害。英军只有得到中国投降派的应援时，才克服了短处，并获得超过其长处的过分效果。

中国方面一切落后，不只是船不坚炮不利，但并不等于说，必不能作有效的抵抗。军事上采取“以守为战，以逸待劳”的战略，采取“分伏散战，水陆并攻”的战术。用水陆正规军守海口，水勇火攻敌船，陆勇协助正规军作战，团练守卫乡土。洋兵登陆，任何人得“持刀痛杀”。林则徐、臧纡青这种军事思想，符合于民族战争的法则，是很可珍贵的。在林则徐手上，英军不能在广东得志，证明这种军事思想的正确。外交上林则徐、魏源等强调“以夷治夷”，并非主观的空想。美法两国想夺取英国对华贸易的利益，葡萄牙怕英国夺取澳门，愿供给中国船炮及新式技术，并通报新消息，这都是事实（《林则徐政书》及《圣武记》）。别一可惜的机会也被投降派放过。

道光二〇年满清藩属廓尔喀国（即尼泊尔国）向驻藏大臣禀称："小国与底里所属之披楞部相邻，每受其侮，今闻底里与京属构兵，京属屡胜，小国愿率所部往攻底里所属，以助天讨。"所谓底里即英吉利，披楞即孟加拉，京属即广东，满清政府不加调查，照例予以饬驳说："蛮触相争，天朝从不过问。"二二年廓尔喀又派使人来商议，仍被"逐一指驳，以杜妄念"。如果中国助兵助饷，联合廓尔喀攻入鸦片主要出产地孟加拉，至少使英军有内顾之忧，不敢放胆侵略。上述军事外交各种有利条件，中国很可以利用来争取胜利。但投降主义的统治者，他们需要失败才适合自己的利益，不愿利用这些条件。

二　抵抗主义与投降主义的斗争

禁烟初期，统治阶级有抵抗、妥协、投降三派意见。定海失陷以前，抵抗派得势，妥协派一部分转入抵抗派（如邓廷桢、怡良）。定海失陷以后，投降派得势，一部分抵抗派转入投降派（如怡良、刘韵珂）。实际斗争的只有抵抗、投降两派，妥协派不起什么作用，多数转到投降派方面。

抵抗、投降两派思想上基本不同点在于对外国侵略者的态度上。抵抗派从民族自尊心出发，拒绝外国势力的侵入，虽然他们也是傲慢自大对世界情况无所知，但在民族遭受危害的时候，他们愿意探查外国情况，学习外国技术，这是进步的倾向。抵抗派的路线，无论战胜、战败或长期战（多半是长期战，中英都不甘失败，要求继续战争），都起着促进中国进步的作用，这样的战争对中国是有利的而且是必要的。另一种人如颜伯焘、裕谦，他们形式上类似抵抗派，实际上是极端顽固的闭关主义者，这种人所能得到的惟一结果就是失败。投降派从压迫人民、保持少数人私利出发，他们清楚懂得，只要政权在手，民膏民脂，尽够剥削，中国遭受任何伤害，对他们私利并无妨碍。不仅如此，中国任何一个伤害。对他们还都是乘机获利的机会。投降派的路线，显然是守旧顽固、阻止生产力进步、依附外国侵略者、引导中国走向殖民地的路线。这一路线直到今天还没有消灭。中国近百年史就是人民反抗投降派及其主人帝国主义的斗争史。

抵抗派和投降派思想的相反，看下列几个例证就够明显。

同是对外国情形无知，林则徐“日日使人刺探西事，翻译西书，又购其新闻纸”，逐渐由无知走向有知；琦善相反，说“我不似林总督，终日刺探外洋情事”，永远不愿有知。

同是面对外国船炮，林则徐主张抽关税银十分之一造船制炮，“师敌之长技以制敌”。道光帝批驳说：“一片胡言。”耆英说：“该夷船坚炮猛，非兵力所能制伏。”南京订约后，伊里布到广东办善后事宜，道光帝谕令“不得雇用夷人制造或购买轮船”。中美订约后，美国赠送枪炮图样、陆海军战术及建筑炮台法等书籍，耆英不敢收受。广州人潘仕成“捐赀延佛兰西洋官雷壬士于家，造洋船洋炮，又造水雷，能水中破船底。所捐造二桅战船四艘，材坚工巧，悉如西洋式”。这个新式军需工业的萌芽，是违反政府意志的。道光帝不愿民间学会制造新武器，要潘仕成捐献制成品，实际就是消灭这个萌芽的存在。

同是用兵，林则徐说：“剿夷八字要言，器良、技熟、胆壮、心齐是已，第一要大炮得用。”他主张训练本地军队炮术精熟，不需“远调百万貔貅，只供临敌之一哄”。道光帝恰恰是各省抽调兵丁，杂凑成军，一闻炮声，便“纷纷溃散，几同儿戏”。

同是利用人民，林则徐说“民心可用”，“号召民间丁壮，已足制其（英军）命而有余”。投降派抱定成见，“诬义民为顽民”。奕山说“粤民皆汉奸”，推诿自己的战败说：“洋船闯入省河，俱是汉奸引导。”道光帝掩饰无耻的投降说：“朕因亿万生灵所系，实关天下大局，不得不勉允所请。”

这样绝对相反的观点，反映出少数贵族地主与多数普通地主利害的矛盾，同时也反映出统治的满族与被统治的汉族间严重的矛盾。

三　满族与汉族的斗争

满族统治汉族，无时不在危疑猜忌中，尤其是外患临头，更增加了疑忌心。统治阶级内部以抵抗派首领林则徐为中心，展开很露骨的斗争。

定海失陷，道光帝归罪林则徐，不久得革职处分。这是丝毫没有理由的惩罚。奕山在广东大败，又归罪林、邓，充军到新疆。当时黄河在河南东部决口，汉军机大臣王鼎奏留林则徐襄办河工。照例河工完成，该受重赏，至少要减免充军罪。恰巧奕经在浙江大败，道光帝仍令林则徐往伊犁效力赎罪。这是什么用意呢？投降派把一切失败的责任推给林则徐，抵抗派要推荐林则徐再办洋务，道光帝蛮横地迫令仍往伊犁，显然是拒绝汉人参与军事、外交大权。这样无情的抑汉政策，给汉族官员极大的刺激。王鼎哭泣流涕，送林则徐上路，林则徐也做了两首诗，有“宝剑还期赐上方”的句子，就是说，要“斩佞臣（穆彰阿）头”。相传王鼎回到北京，痛骂穆彰阿，自杀保荐林则徐可大用。林则徐《哭王文恪公诗》有“卫史（史鱼）遗言成永憾，晋卿（范文子）祈死岂初心”句，自杀尸谏大概是事实。一个汉军机大臣自杀来反对满军机大臣，在官僚社会里是极少有的异事，足见满汉斗争是如何的尖锐。

《南京条约》订立以后，舆论更是哗然。道光帝为和缓群情，玩了如下的手法。

二二年九月，“牛鉴着即革职拿问，由耆英派员解京交刑部治罪”（二四年释放）。牛鉴只是投降派的追随者，被革职治罪；投降派首领耆英却做了两江总督。对粤浙大败的负责者，仅仅“召奕山、奕经、文蔚来京”。丝毫不负责任。这样的处置当然不能服人心。不得已又下谕：“奕山、奕经、文蔚均着交部治罪，以示惩儆。”这种手法还是骗不过众人，他只好宣布：“奕山、奕经、文蔚锁拿解京，革去职任，定为斩监候，秋后处决。”短时期内接连下三道上谕，三个贵族从无罪到有轻罪又到有重罪，并保证秋后斩首，可说是满洲统治者对汉族臣仆从来未有的大让步。于是汉官们受骗了。道光帝却另玩一套手法。

十一月，宣布余步云“见敌即退”的罪状，执行死刑。“见敌即退”的不只是余步云，但裕谦却因失援败死，杀余步云含有替满人报复、向汉人示威的意义。预约秋后处决的三个贵族，在这一示威下掩护过去了。二二年三月，“赏琦善三品顶带，为热河都统”，这个卖国贼也曾被舆论压迫，于二一年六月宣布过“斩监候，秋后处决”的判决，过了两个秋后，又抬起头来。经过这个尝试，“赏文蔚为古城领队大臣，奕经为叶尔羌帮办大臣”，把罪恶尤大的奕山留下观望风色。果然舆论大哗，由御史陈庆镛出面，上一本辞气严厉的奏折，主旨是说：“琦善等三人起用为刑赏失措、无以服民。”贼胆心虚的道光帝受了反抗，只得厚着脸皮自认一些错误说：“总由朕无知人之明，以致琦善等迄无成功。朕惟有反躬自责，愧悔交深，何肯诿罪臣工，以自宽解？”这些欺骗性的辞句，目的是要免求琦善等“斩监候”的罪名。他在自己认错以后，接着说：“琦善、奕经、文蔚均着革职，即令闭门思过，以昭赏罚之平。”“斩监候”可以变成“闭门思过”，为什么林、邓必须充军到新疆？七月，他把邓廷桢释放回籍，企图和缓汉官们的不平。汉官们又受骗了，他们是满洲统治者的臣仆，不可能有进一步斗争的勇气。十月，道光帝任命“奕山为和阗办事大臣，奕经为叶尔羌参赞大臣，琦善为驻藏大臣”，汉官们不敢再表示抗议。耆英办完虎门、望厦、黄埔三条约，卖国工作告一结束后（二五年），始释放林则徐回京。满洲统治者玩弄权力，制伏抵抗派，但不能制伏他们的内心。首先是林则徐，他在送邓廷桢回籍诗里说，“青史凭谁定是非”，不满投降派的颠倒是非；又说，“歧路又歧空有感”，不满清政府的昏乱指导，军事、外交错中又错，错谬到底。抵抗、投降两派对立，心理上依然存在。

两派心理上对立，也就潜伏着满汉统治阶级的裂痕，这对满洲统治者是极大的不祥征兆。道光帝与穆彰阿同谋卖国，无法牺牲同谋者来消除这个矛盾。林则徐答邵懿辰书里说："夫为国首以人才为重，然有才而不用与无才同，用之而不使之尽其才与不用同。且当其未用之先犹有所冀也，及用之而不能尽其才，或且以文法绳之，猜忌谴之，则其人之志困而不能自伸，而天下之有才者闻之亦多自阻。"（道光二九年，即则徐死前一年）书中所说的，完全是他本身的经历，"天下有才者亦多自阻"也是事实。这个矛盾的严重，威胁满洲统治到如此程度，就是三〇年正月道光帝病死，临死遗言：不许配天、祔庙、立功德碑，表示对汉官们忏悔，实际是对汉人作最后一次欺骗。六月，太平革命在金田爆发，满洲统治者着实惊慌。十月，咸丰帝朱笔宣布穆彰阿、耆英罪状："从前夷务之兴，穆彰阿倾排异己，深堪痛恨。……耆英之无耻丧良，同恶相济……英夷船至天津，伊犹欲引耆英为腹心，以遂其谋，欲使天下群黎复遭涂炭。其心阴险实不可问，潘世恩（汉军机大臣）等保林则徐，伊霎言林则徐柔弱病躯不堪录用；穆彰阿暗而难知，耆英显而易见，然贻害国家，厥罪惟均。”虽然处罚只是穆彰阿“革职，永不叙用”，耆英“降为五品顶戴”，但是非算是论定了。在一致反对太平革命的基础上，满清统治阶级又团结合作起来。

第二章　中国人民的反英反满斗争

一八四一年（道光二一年）至

一八五〇年（道光三〇年）

第一节　绪论

上章已经叙述过统治阶级怎样腐败堕落、投降外国侵略者、大量出卖权利的事实，现在我们该注视中国人民怎样开始他们反外国侵略、反满洲统治的革命斗争了。这种斗争不管它是原始的，规模不大的，意识模糊的，方法陈旧的，甚至有时带些野蛮气味的，但必须承认它是民族民主革命的开始，也必须承认它有无限的前途。

在英国侵略军进入中国，满清政府投降侵略者的同一时候，中国产生了反英反满的人民武装。反英武装一部分是人民自发的组织，一部分与反英的地主官僚合作，受他们的领导。反满武装一般是人民秘密的组织。反英武装发展为反帝运动，反满武装发展为反封建（以前的反满不可能发展为反封建）运动。

第二节　反英武装斗争

英国侵略军足迹所到的地方，无例外地遇到人民武装反抗。英军避免与人民武装对抗，嗾使投降派官吏来破坏反抗，这种方法是暂时收效的，但同时也推动反英反满斗争的发展。

广东方面　中英冲突的焦点在广东，英国的侵略，满清的卖国，在广东人民面前暴露得尤为明显，因之广东人民反英反满的义愤也特别强烈。

平英团　道光二一年四月，英军“由泥城而上四方炮台，凡所经由之路，曾无一兵施放枪炮者”（御史曹履泰奏）。初六日，奕山投降英国侵略军，订屈辱条约，献赎城费六百万元。人民激起炽烈的爱国义愤，准备反抗侵略者。初十日即公历五月三十日，英军千余人退出四方炮台，在城外掳掠，还企图到佛山镇掳掠，经过萧关三元里，广州城西北十余里村民鸣锣聚众，竖立平英团大旗，攻击英军。附近一百〇三乡（亦称九十六村、又称百十八村）男妇民众数千人（王廷兰说数千人，一说一万至一万五千人，一说数万人，各书不同）奔集平英团旗帜下，围英军数重。英军整天冒死突围不能出。民众愈聚愈多，杀英兵官二人，黑白洋兵二百余人。义律率兵往援，又被围困。义律危急，派汉奸混出重围，向广州知府余保纯求救。奕山大骇，急令余保纯出城，用欺骗威胁手段强迫民众解散。三十一日，余保纯保护义律率残兵逃回船上。同时三山村民众击杀别路英军百余人，获炮二尊，刀枪九百余件。佛山镇民兵在龟冈炮台围攻英军，杀数十人，又击破来援的舢板船数只。新安县武举人庾体群组织火船三队，初四夜半攻袭虎门停泊的大兵船，烧毁一艘，余船连夜逃走十七日洋船陆续退出，有大船搁浅不能动，乡民群众要用火攻，被官府禁止。当时反英起义是广泛的群众运动，三元里平英团声势最大，所围击的英军也最多，这次运动以平英团为代表是恰当的。五月三十日那样光辉的革命发动日，是值得永远纪念的。

义律被广东人民惩创，自觉惭愧，出“告示”说：“百姓此次刁抗，蒙大英官宪宽容，后毋再犯。”人民作檄文斥责说：“尔自谓船炮无敌，何不于林制府任内攻犯广东？尔前日被围时何不能力战自拔，而求救于首府？此次由奸相（琦善）受尔笼络，主款撤防，故尔得乘虚深入。倘再犯内河，我百姓若不云集十万众，截尔首尾，火尔艘舰，歼尔丑类者，我等即非大清国之子民。”义律被斥，知民气旺盛，不敢报复。

平英团所代表的民众只认识林则徐和琦善一流人的区别，还不能认识到满清是人民的仇敌，在这样的认识程度上，他们与反英的地主官绅合作起来，甘心作满清的“子民”。至于一般著述说平英团仅是因英兵“轮奸一老妇人起衅”，那是有意诬蔑或误信传闻。平英团有组织、有誓词（《中西纪事》），决非仓猝乌合。道光二二年两广总督祁𡎴奏称：“夷人词气傲慢，省城十三洋行原住夷人各水手亦每每欺侮平民，或乘醉抢取货物，或凌辱过路妇女，均经地方官当时弹压，尚未激成事端，而士民蓄怒已深，争欲得而甘心。”这也只是次要原因之一种。真正起义原因只有一个，就是英国用武力侵略，中国人民就用武力来反抗侵略。

升平社学　林则徐在粤曾办民团和乡勇，团由绅民自办，勇由官府发饷。南京订约后，英人要求进广州城，绅民一致拒绝，表面理由是旧例洋人不准进城，实际是抗议强迫订约。官吏怕见洋人，也不愿他们进城，对绅民颇表同情。二三年，南海番禺两县“绅士耆老，传递义民公檄，议令富者助饷，贫者出力，举行团练。按户抽丁，除老弱残废及单丁不计外，每户三丁抽一，以百人为一甲，八甲为一总，八总为一社，八社为一大总。旬日之间，城乡镇集，灯楮旗布为之一空”(《中西纪事》)。省城附近各乡设升平社学公所（平英团一百三乡组织在社学里，成为基干力量），作为团练机关。东路各县设东平社学公所，与升平社学互相联络。这个组织有巨大力量，璞鼎查因而不敢强硬要求进城，伊里布、耆英之流也因而不敢私许英方要求。社学“不借官饷，亦不受地方官约束”，惟一宗旨，就是监视官府私许英人进城及其他卖国行为。二六年曹履泰奏折所谓“粤民与英夷为仇雠，即与地方官为仇雠”，确是实情。伊里布被英方迫促，不敢不许，又被社学监视，不敢私许，忧愁发病死。耆英同样两面为难，他曾用“匪徒滋扰”、“无赖游棍造言生事”等恶毒词句诬蔑民众抗英行动，到底不敢公开反对社学。他是最狡猾的官僚，一面与英人私定两年后入城的密约，一面运动内调离开广东。二七年徐广缙继耆英为两广总督。当时社学发展情形照二九年徐广缙所说，“今城厢内外街之团勇，户户出兵，合计不下十余万人。而且按铺捐赀。储备经费，合计有数十万金”；又说：城厢社学“居民则以工人，铺户则以伙伴，均择其强壮可靠者充补。挨户注册，不得在外雇募。公同筹备经费，制造器械，添设栅栏。其团勇至十余万人，无事则各安工作，有事则立出捍卫。明处则不见荷戈持戟之人，暗中实皆折冲御侮之士。即至小街僻巷，亦皆竭力摒挡，争先恐后”。这里可看出城厢社学的严密组织和斗争情绪。乡间外县同样旺盛，合计人数至少数十万，真是空前伟大的人民武装。

社学成立以后，做了多次斗争。著名的有二二年烧洋馆斗争，起因是“红毛黑夷水手，在十三行地面，向华民买食水果，不给钱文。卖果者向讨，反被该夷用刀划伤”。民众不平，攻烧洋馆。二三年反香港开市斗争，起因是“该夷欲在香港设立码头，希图华商往来贩运，将来出口入口货物，税皆出于华商，该夷竟可坐享其利”。社学联合商人拒绝“与英夷互市”。璞鼎查压迫伊里布禁止罢市，伊里布愁死，最后英方只得“允遵照旧章，泊船黄埔，不敢胶执在香港交易之请”。二五年驱逐广州知府刘浔的斗争，起因是香港总督德庇时带水兵一千余人，占领炮台，将炮眼钉塞，兵船直入省河，要求入城。耆英出告示禁止人民阻挠，人民大哗，撕毁告示，屡出屡撕。耆英无法，派刘浔到洋船秘密商订进城日期。被社学侦知，立即发出揭帖，遍贴城厢内外，约定“夷人入城之日，闭门起事”。刘浔从洋船回城，社学数千人攻入府署，烧毁朝珠公服。刘浔跳墙逃走。耆英想分化社学，请绅士转劝民众，绅士答称：“众怒不可犯。吾乡之民能为国家效剿力，不愿从抚。”社学又出揭帖，约期攻击城外十三洋行。德庇时怕事件扩大，退回香港。耆英被人民监视，难于放手媚外，不久也退回北京。

最大一次斗争是二九年反进城斗争。耆英密约两年期满，香港总督文翰带兵船到虎门外要求履行条约。徐广缙得社学支持，亲到洋船表示拒绝。第二天大批兵船火轮船闯入省河，南海、番禺、各乡社学先后赶来，准备战斗。徐广缙上洋船交涉，文翰企图扣留他迫使承认进城密约。省河两岸社学呼声震天动地，等命令即时开战。文翰恐惧，请“罢兵修好”，不再提入城要求。

耆英这个大卖国贼，当然不会允许社学存在，一心要把它分化以至于消灭。他把社学描写成：“无事散处田间，有事听官调遣，法有类乎土兵，意不外乎保甲。有公正绅士为之钤束，近年以来，不惟滋扰府署、与官为仇者，社学之人，不与其事。即焚毁公司馆与夷构衅者，亦并无社学之人。”（《驳复曹履泰奏》）肯定社学完全是保甲，不与闻政治的官办组织。这个奏折配合道光帝的上谕，显然是投降派玩弄大阴谋。那个上谕说：“有人奏，广州府一带（升平社学根据地），土匪劫掠为生，结党聚会数万余人。其著名积匪，如香山、新会、顺德等处，姓名皆历历可数。近来匪徒渐多，地方文武不肯实力查拿。以致农民不安耕作。着耆英按名拿获究办，务使盗贼肃清，农商安靖。”耆英惯于诬蔑民众，如说烧洋馆“皆系无赖游棍及俗名‘烂崽’等辈所为。一经查拿，旋即逃散”，说驱逐刘浔是“匪徒借端滋扰，务获首要各犯，置之重典，以儆效尤”。他企图根据上谕“肃清盗贼”，来分化社学，但社学团结得很坚固，绅士也不曾受骗分化，虽然被他杀了些人，但投降派阴谋却是失败了。

福建方面　道光二一年七月，英军攻占厦门，颜伯焘逃往同安。“夷人在厦门肆掠，有乡民陈氏与之接仗。夷众五千，我兵五百。夷用车炮，民用抬枪。一以击十，夷兵死者以百计，伤者以千计。陈氏之死者三人，伤者十二人耳。是以不敢久驻厦门而退屯鼓浪屿。”（谢兰生：《思忠录》，《中西纪事》摘引）这个记载也许夸大一些，但陈氏以主击客，以多击少（英兵当是少数），击退敌人，则可信是事实。

浙江方面　英军侵占定海、镇海、宁波，当地有黑水党，狙击敌人，英人在定海用剥皮惨刑对待人民，足证斗争的激烈。镇海乡民击退英军侦察队，俘获副船主嗢哩。嗢哩口供说：“我船上共有黑白鬼三十五人，广东汉奸四人，载的烟土洋布各货向在广东买卖。二十天前兵头璞鼎查叫我们同了嗢啰三桅船、叮嘛的两桅船同到浙江洋面，以销货为由，探听各处海岸防守情形。我们三船就驶到浙江洋面，游弋了五六日。因无人到船买货，无从探听消息，缺少淡水食物，望见沿海‘山砌’住有人家，我带了白黑鬼二十多人，驾坐舢板小船，登岸抢掳，不料岸上埋伏兵民，把我们同咪哈吻（印度人）砍伤擒住。其余各鬼子也有受伤逃回船上的，也有打落海中的，我没有看得明白。”这是可信的材料，说明镇海人民是尽了保卫国土的责任。

江苏方面　英军侵入吴淞口，占领宝山、上海，驾舢板船向内地游弋，不少人被沿江居民狙击毙命。后来改走长江，探路到靖江县城，英兵十余人被逐逃走出城，有童子从城上投砖，击死“白夷”一人。第二天，英船三艘开大炮轰城，靖江人拒战，用抬枪杀黑鬼十余，最后击中敌船火药舱，一船烧毁，两船逃去。牛鉴得报告，严斥靖江人民“大胆生事”。

英军攻破镇江，停船江上。瓜州、仪征一带“盐枭”，攻袭英船，烧毁不少船只。盐民是勇敢的战士，耆英等正在进行投降，怕得罪英军，用“招抚”名义诱骗盐民。道光帝批准“招抚”的上谕说：“仪征滨临大江，枭徒乘间窃发，现在招集头目，尚就约束，仍当妥为弹压，毋任滋生事端。其事平之后，应如何设法解散之处，着斟酌妥办。”盐民为了抗英受招抚，招抚了却失去抗英的自由。满清招抚盐民，为了阻止抗英并于事平后解散。在同一上谕中说：“沿江各村自相团练，均着照所议妥为办理。”就是说，事平后解散。

以上所记，虽然简略，却说明了一个规律：凡英国侵略军所到的地方。一定有人民反侵略武装出来抵抗。马克思说：“在一切实际事务中——战争也是一种实际事务——华人远胜于一切东方民族。”就是因为中国人民有这样一种反抗精神。

第三节　反满武装斗争

中国人民（汉回苗瑶等族）一贯进行着反满起义，但满清政府在政治、军事上积累了镇压人民的丰富经验和内战技术，常是获得胜利。它是生成用来对内镇压的一套统治机器，一遇到新的外国侵略者，对内的虎狼突变为对外的羔羊，它再想在人民面前恢复虎狼的地位是困难了，就是说，一切力量都削弱了。中英战后，反满起义蓬勃发生，短短十年，从单纯的反满起义，发展到反满反封建的太平天国革命。

鸦片战争的结果，支出大量赔款及经费，洋烟广泛流行，土烟普遍种植，洋货低关税输入，土货重关税输出。这一切，既破坏社会生产力，又加重人民的捐税负担。过去皇帝要装着“不言利”的假面目，搜括比较暗藏些，现在公开“言利”了。两三年内，连下“筹画经费”、“各支款减平兑放”、“开捐输”（卖官）、“裁浮费归公”、“查私垦隐赋，勒限照例升科”、“严催漕米，早兑早开”、“封禁沿海私滩，严拿私枭”等等一大串搜括的上谕，并定出“着赔”、“分赔”、“摊赔”、“代赔”、“溢领”、“核减”等名目，向官吏搜括，而实际是动员全体贪官污吏加紧向人民搜括。当然他也要玩些欺骗手段，表示为民“兴利除弊”，例如他指出：“向来完漕绅富谓之大户，庶民谓之小户。以大户之短交，取偿于小户，因而刁劣绅衿挟制官吏，索取白规。大户包揽小户，小户附托大户，又有包户之名。以致畸轻畸重，众怨沸腾。”纠正的办法是：“所有前项大户、小户、包户各名目，概行禁绝。一律均收。”这其实是一句丝毫不生效力的空话。又如二五年以“皇太后七旬万寿”名义，普免道光二〇年以前民欠银粮。事实上普通农民决不能拖欠钱粮到五年以上，所谓民欠就是绅欠，绅欠免了，官替绅欠挪移的垫款（州县官每年解交藩库钱粮不得少于七成）便无着落，他们“恳恩豁免各州县历年垫完民欠”，被道光驳斥不准，只好仍向普通农民设法补偿，农民反因免欠而加重了负担。这种破坏生产、增强剥削的措置，促进反满运动高涨，是很自然的。

闭关时代，皇帝到大小官吏保持着一级高过一级的威严，在人民思想里造成他们不可侵犯的虚象。战争中皇帝以及大小官吏对外国侵略者惊慌怯懦，丑态毕露，而外国侵略者，人民是敢于对抗的。这样，不可侵犯的威严是动摇了。抵抗主义为人民所拥护，代表人林、邓却无理由地被充军。投降主义为人民所痛恨，琦善、耆英之流却掌握大权，包办卖国。对照之下，满汉分界特别显明。所谓“满汉一体，不分畛域”的骗术揭破了。广东浙江两次大出兵，除“御驾亲征”，这算是第一等武力，似乎应该无敌，可是他们溃败得像儿戏一般。当时如王庭兰（广东按察使）一类人已看到："今日之兵如是则异日可知，一省之兵如是则天下可知。从此为外邦所轻，更恐无赖匪徒渐生心于内地。"的确，满清军的实力被人民看破了。这些也都是促进反满运动高涨的原因。

依据《东华录》道光二一年至二九年所记关于汉回番瑶各族起义及骚动事件，九年中凡一百十次。二七年最多，凡二十六次。二八年十次。二九年十六次。二九年以后不是事件减少，而是事件太多，地方官吏无法收拾，只得隐匿不报。三〇年六月爆发了太平天国革命。

第四节　中国人民与统治阶级所走的不同路线

鸦片战争改变了中国社会的性质。它不再是完整的封建社会而是半封建半殖民地社会了。战前的历史仅是农民反对地主的斗争史（异族统治本质仍是地主政权）；战后的历史是民主主义反对帝国主义封建主义的斗争史，性质是截然不同的，封建主义依附帝国主义，反革命力量特别顽强，人民革命过程因之也特别曲折和艰苦，但一百年来革命力量继续在壮大，到今天已是接近一最后决斗取得彻底胜利的时候了。百年来斗争史刊成简表如下：

（一）中国人民
- 反帝国主义：平英国
  - 升平社学
  - 义和团
- 反封建主义：太平天国 —同盟会

义和团、同盟会 → 五四运动 —中国共产党
- 人民革命路线
- 中国国民党（改组后反革命前一段）

中华革命党 —中国国民党（改组前）

（二）统治阶级
- 当权部分：投降派—湘淮军伐—晚清政府—北洋军伐—× × 党反动派 —对内镇压对外投降路线
- 不当权部分：抵抗派—戊戌维新派—君主立宪派—改良主义路线

第三章 太平天国革命

一八五〇年（道光三〇年）至一八七三年（同治一二年）

第一节 绪言

资产阶级社会的发展，创造了世界市场。自从《南京条约》订立，五口通商，中国以半殖民地的资格，进入世界市场了。闭关时代，人民受封建剥削，已经极其痛苦，鸦片战后，又加外来的资本主义剥削，这种新式剥削，破坏了中国手工业，供数千年来小农业与家庭手工业合成一体的社会机构开始在某些地区趋于瓦解；更严重的是促迫满清统治者在全国范围内猛烈增加封建剥削的强度，繁重得难以负担的旧捐税上，又加上新捐税，用以填补赔款和鸦片贸易的亏额。鸦片战后十年间，中国社会骤然遭遇这种史无前例的大变动，不论南方与北方，城市与乡村，全部震荡起来。旧的财政、经济、政治、礼教各种制度，愈更成为中国人民的祸害，新的人民的反封建革命运动，在这样时代条件之下是必然要发生了。而揭开这民主主义革命序幕的，就是马克思称为“处于社会革新底前夜”的太平革命。那时，以英国为首（它占中国进出口总额四分之三）的外国侵略者与满族皇帝为首的封建剥削者，给予人民最大的痛苦，试看下列事实，英国的鸦片满清的暴政，显然是痛苦的源泉。

英国输入纺织品价额表（单位：千金镑）

年份	棉织品	毛织品
1842 年	470	146
1843 年	655	417
1844 年	1 457	565
1845 年	1 636	539
1846 年	1 924	439

一八四二年——一八四五年，输入额增长，到一八四六年开始低落，此后十年，输入额平均说来几乎没有变动。这说明英国布匹对中国纺织手工业起了破坏作用，但不是严重的。输出方面，中国丝茶逐年增长，在中英合法贸易上总是占优势，足够抵补布匹及其他商品

的价值而有余。英国对华经济侵略，主要依靠可耻的鸦片贸易，从《南京条约》的成立时起，鸦片贸易享有不可侵犯的权利，大量输入中国，每年换取等于数百万金镑的银两出口，从一八四〇年——一八五〇年，英国输入鸦片箱数如下：

1840 年	20 619
1842 年	33 508
1844 年	28 667
1846 年	34 072
1848 年	46 000
1850 年	52 925

十年间，鸦片输入增加一倍以上，消费者主要是统治阶级中人，他们施行各种搜括方法，强迫人民补偿耗失的银两，鸦片贸易继续上涨，正与政治愈益腐朽，剥削愈益残酷，银源愈益枯竭，人民愈益困穷成正比例的发展。当时全部政治机关凶暴贪污，比鸦片战前更甚，连曾国藩那样残忍的汉奸，也不能不认为“百姓颠连困苦”，举出一些“民间疾苦”，劝告咸丰帝“务思所以更张之”了。照曾国藩《备陈民间疾苦疏》所说：第一是“银价太昂，钱粮难纳”——“昔日两银换钱一千，

则石米得银三两（每石平均价三千文），今日两钱换钱二千，则石米反得银一两五钱。朝廷自守岁取之常，而小民暗加一倍之赋。州县竭全力以催科，吏役四出，昼夜追比，鞭扑满堂，血肉狼藉。民之完纳愈苦，官之追呼亦愈酷，或本家不能完，则锁拿同族之殷实者而责之代纳，甚者或锁其亲戚，押其邻里，真有民不聊生之势”。这里所谓小民，当然不是地主豪绅，这种人或与官吏勾结，朋比为奸，或放高利贷，兼并土地，与其说受加赋之害，不如说受加赋之利，土地集中现象在鸦片战后特别紧张，地主豪绅因中小农破产，经济反趋繁荣，鸦片销路也顺利扩张了。那时候中小农民生活的穷困是难以形容的，例如江浙产米地区，米一石平均值钱三千文。银价在道光元年，每两换钱千一二百文，道光一八年，换钱一千六百文，二五年，京中换钱约二千文，外省换钱二千二三百文，农民卖米所得，以钱折银，实际减缩一半左右。官府征收地丁，定价银一两，道光一九年，收钱一千八百八十五文，后渐增至二千余文以至二千八九百文，总比市价高数百文。农民完纳地丁银一两，历年递增须卖米一石，再加漕米折银，每亩又需米数斗。

平常年景，一亩产米一石五六斗至二石，完纳地丁漕米，已经剩余无几，暂时拖欠就遭血肉狼藉的惨刑，破产更不可免。因此他们惟一的生计，是压缩自己的生活费，限于豆麦蚕桑纺织等副业范围内，一遇天灾疾病及其他意外事，副产不够养生，当然成为高利贷的牺牲品。佃农雇农生活尤其恶劣，上等佃户耕田二十亩，每亩所费种籽、肥料、牛具、农器、农忙帮工等约一千文，春季缺粮必需填补，一般向当地富户借贷钱米，秋收时加倍偿还。每亩产米不过二石，共收四十石，还田主租米二十石，还债主钱四十千，米若干石，一年辛苦耕作，剩余极微，经营副业，又需借人本钱，支付重息。中下等佃户负债更多，终身不能脱离高利贷的盘剥。雇农工资通常每年十千文，无力娶妻成家，依附雇主过奴隶生活，是农民中最苦的一级。因地主的剥削，中小农佃户继续破产失业。多数转入雇农或流民群中，人口过剩成为社会极严重的危机，只有革命才是出路。

第二是“盗贼太众，良民难安”——“兵役平日皆与盗通，临时卖放，泯然无迹。或反借盗名，以恐吓村愚，要索重贿，否则指为盗伙，火其居而械系之。又或责成族邻，勒令缚盗来献，直至缚解到县，又复索收押之费，索转解之资。故凡盗贼所在，不独事主焦头烂额，即最疏之戚，最远之邻，大者荡产，小者株系，比比然也”。这里所谓盗贼，实际也是饥民反抗富户，真正盗贼，却是全部行政机关，从官吏到兵役，无不“焚毁民房，讹索财物”，借口捕盗，实行烧杀抢夺，残暴远非普通盗贼可比。

第三是“冤狱太多，民气难伸”——“人民控告官长吏役，大率皆坐原告以虚诬之罪，而被告者反得脱然无事，一家久讼，十家破产。往往有纤小之案，累年不结，颠倒黑白，老死囹圄，令人闻之发指者”。这里所谓冤狱，实际就是法律保障贪污。统治阶级的法律必须伪装一些公正面目，才能欺骗人民，现在真面目完全暴露，法律丧失信用，“令人发指”的原因在此。

曾国藩代表一部分缺乏政治势力的有产者诉苦，社会极大多数穷民的冤苦，他是不理会的。但仅就这三条说来，满清官僚政治的黑暗，农业生产的摧残，足够证明人民要求革命的正当了。他在《议汰兵疏》里又说：“兵伍之情状，吸食鸦片，聚开赌场，各省皆然，见贼则望风崩溃，贼去则杀民以邀功。”满清养绿营兵七十万，八旗兵二十五万，全国分驻一百万武装强盗配合号称官员吏役的文法强盗，共奉满洲皇帝为渠魁，一致向人民敲剥，悍然不顾。这样一具残暴腐败的统治机器，只有对满洲贵族、汉奸、地主、外国侵略者有存在的必要，从人民方面看，除了捣毁它，再没有自救的道路。

中国人民反抗满清，从来不曾停止。鸦片战争前后，南北各省反满秘密结社非常发达，被统治阶级发觉的已经是名号繁多，实际并不止这些。例如咸丰元年七月戊子上谕：“近来四川之啯匪，河南之捻匪，湖南之斋匪，湖北之痞匪，以及山东安徽匪徒，结党成群，几于所在多有。”事实上捻党散布河南、安徽、山东一带，为北方白莲教天理教两次大起义以后新起的大势力，斋教散布湖南、江西、福建、浙江一带，为两宋魔教（北宋末魔教主方腊起义）的流派，都不是仅限于一省。势力尤大的天地会（又称洪门、三合、三点），分长房福建、二房广东、三房广西、四房两湖、五房浙江，会员布满南中国，以“反清复明”为共同宗旨。其他小派别，单是湖南一省就有串子会、半边钱会、一股香会、红黑会、红簿教、黑布教、结草教、斩草教、捆柴教等名目，各有秘密结社大致相类。这种散漫小规模的结社，不论它思想如何愚昧，方法如何落后，本质都是穷苦人民反抗统治阶级的一个力量。从鸦片战争起，大小会社以日益扩大的规模发动武装起义，较著称的如下：

一八四一年——湖北崇阳县人钟人杰聚众数千人起义，自称钟勤王，并竖都督大元帅红旗，次年战败被杀。

一八四三年——湖南武冈州人曾如炷起义。

一八四四年——台湾嘉义县人洪协等起义。湖南耒阳县人杨大鹏等聚众抗粮起义。

一八四五年——清山东巡抚发兵捕杀捻党。

一八四六年——云南永昌回民起义。湖南新田县人王宗献起义。江苏昭文县人金得顺等起义。

一八四七年——天地会首领雷再浩、李世得等起义，进攻全州，湖南广西天地会员准备响应。

一八四八年——清廷谕两广、湖南、江西各督抚严拿天地会员。

一八四九年——广西大饥，乡村间饥民千百成群，向富户借贷钱米。富户办团练，借口保全身家，请州县官出示，特准对饥民“格杀勿论”。统治阶级的残忍性完全暴露，天地会和饥民纷纷起义，揭“官逼民变”、“天厌满清”、“朱明再兴”、“替天行道”、“劫富救贫”等旗号，攻占城市，诛戮官吏，声势大振。广西一省起义军多至数十部，每部有众数百人以至数千人，其中大部如湖南新宁县天地会首领李元发占据广西、湖南、贵州三省边境，三省天地会起兵响应，元发遭清兵围攻，战败被杀。又广西贵县盗魁张嘉祥（降清后改为张国梁），迎合饥民心理，提出“上等的人欠我钱，中等的人得觉眠，下等的人跟我去，好过租牛耕瘦田”四句口号，大得贫苦人拥护，在各部中兵力最强，不久张嘉祥战败，投降清军，成太平天国的劲敌。当时清兵腐朽不能作战，只是利用天地会山堂分立、缺乏统一指挥，盗魁贪得小利、并无政治思想等问题，居然收各个击破、压平反抗者、贿买反革命走狗的功效。可是太平革命军与其他起义军不同，它有坚强的军事组织，统一的宗教信仰，显明的政治纲领，强烈的民族意识，继各部起义军失败之后，冲破清兵包围，展开伟大场面，这决不是偶然的。

第二节　太平革命准备时期

一八四三年（道光二三年）至一八五〇年（道光三〇年）

商品、基督教、大炮是西方资本主义侵略中国的整套工具。基督教装着伪善的面貌，另一面貌是狰狞地开放火炮，总目标在畅销商品，主要是鸦片。马克思说："历史之所以需要麻醉中国人民，为的是要把他们从历史的愚昧状态中唤醒起来。"的确，鸦片使中国统治阶级愈益腐烂，对中国人民却"不曾发生催眠的作用而倒发生了惊醒的作用"。太平运动采取基督教某些教义作为反封建思想的根据，这也是因鸦片而惊醒的一种表现。

一八〇七年（嘉庆一二年），英国传道会派遣玛礼逊博士到广州传教，译耶教《圣经》成华文。他的第一信徒梁亚发著一种传道书，叫做《劝世良言》，在路上分发宣讲。一八三七年，洪秀全到广州应秀才考试，无意中得《劝世良言》。秀全是天资聪明，熟读经史，很有才学的青年士人（二十五岁），他在科场屡次失意，激起反抗思想，试罢归家，装疯病四十余日，说自己上天堂受了上帝的天命。这是历史上“符瑞”“受命”的旧传统，与魔教拜日月神、白莲教拜弥勒佛同一意义，借用作号召民众的旗帜。秀全病中吟诗有“手握乾坤杀伐权，斩邪留正解民悬”；“手持三尺定山河，四海为家共饮和，擒尽妖邪投地网，收残奸宄落天罗”等句，纯属政治性质，并无显著的宗教色彩，洪秀全与基督教的第一步关系仅利用上帝、耶稣两个名词，宣称自己受了天命。

一八三八年、一八四三年，秀全两次应试，又遭失败。那时候满清政治军事全部的无能在战争中完全暴露，他决心抛弃科举，实行起义准备。他和同窗冯云山等研究《劝世良言》，附会书中词句，证明本人确实接受了耶稣的天命。他创立上帝教，劝人在上帝面前悔罪，不事邪神，不行恶事，遵守天条。秀全、云山都是贫苦塾师，他们不顾失业的困难，把孔子牌位毁弃，结果学童惊散，书馆停闭，不得不离开花县本乡，远赴广西传教。封建社会的“至圣”孔子竟被看作邪神，这在中国思想史上是破天荒的大事。

一八四四年，秀全、云山到广西贵县传上帝教，农民百余人受洗礼入教。一八四五年，云山转入桂平县紫荆山向矿工宣传，秀全回花县制造传教文书。原来上帝教只有一些简单教义，主要是不拜偶像邪神，独拜真神上帝，信奉耶稣，可得天堂永久快乐。这种教义不能号召广大群众，需要理论的补充，秀全作《原道救世歌》、《原道醒世论》两篇，确掌握了穷苦人民的心理，初步发动反抗的热情。《救世歌》劝人要作正人，切戒“淫”、“忤父母”、“行杀害”、“为盗贼”、“为巫觋”、“赌博”六个不正行为，他在戒条里输入政治上的平等思想说，“天父上帝人人共……何得君王私自专？上帝当拜，人人所用”，“普天之下皆兄弟。上帝视之皆赤子”。天子的称号和祭天的特权，一向归皇帝独占，人民是皇帝的奴隶臣妾，“僭”号“侵”权便是大逆不道。人民都自称天子，都有权拜自己的天父，恰恰破坏了封建制度的等级精神。因为人人都是兄弟，残虐成性的统治阶级自然是“嗜杀人民如草寇，到底岂能免祸灾”。人民杀草寇完全是正义，战争所引起的祸灾完全是草寇的罪恶。

《醒世论》里又灌输经济上的平等思想。他根据“皇上帝天下凡间大共之父”这个原则，说“天下（世界）多男人，尽皆兄弟之辈，天下多女子，尽是姊妹之群，何得存此疆彼界之私，何可起尔吞我并之念”。显然，那些满洲人、官吏、地主、高利贷者剥削吞并，都是反“上帝之真道”的妖魔，必需杀逐，才能“天下一家，共享太平，变凌夺斗杀之世为公平正直之世”。他引述孔丘“大道之行也，天下为公……是谓大同”一段话，想实现“有无相恤，患难相救，夜不闭户，道不拾遗，男女别涂，举选上德”的太平世界。这种主观的社会主义（马克思称为“中国的社会主义”）要求根据无贫富之分的新原则重新分配财产（制定天朝田亩制度）。当马克思在欧洲创造科学社会主义的同时候，洪秀全也提出了“中国的社会主义”，虽然是空想，却显示了中国人民的伟大气魄。

政治上经济上两大平等是在封建压迫之下困苦不堪的广大人民主要是农民的迫切要求，也是中国社会进一步发展的必要条件。救世醒世两篇论文，剥去它的宗教外衣，就可以看出它的民主主义思想的本质，太平革命运动就在这个平等思想推动之下壮大起来。

《太平天国起义》记载秀全当时对族弟洪仁玕的秘密谈话，说：

上帝划分世上各国，以洋海为界，犹如父亲分家产于儿辈，各人当尊重父亲之遗嘱而各自保管其所得之产业，奈何满洲人以暴力侵入中国而强夺其兄弟之产耶？

如果上帝助吾恢复祖国，我当教各国各自保管其自有之产业，而不侵害别人所有。我们将要彼此有交谊，互通真理及知识，而各以礼相接。这是我心中之大愿也。

这是秀全的民族平等思想，一八四六年，秀全依据这个思想作《原道觉世训》。“觉世训”是指出战斗目标的论文，它反复说明“阎罗妖乃是老蛇妖鬼也，天下凡间我们兄弟姊妹所当共击灭之惟恐不速者也”。所谓阎罗妖，实际就是人间的满洲皇帝，所谓“阎罗妖之妖徒鬼卒”的各种偶像，就是人间的官吏地主等一切民贼。统治者口口声声责备人民“食毛践土，具有天良”，应该感戴皇恩，“觉世训”却说皇上帝造天地万物，保佑人有衣有食，人明明沾皇上帝的恩典。那些妖魔敢冒天恩，该诛该灭，那些感戴邪魔恩典的人是“良心死尽，大瞒天恩，竟与妖魔同犯反天之罪，何其愚哉”。他把皇上帝与阎罗妖对立，劝告人民脱离妖魔的迷惑，独拜真祖皇上帝，又把皇上帝与人间皇帝对立，认为“他是何人，敢靦然称帝，妄自尊大”。在迷信神权王权的社会里，给人民一种勇气，敢于反对偶像，阎罗及皇帝，不管勇气的来源出于宗教迷信，到底起着革命的作用，就宗教说，一神教比多神教拜物教也是大进一步。

“醒世”、“救世”、“觉世”三篇的制成，奠定了太平革命的理论基础。

一八四七年，秀全离花县，到广州礼拜堂从美国牧师罗孝全学耶稣教义，得读《新旧约圣经》。他学了些对上帝礼拜的仪式，就去广西寻冯云山，在紫荆山设立上帝会机关，共同制定上帝教各种仪式及十条天条。它把人生日常动作，都表现为一种宗教仪式，与上帝联系起来。教徒集会礼拜有赞美上帝诗，入教受洗有悔罪奏章，朝起夜睡有拜上帝祈祷文，吃饭有感谢文，其他如灾病、喜庆、丧葬、生日、满月、迎亲、嫁娶、作灶、做屋、堆石、动土等事，都有祭告上帝奏章。祷文大意不外“祝福有衣有食，无灾无难”，“诛灭妖魔，万事胜意”，“今世见平安，升天见永福”一类免祸得福的愿望。统治阶级中各个等级都有权压迫人民，因之幻化为各种偶像鬼神，都有权血食。上帝教集中祸福大权在一个皇上帝，也就是只承认一个人民自己的权力，这些迷信琐碎的仪式，都成为组织革命群众的重要方法。

十条天条模仿摩西“十诫”，前四条属宗教信仰，后六条即“救世歌”所举五不正的条文规定，在平时当作教徒的生活法则，战时变为军事纪律（上帝教徒死后不用棺木，只用布帛裹尸体，也是为战争便利），天条比祷告仪式起更大的组织作用。

上帝教具备了理论和组织，派人四出宣传，教徒人数大增。秀全与云山等写奏章祈祷上帝，秘密蓄发，选择紫荆山险固地方作根据地，聚集会众准备起义。为要鼓励群众的诛妖勇气，秀全率冯云山等往象州捣毁甘王庙。甘王是杀母、贪暴、淫乱的著名凶神，象州人怕他作怪降祸，祭祀非常虔敬。秀全入庙宣布甘王十大罪状，举大竹杖击毁神像。从此秀全威名大振，入教者愈众。上帝教徒到处破坏庙宇偶像，宗教信仰转成宗教斗争。地方绅士认为“拜会谋叛”，起团练擒获云山等送桂平县狱，会众筹集数百串钱营救云山出狱，宗教斗争转成政治斗争。一八四七年，上帝教起义准备初步完成。一八四八年至一八五〇年，上帝教与团练斗争愈益尖锐，起义准备成熟而爆发了。

一八四三年秀全创教，一八四四年到广西传教，一八四五年制作宣传论文，一八四七年定组织规章，建立起义根据地，开始革命行动，前后五年，上帝教竟成有实力的革命团体。一八五〇年起义前，以桂平县紫荆山为中心，西到贵县，东到平南、藤县，南到博白、陆川，北到武宣、象州，在黔郁两江流域的村落和山岭里，都散播了上帝会的种子。这样迅速的发展，主要由于满清统治腐烂不堪，人民不能生活下去，主观方面利用宗教迷信推行平等思想与组织，配合了客观的革命要求。

一八四八年以后，上帝会与地主武装团练进行着激烈的斗争，正如《李秀成自述》所说："团练与拜上帝之人，两有分别，拜上帝人与拜上帝人一伙，团练与团练一伙，各自争气，各自逞强，因而逼起。"在斗争发展中，洪秀全、冯云山二人组成的领导核心当然需要扩大，陆续加入杨秀清、萧朝贵、韦昌辉、石达开四人，最后加入洪大全，成为七个人的领导集团。这个集团的结合与分裂，决定太平革命的胜利与失败，这里就必须叙述七人的阶级成分及简史。

洪秀全——广东花县客家人。中农家庭，父兄耕田谋生，家境穷困。秀全七岁（一八一九年，嘉庆二四年）入塾读书、聪明异常，五六年间，熟读四书、五经、孝经、古文多篇，父兄和亲族都希望他科举成名。十六岁因家贫失学，助父兄耕田，十八岁（一八三〇年）受聘为本村塾师，直到三十一岁（一八四三年）创立上帝教以前，不曾离开村塾教师的职业。一个读经史多年，功名心极重，屡次应试得不到秀才的失意人，悲愤不平，在鸦片战争后，走向革命道路是很自然的。他的学问知识使他可以创教作教主，但实际传教的是冯云山，领导群众的是杨秀清，教主与教徒中间隔着一个媒介体，这使他脱出简单的塾师生活，又进入高高在上的教主生活，不能积累起丰富的政治军事经验去实际领导太平革命。

冯云山——花县客家人。与秀全同窗，也同是有才学考试失意的穷苦塾师。秀全创教，云山首先受洗。一八四四年，二人到广西贵县传教。不久，秀全归家制造宣传论文。云山留桂平紫荆山，亲身挑泥挖土，充当苦工，向附近各山烧炭工人、矿工及农民宣传新教，到一八四七年秀全回紫荆山时，信徒已有数千人，造成雄厚势力，号称“拜上帝会”。二人共订宗教仪式及天条，开始作起义准备。云山被团练捕获押入县狱，秀全回广州设法营救，杨秀清等烧炭工人筹集钱数百串充贿赂，一八四八年初，云山得释放归山，教徒人人欢欣，即时杀牛宰马，献祭上帝，感谢天恩，云山出狱后往花县寻秀全，一八四九年六月才同行归山。他是上帝会主持者，离会一年以上，不曾指定代理人，会众无人统率，发生分裂现象，这是极可惋惜的。

杨秀清——桂平县平隘山客家人。世代以烧炭种山为业，秀清幼年丧父母，曾离家流荡，五口通商前，结伙伴护送洋货，交结许多两广江湖上豪客。上海开埠，广州国际贸易衰落，秀清失业归家，仍作烧炭工人，他“识字无多，奸谲异常”（《贼情汇纂》），所谓“奸谲”实就是他的阅历和智谋，高出一般常人。冯云山出狱回花县，会众发生动摇，杨秀清自称上帝附身显圣，发布号令，团结会众，这在当时也还是必要的手段，秀全回来，不得不追认圣言，从此代上帝传言的大权专属秀清。洪、冯都是广东籍，不及秀清与群众有乡土关系，再加上帝附身，秀全要跪地听命，甚至接受杖责，秀清权力在群众中提高到第二教主的地位。冯云山不幸早死，秀清掌握军事政治权全部及宗教权半部，秀全权不称位，潜伏着后来杨韦内讧的祸根。

萧朝贵——武宣县农民，破产流落，纠合勇士入山，护送往来商客，与杨秀清结识，约为义兄弟。广州商业转移上海，杨、萧失业，同入上帝会成群众首领。秀清称上帝附身，朝贵称耶稣附身，后来都被洪秀全承认有代言权。秀清多智谋，朝贵忠实坦率，勇敢刚强，冲锋第一，代表农民的革命性。杨、萧关系较深，秀全妹宣娇嫁给朝贵，增强洪杨两方面结合。朝贵在攻长沙时战死，与冯云山的早死同是重大的损失。

韦昌辉——桂平县金田村人。地主兼典当商，为一县首富，捐得监生，出入衙门办事，又是豪绅身份。一八四九年，广西饥民发动分粮，富户多破家，昌辉独能慷慨施予，得本县一部分民众拥护。上帝会劝昌辉入会，借他的绅富名义和资财，组织保良攻匪会，掩护革命活动。他出身剥削阶级，贪污官吏指为谋反，被迫参加金田起义，在太平军领导集团中是惟一动摇分子。后来杨韦内讧，大局败坏，他是主要负责者。

石达开——贵县北山里客家人。石家是当地土豪大姓，人口多，富有财产。达开读书有大志，文武备足，加入保良攻匪会，同谋革命。韦、石二人都是当地多年绅富，各拥有一部分群众，他们对上帝会关系较浅，在领导集团中地位也较低，因之达开虽是第一等军事政治人才，却不能取得洪杨的绝对信任。

洪大全——湖南衡山县人。他在供词里自述："自幼读书作文，屡次应试，考官不识我文字，屈我的才，就当和尚。还俗后，又考一次，仍未取进。我心中忿恨，遂饱看兵书，欲图大事。天下地图，都在我掌中。古来战阵兵法，也都留心。"他和洪秀全一样，应试失意，转向革命。秀全接触一些西洋文化，创造平等思想的上帝教；大全生长在内地，只能组织旧形式的天地会，自然，上帝会是较前进的。可是天地会势力浩大，大全游行两广两湖各地，结识山堂首领，拥有广泛的群众。上帝会是新起的、一个地区的团体，群众基础远不及天地会。金田起义后，大全以天地会大首领军事专家资格前来合作，上帝会推尊他为天德王，居次于洪秀全的地位，是有政治意义的适宜处置。洪大全的真姓名是焦大，参加起义后，改称万大洪（朱、洪、万都是天地会的贵姓，天地会本尊奉万云龙为开山始祖），他对天地会用万大洪姓名，为的便于号召会党；对上帝会又用洪大全姓名，表示与洪秀全有兄弟对等的关系。一八五二年（太平天国二年，咸丰二年）在永安围城中用天德年号颁发告示，对湘鄂二省以及江西江南一带人民，号召“将各府州县之贼官狼吏尽行除灭救民于水火之中”，全篇不见一句宗教语，与上帝会开口必称天父天兄显然不同。太平天国用阳历，天德仍用阴历（但承认太平历），太平天国领导人称王，万大洪自称总理军机天下大元帅（又有都督大元帅称号），不受天德王名义。天地会沿用天德二字以为理想中小主的年号（起于康熙时张念一奉朱三太子起义），非朱姓的起义人多自称大元帅（如一八五〇年广州发现天德二年汉大明统兵大元帅黄告示），万大洪即洪大全，是天地会首领殆无疑问。他承认“奉天承运太平天国”，洪秀全讨清诏书里也自认“今朕非他，乃大明太祖之后裔，弘光皇帝七世孙”，在复明反满一点上，天地、上帝二会是可以合作的。

以上七人，从团结方面说，在太平天国名义下，一致反对满清统治者；农民、手工业工人、运输工人、会党、流氓，以及一部分失意的士人、被欺压的地主商人，都有代表参加了这个领导集团，形成庞大无比的革命声势。满清首席军机大臣赛尚阿在永安战败后，感到“此贼不是寻常的贼，总愿旁人不要同我一样才好”，这就是团结所表现的威力。但从分歧方面说，首先是上帝、天地二会存在着裂痕。上帝会崇拜一个真神，杨秀清代真神发言，因之杨秀清等于真神。天地会标“反清复明”为宗旨，并非宗教团体，洪大全在《自述》里说：“妖术行为，古来从无成事的。”他不能听从杨秀清指挥，可以推见。其次是上帝教本身，洪、冯为一组，杨、萧又另一组，洪、冯创教，杨、萧代上帝耶稣发言，宗教领导二元化，隐藏着分裂的严重危机。韦、石并非上帝教信徒，韦被迫参加，石“读书有大志”，在一定时机下，韦可以争权内乱，石可以负气独立，简单的宗教迷信是不能束缚他们的。洪（大全）冯萧三人早死，洪杨韦石四人间分歧的因素继续发展到分裂，蓬勃的太平天国也就由衰弱而至于崩溃了。

太平革命的基本群众，在金田起义时，一般是广西人、客家人、上帝会人（教徒总数约三千人）。按职业区别，有下列二类。

第一类群众 烧炭工人——上帝会主干之一，首领杨秀清、萧朝贵。上帝会人多数烧炭为业，俗称为炭党，集中地在桂平县平隘山。

矿工——鸦片战争后，道光帝令云南、贵州、四川、湖南、广西等省招商开矿，广西开矿最多，贵县招集客家人开采银矿，冯云山入北山龙里山中，宣传上帝教，成为上帝会主干之一，起义参加者约千余人。

客家农民——鸦片战后，道光帝令各省广开荒地。广西地广人稀，广东或邻省客家人多迁来垦田谋生。客家村落不及本地土人村落强大，常被土人掠夺，彼此感情极恶，往往寻仇械斗。一八五〇年，贵县土客发生大械斗，客家战败，男妇老弱三千余人弃田产逃走，随北山里矿工队加入金田起义，成为主干之一。

这一类工人农民数千人是太平军最基本的战士。其他陆续参加的，正如《李秀成自述》:“从（入教）者俱是农夫之家，寒苦之家。”太平军中农民占最大多数，不限于客家人，也不限于先入上帝教，他们的共同信仰是“同家食饭”、“自由平等”。

第二类群众 韦昌辉部属约一千人，随昌辉参加起义。这群人有农民、商人、流氓，后来一部分结成韦党。

变兵——金田战前一天（十一月二十八日）清军中客家军人数千反清加入太平军。

会党——金田起义洪秀全允许三合会首领八人率部加入，条件是同拜上帝及遵守会规（天条）。其中七人嫌会规太严，相率退出。独有罗大纲爱太平军的纪律及教义，改奉上帝教。此后，“秀全诫其部属不再收容三合会人物于其军中，惟其甘自改变其旧习而遵从真道者始行纳之”（韩山文:《太平天国起义记》)。

交通运输业失业者——鸦片战前，广州是惟一通商海口，出入口货经两条大路。一路起广州经大庾岭沿赣江北上至九江，一路起广州经南风岭达湘潭。容闳《西学东渐记》说:“湘潭及广州间，商务异常繁盛，交通皆以陆，劳动工人肩货往来于南风岭者不下十万人。”两路水陆运输、护商、旅店、商贩等业及依附为生的人数当不下百万。商业中心移到上海，两广赣湘骤增百万失业者，腐朽的社会是经不住这个地震般的剧变的。他们要求生活，就必须反抗社会旧秩序，参加太平军的如杨秀清、萧朝贵、吴如孝（封顾王）、罗苾芳都是这一类人，其余不知名的当不在少数。不过天地会对他们的影响远比上帝会大，万大洪告示，主要就是对这群失业者发出号召。

被迫参加者——《太平天国起义记》："清军战败，迁怒于新墟居民，焚烧一二千铺户而抢掠财物，且又捕杀居民多人，故加以逆党或助逆之罪。"此等残酷行为令人民愤激不胜，许多人留在家中本欲拜上帝而不愿加入革命运动的，至是迫得离家而投入洪军。

这一类人品类较杂，但在宗教信仰、军事纪律的统一领导下，也成为重要的革命战士。

以上两类，到金田起义前后，总数已达万人，这是坚强统一的团体，具备政治思想、组织、领导集团、基本群众、人民同情拥护等必要条件，从创教到起义不过八年，准备完全成熟。容闳说："予意当时即无洪秀全，中国亦必不能免于革命。"自然，革命并非少数人的制造品，容闳指出了主要的一方面，但洪秀全能首先提出并实行反封建革命（虽然因幼稚、错误而不免失败），他个人所起的倡导作用，还是不容否认的伟大成就。

第三节　太平革命胜利时期

一八五〇年（道光三〇年）至一八五六年（咸丰六年）

本时期又可分前后两期。前期从一八五〇年（道光三〇年）六月金田起义至一八五三年（咸丰三年）二月攻克南京，革命形势飞跃的发展；后期从咸丰三年二月建都南京至一八五六年（咸丰六年）八月杨韦内讧，革命陷入停滞状态。从飞跃到停滞，完全是由于领导集团裂痕的加深与战略指导的错误，满清方面却因此获得重新调度反革命力量的机会。

一　前期的革命形势——飞跃

上帝教徒到处捣毁庙宇偶像，与地方绅士冲突日趋激烈，“各教徒感觉有联合一体共御公敌之必要。彼等将田产屋宇变卖，易为现金，而将一切所有缴纳于公库，全体衣食均由公款开支，一律平均。因有此均产制度，人数愈为加增，而人人亦准备随时可以弃家集合”（《太平天国起义记》）。革命群众的斗争情绪能高到如此程度。道光三〇年六月太平军在紫荆山前金田村公开竖立义旗，陆川、博白、花洲（属平南县）、白沙（属桂平县）各地也同日起事。十月，各地会众到达金田，十一月，大破清军。咸丰元年闰八月攻克永安州（蒙山县），建立太平天国。

太平军驻永安城半年，颁行各种制度，建国规模大体具备。秀全被推为太平天王，再由天王大封官职。王是最高官职，分四等：东王杨秀清、西王萧朝贵列一等，南王冯云山、北王韦昌辉列二等，翼王石达开列三等，“以上各王，俱受东王节制”。太平天国政制、军制、历法都是冯云山订制，他当然知道节制权应属天王，但杨、萧取得代天父天兄发言权，事实上秀全早受杨、萧，主要是杨的节制。论宗教地位及起义功绩，云山不在杨、萧下，也因同样事实，不得不退居第三位。领导集团内部的分歧，在建国开始，已显示分裂的危机，这个危机又是在发展而无法克服的。

太平军初起，清军每战必败，咸丰帝派首席军机大臣赛尚阿督大军围攻永安城。咸丰二年二月，城中粮尽，太平军突围，大破清军，杀四个总兵官，乘胜进攻桂林。在突围中，洪大全被清兵俘获，这是巨大的损失。天地会有广大的群众基础，有二百年的反满历史，有自己崇奉的万云龙大哥和五祖，有传统的组织形式和特殊习惯，另方面，它没有上帝会那样统一组织与严格纪律，这些，都阻碍了它和上帝会的合作。洪大全在承认太平天国和天王是“明太祖后裔”两个条件下，用天德年号、天下大元帅名义与上帝会联合，地位是对等的。这一联合形式的发展，不仅天地会可在政治经济平等的思想下合作，就是北方的捻党，白莲教西北的回民、西南的苗民，也可以同样联合协力行动。这种反满大联合，在上帝教领导下，可以推倒满洲统治。洪大全被俘，天地会失去有力首领，此后天地会员或单独起义，或改奉上帝教加入太平军，不成为一个对等联合的力量。上帝会也从此合并拜上帝与革命为一事，不许太平军中有非上帝教徒。上帝会与各种反满势力不能合作，从永安突围后开始，所以太平军丧失洪大全，对革命前途有极严重的意义。

桂林是广西反革命的中心地，提督向荣、状元龙启瑞率绿营兵、团练固守，不敢出战。太平军驾云梯猛攻，妇女助战，儿童呐喊助威。但清军有枪炮，太平军不能取胜，解围北上攻克全州。从全州到湖南路上，冯云山战死。云山死后，洪秀全势更孤弱，大权尽归杨秀清。太平军进攻长沙，沿路吸收群众五六万，其中挖煤工人数千，另立土营，专开地道攻城。萧朝贵在长沙城下阵亡，太平军围攻两月不能破，转攻岳州，十月，克岳州。

咸丰二年二月到十月，太平军损失三个领导人。当时缺乏战事经验与攻城武器，将士全凭勇敢冲锋，用血肉换取胜利。清军不敢对阵作战，专靠城池与枪炮，冯、萧都是中炮死的，桂林长沙都是靠枪炮守住的。太平军痛感军械的重要，在岳州获得大量船只及器械枪炮，实力大增，改变“欲取湖南为家”（《李秀成自述》）的计划，决心进攻湖北。

十一月，太平军自岳州水陆两路并进。十二月占领武汉三镇。咸丰三年正月，太平军水师有船一万艘，载粮食军火财物蔽江东下，陆军夹两岸前进，水陆号称五十万人。沿路民众踊跃从军，声势浩大，清军丧胆，望风崩溃。太平军连克九江、安庆、太平、芜湖，水陆号称一百万人。二月初八日攻克南京。

南京的攻克，自然是革命一大胜利，但还不是满清的致命伤，“此时天王、东王尚是计及分军镇守江南，欲往河南，取河南为业”（《李秀成自述》），这个计划完全正确。证以后来林凤祥、李开芳率偏师北征，直到天津附近，吓得咸丰帝预料到“北京快要失陷，诏谕各省巡抚将皇帝的收入送到行宫所在地热河”（马、恩合著:《亚洲与俄国》引一八五四年二月东方邮电），满清势力在北方空虚腐朽可以想见。如果此时天王东王率主力军乘大胜余威，长驱北上，满清措手不及，除仓皇逃遁，决无他途可走，全国反革命失去满洲主子，就是最凶恶的曾国藩，也无法组织湘军。可惜洪杨对这一计划是动摇的，杨秀清听信一个湖南老水手“河南河水小而无粮，敌困不能救解；南京乃帝王之家，城高池深，民富足余”的话，决计定都南京。这说明太平军领导思想上保守主义战胜了进取主义，安富尊荣观念战胜了刻苦战斗观念，总之是机会主义战胜了革命主义。这个战略上最大的失策，成为太平革命失败的决定因素之一。

太平军另一大失策是弃地不守，岳州、武汉、九江、安庆等地全部放弃，满清官吏很快的恢复统治机构，残杀革命民众。如果派兵驻守，援助当地民众反抗满清统治，扩大革命占领地，南京形势也就会巩固起来。太平军不知守地，清钦差大臣向荣率盗魁张国梁自广西尾随在后，只隔十天，向荣到达南京城东孝陵卫，成立江南大营。又一满清大帅琦善率直隶、陕西、黑龙江马步各军，自河南至扬州，成立所谓江北大营。南北大营都是些八旗兵绿营兵，不堪一战，但政治影响对满清有利。满清在江浙上海搜括财物，供给两大营，大批流氓强盗应募入营，兵力愈益强大。盗魁张国梁凶悍善战，成为主干人物，它战斗力虽不及湘军，但对南京是一个大威胁。

战略上的失策，要引起严重的后果，但太平军还有极大成功的一面，使它战无不胜，攻无不克，造成坚强的基础，这就是百万人民的直接参战与广大人民的拥护革命。太平军从广西出发，沿路诛戮妖魔（官、幕、吏、役），焚烧衙门、粮册、田契、借券，杀逐豪绅、地主、和尚、道士——这种人多数是土地占有者或高利贷者。人民骤脱封建剥削的束缚，感受革命所给予的愉快是不可以言语形容的，他们参战，当然不是所谓胁从；拥护，当然不是所谓好乱。《太平天国野史》说："没入财物，必择达官富绅行之，民间则丝毫无扰也，且每以攫得衣物，散给贫者，并言将来治平，概免租税三年，乡民德之，湘楚之民大有'奚我后，后来其苏'之慨，太平军至则争迎之，官兵至皆罢市。"这是事实，就是反革命渠魁曾国藩也不得不承认这是事实，天平天国的基础就建立在这个事实上。

满清军队杀人、放火、奸淫、掳掠，根本不知有所谓纪律。太平军恰恰相反，普遍保持极严格的军事纪律。《李秀成自述》说："天王驾入南京，开立军伍，整立营规。东王佐政事，事事严整，立法安民，民心佩服。安民者出一严令，凡安民之地，何官何兵敢入民房者斩不赦。法律严，故癸丑（咸丰三年）年间，上下战功利，民心服。"事实上太平军纪律始终良好，连曾国藩也不敢否认这个事实，太平军的基础就建立在这个事实上。

太平军错误战略的影响刚在开始，而革命基础却已迅速长成，这就是前期飞跃发展的原因。

二　后期革命形势——停滞

太平天国定都南京以后，正式成立国家政权。军事、外交、政治、经济都是亟待处置的重大问题，太平军实际领导者杨秀清怎样来处置这些问题呢？他是“才能极大”、“令严军民畏”的刚强人物，他依据平等原则，建立起崭新的天国制度，成绩是伟大的。但因为他人权利之争，酿成内部大变乱，错误也极大。

要剿灭满清必须北征，要巩固南京必须西征，要断绝满清财源必须东征，太平军处置三方面军事，基本上是失败了。当时南北各地，民众纷纷起义，对太平军绝对有利。黄河流域捻军大起，首领有张洛行、李兆受、李士林、刘疙瘩、刘元吉、任二皮、龚得树等，张洛行势力最大。长江以南以至珠江流域，天地会到处发动，陈开起兵广东佛山县，黄威起兵福建厦门，刘丽川起兵上海，最为著名。此外较小事变真是不可胜数，例如湖南，照曾国藩说：“去年粤逆入楚，凡入添弟（天地）会者，大半附之而去。”（咸丰三年二月，《严办土匪以靖地方折》)：但是他在《移驻衡州折》里表示惊慌失措，认为“若非痛加诛锄，则祸患将无了日”。他说：

> 数月之间，四属匪徒屡次滋扰，如长宁有白沙堡之案，衡山有草市之案，永兴有狮子寨之案，安仁有焚烧衙署之案，桂东有县城失守、戕害把总之案，宜章临武有广东匪徒滋扰之案，永明江华有广西匪徒窜入戕害千总之案。此外四属中，聚众倡乱，抢劫拒捕，为案甚多，未及一一上渎圣听。

这样多的起义，证明在太平革命影响下。人民憎恨满清已达顶点，曾国藩不认为满清统治完全破产，却描写成：“皆由上年粤匪经过衡永柳桂一带，裹胁最众，或久授伪职，或饱掠潜归，以致莠民构煽，甘心从逆，动辄贴粤匪之伪示，张太平之逆旗，甚至乞儿偷盗，三五成群，亦敢倡言谋乱，毫无忌惮。”事实上太平军不曾经过的地区，同样如火如荼在爆发。而太平军占领的地区，人民安居乐业，拥护太平军。曾国藩自己供认：

伏查崇（湖北崇阳县）通（通城县）两县向为匪盗啸聚之区，自正月以来，居民多已蓄发，乐为贼用。其旁近州县，如通山蒲圻大冶兴国咸宁嘉鱼等属，皆已为贼所据，官兵到境，无土人为之向导，无米盐可供买办，人心之坏，实堪痛恨。（咸丰四年三月，《报崇通剿匪胜仗折》）

根据上述例证，可以断定太平军无论北征、西征、东征都有可能获得最大的胜利，但太平军并不能利用这样优越的形势。

北征——太平军克南京，即派林凤祥、李开芳、罗大纲率兵攻下镇江扬州二重镇。洪杨计议北征，罗大纲主张“欲图北必先定豫，车驾驻汴，军乃渡河，若悬军深入，犯险无后援，臣不敢奉诏”。洪杨不听大纲这个正确主张，派林凤祥、李开芳、吉文元率兵五万，自扬州出发。三人都是广西老兄弟，忠勇有余，智谋不足，临行又受洪杨“师行间道，疾趋燕都，毋贪攻城糜时日”的诏谕，北征军的命运已经决定了。咸丰三年四月，破安徽凤阳城；五月入河南、攻开封；六月，渡河攻怀庆。满清集合北方军队死力防堵，吉文元战死。七月，弃怀庆攻入山西，沿路血战，余众不过二万。杨秀清仅派兵二万往援。九月，北征军入直隶，攻至天津，清军联合团练开放河水，四野漫没。十月，退静海一带。北征军不惯北方冬寒气候，耳鼻冻裂，手足溃烂，粮食又缺，清军四面围攻，兵力大受耗损。咸丰四年正月，北征军放弃静海，转至阜城与清军相持。五月，李开芳率一军攻入山东高唐州，迎接南京新来援军，林凤祥困守直隶连镇待援。四月，南京援军在山东战败，林李分散不能会合，势更孤弱。咸丰五年正月，林凤祥军粮尽，兵士饥极，不能举刀矛，连镇被清帅僧格林沁攻陷，全军战死，无一人求降。清军全力合围高唐州，李开芳军兵精粮足，坚守不屈。四月，清军引运河水灌城，李开芳军全军淹没。

北征军勇敢坚决，血战两年，全部战死，真不愧为革命战士、民族英雄；虽然战败，连曾国藩也惊叹它的“坚忍不屈”。北方大平原利于马兵，地近北京，满清统治比较巩固，北征军多是广西、湖南山乡人，不惯北方的气候、地形、面食，又不通北方的言语、风俗、习惯，再加宗教隔阂，难与民众接近，这些都是北征军的劣势，战败是不可免的。如果不是孤军深入，先联合河南、安徽、湖北、山东一带捻军，既可掩护西征军保守武汉，又可增加马步实力，南京援军也不会沿路被堵，北征胜利的希望还是很大，可惜被杨秀清的错误指导断送了。

西征——要确保南京，必需确保长江上游武汉、九江、安庆三大据点，关键尤在武汉的得失。太平军与反革命湘军长期战争，实际就是上游三大据点争夺战，最后终因内部不团结，发生内讧，被反革命战胜，武汉落入胡林翼手中，曾国藩得专力进攻九江、安庆，太平军从此只能作防御战了。咸丰三年，与北征军出发同时，南京派遣胡以晃、罗大纲、赖汉英、石祥贞、韦俊进兵安徽、江西，五月，克安庆，围南昌。吉安等地民众起义响应，声势大张。清军危急，曾国藩在湖南被迫出湘勇数股来援，一战溃败，罗泽南部死伤最大。太平军久攻南昌不下，退兵攻取九江，吉安等地民军被湘勇罗泽南部击灭。四年六月，攻克武昌，曾国藩湘军水陆并进，会合其他清军死力争夺武汉，八月，陷武汉。经几次大战，太平军退出湖北境。湘军围九江，守将林启容善于战守，屡破湘军，但形势对湘军有利。

西征军由石达开指挥，在江西境内大破湘军，再度出兵攻武汉，五年正月，连克汉口、汉阳。曾国藩攻九江不下，湖北又告急，他是第一等重视上游的，分全部兵力为四股，令头等汉奸胡林翼、罗泽南各率陆军一股，彭玉麟率长江水师一股援救武昌，留塔齐布五千人围九江，二月，太平军克武昌。这一次大战是革命与反革命双方决死的斗争，太平军虽然获得暂时的胜利，但满清政府与曾国藩湘军密切合作，竭尽全力从失败中求取胜利，太平军方面却因领导集团内部不和，在决定关头，从胜利转入失败。这里必需叙述战争指导者杨秀清与军事指挥者石达开的事迹，说明太平军失败是极可痛心的内讧产生的必然恶果。

咸丰三年，胡以晃攻克安庆，人民不习惯太平宗教与法制，颇多抗命。“天王命达开赴安庆一带安民，达开既至安庆，以诚意相要结，择村里之有声望者为乡官，缉盗贼，严军旅，使各安其业。更督民造粮册，按亩输钱米，于乡里之豪暴者抑制之，无告者赈恤之。立榷关于大星桥，征江面商税。军用裕而百姓安之，颂声大起”（《太平天国野史》）。这是最基本的建设，可是不满三个月，“东王杨秀清忌之，以燕王秦日纲代达开，命还京襄理朝政”。

等到咸丰四年七月，曾国藩湘军大举攻破岳州，进攻武汉，才再派达开率兵往救。到芜湖，湘军已夺取武汉，入江西省攻九江了。达开守安庆，出兵援九江，大破曾国藩军，又大破罗泽南军。湘军陆军受挫，水师仍在江上猖獗。十二月，水师主力驶入鄱阳湖，达开筑垒断水师后路（湘军水师因此分为外江内湖两部），命胡以晃、罗大纲率小艇袭破曾营，夺得曾国藩座船，国藩骇极，投水寻死，被附近小船捞起，仓皇逃入罗泽南营。（这个汉奸头子四月里在靖港曾投水寻死一次，回长沙整顿了一番湘军，这一次又大败寻死，确是悲观失望到极点，在罗泽南营写遗疏千余字，准备再寻死。罗泽南竭力苦劝，说是“天若不亡本朝，此老必不死”，果然，他又干起汉奸勾当了。）达开乘胜进克武昌。六年，攻南昌，湘军撤九江围兵数万人援南昌。达开兵力才数千，自率敢死士夜袭樟树镇湘军大营。湘军最怕达开，不战溃逃，达开率骑兵数十人猛追，湘军全军大奔不能止，曾国藩逃入南昌城困守，江西八府五十余县都入太平军手中。石达开既克武昌，曾国藩深知“论东南大势，以武昌据金陵上游，为必争之地，宜厚集兵力，为恢复之计”（《与胡林翼书》），出四分之三兵力与西征军争武汉。江西、湖北两省大战以来，湘军败多胜少，大将罗泽南、塔齐布相继毙命，曾国藩在南昌危城中，内外隔绝，“凡江楚文报自贼中经过，辄被杀害，臣等雇募长发探卒，腊丸细字，作为隐语，以通消息”（五月，《陈明邻省援兵协饷片》）。他惊骇到“道途梦梗，呼救无从，中宵念此，魂魄屡惊”，已成瓮中鳖的形势。他是被当时汉奸群奉为惟一领袖的，罗泽南所谓“但留曾公一人在，其他均不足计”的，南昌如果攻下，国藩就擒，等于满清政府和汉奸群失去灵魂。正在两军肉搏最紧张的时候，七月，杨韦内讧勃发。石达开闻变，急自湖北洪山驰回南京，被洪秀全解除兵权。达开畏祸，率部自由行动，从此太平天国转入衰亡阶段，无力再争上游。十一月湘军攻陷武昌，大举进攻九江城。

石达开是曾国藩最怕的敌人，说“逆首石达开狡悍为诸贼之冠”（咸丰八年，《陈明石逆情形片》)。咸丰帝听说杨韦内讧，喜欢得大发幻想，命曾国藩准备达开来归，说“倘向曾国藩乞降，应如何处置之法，或使先自立功赎罪，再邀重赏，亦当预为筹画”（十月二十日，上谕）。反革命对他畏惧重视如此，洪秀全却自坏长城，迫他逃出南京。北征军因孤军失援，放走了咸丰帝，西征军又因内部冲突，放走了曾国藩，两次失机，革命颓势很难挽救了。

东征——江南江北两大营威胁南京，太平军留大部分精锐守城，兵力不能出镇江以东。江浙地方富庶，从财源说，正如曾国藩所称：“克一城有一城之利，拓一里取一里之财，究竟远胜于他省。”（同治元年，《近日军情片》）从军事说，南、北大营招募兵丁费、北京政府官员旗人生活费，主要依靠江浙上海三处供给，正如胡林翼所说：“江浙为仓庾根本，京师性命所系。”东征江浙，正是破坏南、北大营，援助北征军，削弱北京政府的必要处置，洪杨在这方面完全不加考虑，是最大的失策之一。

太平军攻克南京，人们都预料上海一定是攻击的目标，英领事组织义勇团保护租界，清官吏要求各国干涉，保护上海城，被各国拒绝，当时上海有广东人八万，福建人五万，都同情太平军，准备起义响应。咸丰三年九月，广东匕首党（天地会的一派）首领刘丽川联合福建青巾党首领陈亚林及江西编钱会二千余人，从北门攻入知县衙门，占领上海城。这次起义只杀死一个知县官，伤一个北门守门人，秩序非常良好。粤闽赣同乡及上海人宁波人整千的加入，势力大增。他们用大明太平天国名义出布告，一律蓄长发，但不奉上帝教。他们在美国教士家中发现冯云山的幼子，立即欢迎入城，化五百银元买一匹好马让他骑上，在城内游街，很热闹。这就是天地会对太平天国的态度。他们派代表到南京接洽，呈上一个奏折说："臣刘丽川，广东香山县人，向因贸易寄居上海。见官激民变，首先率领众兄弟起义。数日之间，克服三城，封储仓库，以待大兵之至。并献宝刀一柄，以表忠忱。"洪杨认匕首党是天地会的支派，有"腐败之习惯，放恣之性癖"，拒绝合作。起义军与清军三万人交战，不管大炮轰城，也不管开地道进攻，屡次杀败清军，不少清军自动投到起义军方面来。咸丰四年十二月，法国水师提督及领事联合清军攻城，法舰发炮轰击，击毁东北角城墙，法军二百五十人率大队清军登城，起义军奋勇抵抗，杀死法军十三人，击伤五六十人，清军死一千二百人，伤一千人。法军逃走，清军还留在城上，上海帮首领小镜子（即潘可祥）率一二百人上城搏斗，全队大声呼喊，“清军闻声，心惊胆震，急忙奔逃，出城门也来不及了，即从城上跳下，其时天寒冰结，清军许多跌死城下，有些跌在长矛之上，有些断腿折骨，伤者皆被抬回清营。清军既逃回本营，党人复关闭城门”（雅兰教士:《太平军纪事》）。清军得租界援助，围困上海城十七个月。咸丰五年正月，起义军粮食断绝，终于放弃县城，突围逃走。如果太平军不因宗教偏见，派兵援救起义军，确实占领上海，外交上（当时英美声称守中立）、财政上都有极大的利益，满清后来也不易组织淮军、“常胜军”，战局可能发生另一个面貌。

清江苏巡抚吉尔杭阿战胜上海起义军，五年正月，进攻镇江，江南大营加紧围困南京，太平天国的形势危急。杨秀清派遣李秀成、陈玉成等四丞相救镇江，大破江苏军，杀吉尔杭阿。六年三月，秀成渡江击破江北大营。秀清又命李秀成、陈玉成等进攻向荣大营。五月，李陈军从西面、镇江军从东面夹攻，恰巧石达开率军来援，三面奋击，大破向军。张国梁挟向荣突围，逃往丹阳（七月向荣死，和春代为钦差大臣），三四年来围困南京的江南大营，一战瓦解，杨秀清见外敌已去，开始在南京发动内乱。

军事是革命的骨干，太平军将领和士兵都是勇敢坚决的战士，可是在错误指导下，虽然战争中获得不少伟大胜利，到底不能得到应得的果实，革命发展陷于停滞了。

第四节　天国建设诸问题

外交问题　上海是英美法三国侵略中国的根据地，它们不愿中国有新的变动，尤其不愿上海有新变动。咸丰三年四月，英公使卜亨给太平天国信里说："总之中国既准五口通商，则无论何人，有损我商务者，我国惟以兵戎从事。"这就是各国对太平天国的一般态度。

当时满清政府大施卑污卖国手段，要求外国援助，一面宣称租界西人都赞成清政府，欧洲兵船十余艘，准备协助“剿匪”，进攻南京，一面划上海内外城厢地，请各国海军保护。各国拒绝不允，清政府计穷，乃伪造太平军排外告示，威吓外人。英香港总督邦汉亲到南京访问太平军首领，天王接见邦汉，自称为教主，称英国为藩属、英王为藩臣，邦汉很不愉快地回去。

其实太平天国方面，不懂得国际情势与外交手腕、礼仪等，那是不足怪的。外国侵略者反对太平天国，主要并不在洪秀全的傲慢态度，而在他们的正确主张，就是国际地位平等（中外是兄弟之国，要共同生活如弟兄），国际贸易的完全自由，但严禁鸦片输入。其次是“将来外国人可以随便用汽船、铁路、电线及其他西洋器具而无碍”（《太平军纪事》）。当时侵略者自称“文明传播者”，把中国人当作野蛮人对待，而国际贸易情况，举一八五五年为例，上海输入总额达一百六十万镑（现金和鸦片不在内），其中英国占一百一十二万镑，美国占二十七万镑，其他国家占二十万镑。上海输出总额则达一千二百六十万镑，其中英国占六百四十万镑，美国占五百三十九万镑，其他国家占十万镑。这样巨大的输出超额，完全靠鸦片输入来抵补。一八五六年，输入中国的鸦片约值三千五百万元，英印政府在这一年内，鸦片收入二千五百万元，占国家收入总额的六分之一（一八五三年占七分之一）。严禁鸦片，等于致英印政府于死命，这是英国为首的侵略者反对天国的基本原因。其次，天国允许将来外国人可在中国办新式交通和工业，那时资本主义还没有达到帝国主义阶段，不能大宗向国外输出资本，事实上等于天国有将来自办新式交通的意志。英国会议员斯特卜莱登对选举人演说："假使中国成为一个大工业国，那我就不知道，欧洲从事工业的居民如果不将自己降到自己竞争人的地位，如何能够经受得住和这些竞争人的斗争。"（《资本论》引）他们深怕"世界上生活程度最低的中国人"进步到资本主义社会，这是反对天国的第二原因。所以，英美法虽然宣布局外中立，是对蓬勃发展的太平革命势力有所顾忌，并非善意的真正中立。太平天国考虑禁烟问题，不愿引起外国冲突，采取消极政策，停止向江浙作军事行动（赖文光"供辞"说明这种政策确是畏避外国侵略者）。其实乘革命涨潮夺取上海，与英国订约逐年减少鸦片输入量，英国为保持丝茶贸易（产地在天国境）及发展布匹贸易（英国特产），冲突不是不可以避免的。

政治思想与宗教问题　洪秀全倡导的太平天国革命运动，是中国广大穷苦人民反官绅地主富商高利贷一切封建剥削制度的产物，同时它又是英国大炮的产物，这就是说，太平天国的革命运动与世界资本主义发展有机地联系着。秀全生在国际贸易发达的广东，通过基督教接受某些资本主义影响，与人民反封建剥削的实践要求结合起来，再加上中国传统的大同思想与周礼中制度，形成一套特殊的上帝教义，其中包含着的民主内容，主观有共产主义的空想，客观上正是资本主义要求发展的反映。

洪秀全的上帝是平等、自由、博爱的上帝（杨韦内讧以后，上帝变样了），是战斗诛妖的上帝，总之是一个革命的上帝。恩格斯说："一切反对封建制度的斗争，在当时（欧洲资产阶级开始革命时代）都要带上宗教的外衣，而且首先必然要反对教会（天主教会）。"上帝教正是这样的宗教，它不要在中国有六七千教徒的天主教做朋友，却要和一千四百教徒的基督教做兄弟，这不是偶然的。中国没有欧洲那样权力集中的天主教会，而有散漫繁杂的菩萨、神仙、孔子、祖先，以及无数牛鬼蛇神，替封建统治者服务。洪秀全把“正”的方面集中出一个“皇上帝”，“邪”的方面集中出一个“阎罗妖”，斗争营垒划分得很清楚。他开始传教，一个地方绅士劝说：“中国人皆拜偶像的，让他们自由拜神罢。”这个统治阶级的所谓自由，被他拒绝了，他把自己书塾里的孔子牌位抛弃，又打毁威风极大的甘王爷神像，上帝教徒受他的感化，从旧神权中解放出来，敢于向人间社会要求信仰自由。当桂平县官吏派兵捉拿洪秀全、冯云山时，教徒大呼“我们要拜什么神是不能受人号令的”（《太平军纪事》）。金田起义后，清兵屠杀新墟，教徒直立受刑，不肯下跪，对清兵大呼“为何迟迟不动手，要杀便杀罢，我是不怕死的”（《太平天国起义记》）。这是多么英勇的战斗精神啊！

“救世”、“醒世”、“觉世”三篇是上帝教根本教义，要求在上帝统率下，国与国平等，人与人平等，男与女平等，贫与富平等；反对私，反对妖，反对不正，反对压迫，充满着对阎罗妖战斗的勇气。此后天国教义，都从三篇教义出发，成为太平革命运动的最高原则。

上帝教包含宗教迷信与革命思想两部分，在广西，迷信部分曾起了极大的组织作用，但从全国范围说来，一般人保守拜鬼神尤其是拜祖先的习惯，不能轻易放弃，外国神耶稣更不合鸦片战后全国反侵略的心理。太平军入湖南境，如果参照万大洪告示的方法，强调反满革命理论，少提天父天兄一类耶教迷信，号召力定会增大无数倍。可是太平军不懂得一出广西，宗教部分必须放松的道理，自湖南到南京途中用东王、西王名义，发布《奉天讨胡》、《奉天诛妖》、《谕救世人》等檄文，后两道劝人丢邪神，拜上帝，信奉上帝教；前一道申明民族大义，鼓舞革命义愤，文字极强健有力，但至少被后两道打折扣一半。据比较可信的传说，当太平军围长沙时，左宗棠曾去见洪秀全，论攻守建国的策略，劝放弃天主耶稣，专崇儒教，秀全不听，宗棠夜间逃走。不论左宗棠果有其事与否，反满不反孔，确代表一部分士人的思想，这种人既不像官僚那样腐朽无能，又有能力去欺骗落后民众，是一种不可轻视的力量。曾国藩《讨粤匪檄》特别强调："士不能诵孔子之经，而别有所谓耶稣之说,《新约》之书;”又说:“粤匪焚郴州之学官,毁宣圣之木主,十哲两庑,狼藉满地,嗣是所过郡县,先毁庙宇,即忠臣义士如关帝岳王之凛凛,亦皆污其宫室,残其身首。”这一宣传,曾国藩胜利了。湘军的领导骨干是士人,借“卫道”名义掩护汉奸的实质,如果太平军对士人有正确政策,可以削弱湘军一部分实力。

太平军出广西境,落后的人民对完全陌生的上帝教,自然会看作外国教,接受曾国藩“窃外夷之绪,崇天主之教,开辟以来名教之奇变”的恶宣传。太平军在信仰方面,应改“打倒一切偶像”为“打倒菩萨、神仙、淫祠”,不必毁孔子关岳庙,更不必强迫人民专拜上帝,理论方面应发展儒书中进步学说(《救世》、《醒世》两篇就是这样做的),与平等思想结合,不必把儒经当作“妖书”。这是革命的让步,也是对反革命的进攻,只有这样,才能减轻社会的阻力,打击曾国藩一类人的阴谋。但后来洪杨愈更偏重发展迷信部分,尤其是杨秀清假借“天父下凡”,遂行私意,僭妄自大,造成“宗教腐化”(《太平军纪事》评语)及洪杨冲突的恶果,发动革命的工具却转化为破坏革命的毒素了。

经济问题 咸丰三年，太平天国在南京刊布《天朝田亩制度》，这是天国政治经济的基本思想。文件中有下列一段话：

凡天下田，男女同耕，此处不足，则迁彼处，彼处不足，则迁此处。凡天下田，丰荒相通，此处荒则移彼丰处以赈此荒处，彼处荒则移此丰处以赈彼荒处。务使天下共享天父上主皇上帝大福，有田同耕，有饭同食，有衣同穿，有钱同使，无处不均匀，无人不饱暖也。

根据这个废除私有财产的原则，在土地问题上产生分田法，根本推翻地主占有土地制。

分田云者，凡田分九等，其田一亩早晚二季可出一千二百斤为上上田，可出一千一百斤为上中田，以下递减至四百斤则为下下田。上上田一亩，当下下田三亩。各按家口之多寡（不分男女）以行分田。凡男妇每一人自十六岁以上，受田多。逾十五岁以下者一半。如十六岁以上分上上田一亩，则十五岁以下减半，分上上田五分。一家六人，则分三人好田，分三人丑田，好丑各半。

这个分田法规定得如此详尽细密，就不得不陷于空想，据现有各种史料看来，它似乎不曾实行过。不曾实行的原因，首先是土地与人口的配合，情形非常复杂，不如想象那样容易；其次是满清军队不断进攻，烧杀抢掠，天国领土常起变动，农村秩序无法安定。但从另一意义看，也可以说实行了田地分配。光绪三年两江总督沈葆桢奏报江宁府属劝垦情形说："乡民自种自食，每户不过十数亩而上，余地招募客民，给以资本，倘加催索则席卷潜逃。"太平战后地广人稀，一个劳动单位（一人）一般占田十余亩，与现存太平天国宝安局执照"周志记田主租捐报明，计田十四亩八分"大致相符，据天国一三年便民由单："冯嘉龙户本年应完漕米二斗四升。"如按十四亩余计算，漕米在总收入中仅占极小部分。因为地主高利贷者或死或逃，土地归耕者所有，土地剥削已不存在，满清地方政权摧毁，曾国藩《备陈民间疾苦疏》所举的三条暴政也已废除，农民有田可耕，无各种剥削，仅对天国政府缴纳轻微的粮米，生活确是改善了。《太平天国外记》说赋税极轻，农田视土地之肥瘠，分九等课税。照曾国藩（同治二年）说："民间耕获，与贼各分其半。"照杨秀清奏："晓谕良民，照旧交粮纳税。"照《李秀成自述》："苏州百姓应纳粮税并未收足，田亩也是听其造纳，并不深追。"照林彩新《劝谕青岩民众檄文》（同治元年）："照依旧规，请令设局，投诚捐粮。"依据这些材料，太平军取之于农民的主要是听其造纳并不深追。至所谓照旧捐粮，如果照满清漕米旧规"钱粮之重甲于天下"的江南，每亩正额不过二斗内外，即使加上"漕斛""帮费"，总数也不过六斗，占每亩产量（一石五六斗至二石）中三分之一左右，（满清钱粮太重，不在额数而在米变钱，钱变银及其他折色、浮收、讹诈、刑追等恶弊，）尚不及"公私各半"；天国农民生活与满清统治时期对照，显然有天渊之别。这就给"最纯粹的、最彻底的、完满到合于理想的资本主义"造成最迅速发展的先决条件，太平革命的伟大意义在此，曾国藩为首的一群贼匪所“痛恨”的理由也在此。

在废除私有财产制（实际上只是要求废除封建私有财产）原则下，又产生圣库（藏银钱）圣粮（藏米粮）制度。太平军上起天王，下至士兵，都不领俸钱，只是食肉有区别，天王每日给肉十斤，以次递减，至总制（等于满清知府官）每日半斤，总制以下不给肉，每逢礼拜日，各官开单赴圣库、圣粮领礼拜钱、粮米油盐及祭上帝物品。两司马（管辖二十五人的小军官）每七日给钱一百文，普通兵士五十文，每二十五人每七日给米二百斤，油盐各七斤，另外有买菜钱，下级军官可向上级请求，钱数不等，买猪鸡等供众兵会餐。原则上天王到士兵不准私蓄财产，衣食器物一切生活费用（包括医药、残废院、老人馆）全由公家供给，实际也是极大多数官员及士兵始终保持严格纪律，表现高度的革命纯洁性。例如维多利亚主教称太平军纪律“较清教徒尤为严正”，反对太平天国的卜罗斯在致鲁塞尔信里，不能不承认“宁波已为乱军所据，城内尚无杀戮之事，生命财产之损失极少，乱军秩序奇严”这个事实。

在废除私有财产制原则下，又产生近于工业国有的诸匠营制度。太平军领土内，集中各种工人，按技术分别设立诸匠营。照《贼情汇纂》所载，有木匠、金匠、织匠、金靴、绣锦、镌刻等营，这种匠营只管生产物品，不管收发。又有各种典官，如典红粉，主制造火药；典硝，主煎熬硝磺；典铁，主制造兵器、铁器；典铜，主制造铜器。典官管制造兼收发，与诸匠营同为管理生产的机关。这个制度已近于手工工场性质，比手工业提高一步。据《贼情汇纂》的批评，称为“各储其材，各利其器，凡有所需，无不如意”，足见生产效率是优良的，如果继续前进，可以顺利地转到机器工业阶段。

废除私有财产的理想，在实行时表现为摧毁地主阶级、耕者有其田，官员兵士生活共产化，工业国营三种形式，基本上是成功的。后面两种所以成功，由于前一种的成功；前一种所以成功，由于太平军领导者的实际行动不是硬照教义的空想，而是照顾到农民、商人（主要是农民）的客观要求。《天朝田亩制度》规定：

凡当收成时，两司马督伍长除足其二十五家每人所食可接新谷外，余则归国库。凡麦豆麻布帛鸡犬各物及银钱亦然。盖天下皆是天父上主皇上帝一大家，天下人人不受私物，物归上主，则主有所运用，处处平均人人饱暖矣。

张锡庚《难民陈述贼情》记载下列词句，与太平军告示（天下农民米谷……商资本，皆天父所有，全应解归圣库，大口岁给一石，小口岁给五斗）语意符合。

不要钱漕，但百姓之田，终年所得粒米全行归天王收去。每年每大口给米一石，小口减半，以作养身。铺店本利，亦归天王不许百姓使用。

这自然是不能实行的办法。定都南京不久，修改政策，对农民采取征收漕米，对商人采取自由贸易，天国军事政治才获得稳定的经济基础，农村因之组织起来，金融因之活动起来。

天国领土内采取古代寓兵于农的组织法，普遍建立守土乡官制。乡官编制与军队同，平时管理民政（征粮、工程、教育、辞讼、保举），由每家出一人当兵，即成乡军，乡官即成军官。编制法全照周礼，就是五家为伍，设伍长一人；五伍为两，设两司马一人；四两为卒，设卒长一人；五卒为旅，设旅帅一人；五旅为师，设师帅一人；五师为军，设军帅一人。每乡共一万二千五百家，成军得一万三千一百五十五人。军帅以下各乡官，全由人民公举。“凡天下每岁一举，以补诸官之缺”。“凡天下诸官，三岁一升贬，以示天朝之公”（《天朝田亩制度》）。这虽然只是有限的民主权利，但在统治阶级看来，已是恐慌失色，《贼情汇纂》说：“贼之牢笼人士，联络方域，计盖无谲于此者。”换句话说就是专制统治最怕民主政治。天国人民已经获得初步的选举乡官权、地方自治权，不仅从古所无，直到今天将近百年，除在各××[1]区已经实行了比这完备多倍的民主政治外，在其余许多地方，人民还不曾取得这些权利。

太平军对国际、国内贸易，采取自由政策，抽税极轻。“以船长一丈，抽税千钱。所载之货，分粗细货。粗货船长一丈，抽税钱二千，细货倍之。大率以盐、布、

[1] 原文如此。意为“解放”。——编者注

棉花、煤、米为粗货，丝绸、苏货为细货。抽税之后，给以船票一张，如遇他军，可以验票放行，无票则没收之。”(《太平天国野史》)《太平天国外纪》比较满清与天国两方商税，得出如下的观感：

> 余自仙女庙（江苏江都县属）购米后，回南京，途中遇厘卡甚多。每二三里即有一所，草屋中悬“抽厘助饷”字样。自仙女庙至瓜州（南京对岸仪征县属）厘卡二十处，所定之税，视法定额增加数倍，任意剥削，小民控诉无门。（这是满清统治地区的捐税）
>
> 太平军于各处所设之税局，其组织极公平正确而简单。每镇每村设一所（大概是指乡官所管国库），货物已纳税者，给与凭照，不再于他处科敛。丝业之所以发达，未始不由于税法之良善也。欧人之至南京贸易者，皆能言之。（这是太平天国治下地区之捐税）

太平天国税法良好，境内平安（例如一八六〇年，容闳带现银四万两，在天国太平县买茶叶二十八船回上海），农民购买力增强，自然促进商业的发展。英教士洛勃斯克给《香港日报》通信说：“南京城外，商务发达，秩序安谧，城内居民则衣食丰足，安居乐业。”这样繁荣情况，外国商人应该也是欢迎的，事实却相反，因为他们是侵略者，愈引起对天国的憎恶，试看下列输出入表：

丝茶输出（茶单位：十万磅，丝单位：千包）

	茶		丝
	上海	福州	
1851年			20
1852年	600		
1853年			41
1854年	500		
1855年	802	157	58
1856年	593	410	
1857年	410	320	
1858年	510	280	86
1859年	390	465	
1860年	535	400	69

上海出口的茶，大部分产地在天国境内，丝也占不小部分。丝茶输出总额一般是比起战前增长英国来抵补

的鸦片输入同样增长起来。

	上海鸦片输入	全国鸦片输入（单位：百箱）
1853 年	242	665
1857 年	319	723
1858 年	330	749
1859 年	337	758
1860 年	284	586

太平军境内绝对禁止鸦片（可能少数输运入境），因之上海输入鸦片不及全国总数的一半。一八六〇年李秀成攻入江浙，陈玉成大战安徽、湖北一带，上海及全国销路大减，太平军与鸦片贸易不能相容，英国政府看得很清楚。而且英国又必须采购一部分江西安、徽茶（一部分在福建广东采购）及江浙生丝，不得不忍痛用现银购买。上海道吴健彰记咸丰三年英兵船访问南京情形说："英船至镇江，贼目用旗招往过船相见，云：'如有大炮火药米粮可来销售。'英夷告以此等货物如卖与你等，有违中国和好，如要烟土，尽有可售。答云：'我处不用此物。'"英国侵略者开始就憎恶太平军，因为它是鸦片的仇敌。满清政府取相反的方面，一面尽量欢迎鸦片，一面向侵略者摇尾求援。例如咸丰三年署两江总督杨文

定致英美两国公使照会说：

> 为借船助剿以安商民而全永好事：窃自贼匪掳船东下，连陷江宁镇江……钦差大臣向荣亦以须借贵国火轮兵船为望。……希念两国通商和好已久，今商民被扰，贸易不通，且贼匪烟禁甚严，一遇我国吸烟之人，无不被杀。统希速发火轮兵船来江剿击，本署部堂欲为商民除害，断不大言欺人。倘蒙允发火轮兵船前来洗荡贼匪，必当奏明皇上，加重酬劳，而贵国借兵恤邻之声名，亦永传不朽矣。

杨文定无耻到借太平军严禁鸦片作为理由来恐吓利诱英美，充分暴露出统治阶级的卑污卖国心理。曾国藩以及后来的那些独夫民贼，思想上完全是杨文定的继续。

太平天国在土地政策、商业政策上的成就，使外国侵略者与封建统治者由恐慌而联合。太平军却因领导集团内讧，使反革命有机会来摧毁这个成就，中国社会从此停滞了一百年。

妇女与婚姻问题 太平军根据平等自由的原则，作了伟大的妇女解放运动。恩格斯说："在每一社会中，妇女解放底程度，是一般解放底天然尺度。傅利叶是说出这一思想的第一人。"我们可以说，太平军是实行这一思想的第一人。太平军看妇女是姊妹而不是奴隶，因此与看作兄弟的男子一切平等。在婚姻上，"凡天下婚姻不论财"（《天朝田亩制度》）。在经济上，"各按家口之多寡以行分田，不论男女"（同上）。在政治地位上，女官与男官同等，最高官级是女军师正副又正副四人，开科取士，男女同有应试权。在军事上，有女军四十军（每军二千五百人），"男将女将尽持刀，同心放胆同杀妖"（《永安城突围诏》）。在生产上，设立女馆，学习工艺。在军律上，"凡强奸经妇人喊冤，定即斩首示众，妇女释放。如系和奸，男女皆斩"。其他如禁缠足，禁买卖奴婢，禁娼妓，禁人民蓄妾，所有恶俗，悉数铲除。这样彻底的妇女解放运动，在俄国十月革命以前，世界历史上不曾有过第二个，真是人类最光荣最先进的行动。曾国藩号召"扶持名教，敦叙人伦"（《讨粤匪檄》），就是要驱迫妇女回到奴隶圈里去生活。

妇女解放运动改变了妇女的卑弱姿态，英人吴士礼在《太平天国天京观察记》里说："此处（南京）与全国吾所曾游之其他城市大异之点，即是妇女随便游行或乘马于通衢大道，而又绝不装模做样害怕外国人如其他中国妇女所常为者，亦不回避我们。"从缠足羞怯到大街骑马，不避外人，无疑是解放运动的效果。吴士礼却诬蔑太平军掳掠美女供淫乱，侵略者仇视进步，本无足怪。可惜是太平军领导集团中人多数纳妾，洪杨尤纵欲腐化。吴士礼说："他们每籍神圣下凡的启示以为作恶行淫的护符，甚且藉以废除第十诫。"这是事实，杨韦二人争夺美色竟成为内讧的原因之一，不免给解放运动留下一个污点。

太平天国的建设在政治经济方面一般是成功的，外交方面避免冲突，取得英美法形式上的中立，还不算大失策，只有军事方面战略指导错误，失去捣毁满清中央政权的机会。虽然石达开在上游仍能保持进攻形势，扩大革命领土，但却在胜败相持的紧急关头，发生内乱，便功败垂成了。

第五节　太平革命衰败时期

一八五六（咸丰六年）至一八六四年（同治三年）

本时期可分前后两期。前期从一八五六年杨韦内讧至一八六一年（咸丰一一年）八月安庆失守，革命势力处在防御地位。曾国藩逐步进逼，战争是为了打破合围形势。后期从安庆失守至一八六四年（同治三年）六月南京陷落，革命势力处在被围困地位，反革命合围成功，战争为了解围，自然解围是不可能的，太平革命终于失败了。

一　前期的革命形势——防御

永安封王以后，杨秀清专擅领导权，洪秀全退居闲散，这是不正常的现象。向荣《迭次询访难民口述贼情片》里说："臣等于抵金陵后，每见城中逃出难民必详加访问，佥称洪秀全实无其人，闻已于湖南为官兵击毙，或云病死，现在刻一木偶，饰以衣冠，秘置伪天王府内，杨逆七日一朝，其余受伪职者皆不能见。”虽说是谣传，洪秀全只是名义上的领袖，可以想见。秀清上逼秀全，下压韦石，彼此猜忌怨恨，继续增长。咸丰六年七八月间，向荣已败逃，南京城围暂解，秀清“逼天王亲到东王府封其万岁”。他选择这个时机，显然顾虑到发动内乱时，免外敌乘机攻城。北翼二王也密谋“杀东王一人，杀其兄弟三人，除此以外俱不得多杀”（《李秀成：自述》）。韦昌辉是豪绅地主出身，野心极大，自成一个次于杨党的所谓韦党。秀全密令昌辉图杨，昌辉从江西急速入京，杀秀清及杨党（当然不全是秀清私人）数千人。达开在湖北洪山，“知道京城杀害许多之人，狼狈赶回，计及免杀之事。不意北王顿起他心，又要将翼王杀害，翼王走上安省。北王将翼王全家杀了，不分清白，乱杀文武大小男女，势逼太重。各众内外，并合朝同心，将北王杀之，人心乃定。后翼王回京，合朝同举翼王提理政务，众人欢悦。主有不乐之心，专用安（洪仁发）福（洪仁达）两王。主用二人，朝中之人甚不欢悦。此人又无才情，又无算计，一味固执；认识天情，与我天王一般之意见不差；压制翼王，逼翼王他逃”。这是李秀成所说当时实情，最为可信。从这里可知大批革命战士在杨党、韦党罪名下被冤杀，损失是不可数计的。洪秀全违反众意，逼走石达开。他是惟一胜任收拾人心，重振危局的人物。如果天王亲理朝政，任达开为辅佐，局面可能比秀清专政时期好转。秀全这一谬误处置，损失也是不可补偿的。达开走后，秀全依然过着腐化生活，隐居深宫，朝政委托众人厌恶的蒙得恩（嬖臣）、洪仁发、洪仁达（二洪是秀全胞弟）三人掌管，后来又加入洪仁政、洪仁玕（二洪是秀全堂兄弟）二人。这些人都是贪鄙龌龊，专做危害天国恶事的破坏者，弄得“人心败变，政事不一，各有一心，各有散意”（《李秀成自述》）。不是李秀成、陈玉成为首的革命力量在战场上支持，天国早就覆亡了。太平军一坏于杨秀清的专擅跋扈，再坏于韦昌辉的疯狂屠杀，最后坏于洪秀全的任用私人，尤其是最后一坏，历时较久，祸国的军令政令迫使太平军逐步削弱以至于溃灭。

石达开是个人英雄主义者。洪氏集团和他决裂，并不等于太平军和他决裂，不该独立行动，企图自己创业。他的错误行动，终于覆军丧身。太平军也势孤败灭，个人英雄主义害了他，又害了太平军。

韦昌辉杀达开一家人，达开在安庆调湖北洪山军到安徽宁国，准备报仇。秀全借东杨余党之力杀昌辉，召达开入京，用“留京辅弼”名义，解除达开兵权。东杨余党谋大杀韦党，幸得陈玉成反对，说：“太平军皆东北二王旧部，如欲株连，非杀尽太平军不可。”但杨韦两党结成深仇，人人自危。当时守武昌城主将正是昌辉的兄弟韦俊，他是太平军骁将之一，如果城外洪山援军不撤退，杨韦余党不互仇，武昌可以坚守不失。洪氏集团既不派遣新援军，又不安慰守城军心。十一月，韦俊因粮尽退出武昌。咸丰九年韦俊投降湘军，太平军从此丧失上游重镇，无力再图恢复。达开受洪氏排斥，疑虑不安，又感到大势已去，南京难保，咸丰七年五月，约集将士十余万人往安庆，与太平军分裂，自成一军。

正当太平军内部分裂的时候，反革命阵营也起了颇深的裂痕。原来咸丰帝并不信任这个汉奸头子——曾国藩，相反，对他和他的湘军怀着极大的猜忌心。咸丰帝听到杨韦内讧，非常快意，十月二十日上谕作出两种估计。一是“该逆（石达开）于诸贼之中，最为凶悍，若令回窜江西，占踞数郡，煽惑莠民，其势愈难收拾”。一是“该逆倘向曾国藩处乞降，应如何处置之法，或先自立功赎罪，再邀重赏”。他看重第二估计，怕曾国藩贪功杀降，预先把它指出。对曾国藩则加以“徒事迁延，劳师糜饷，日久无功，朕即不遽加该侍郎等以贻误之罪，该侍郎等何颜对江西士民耶”的训斥，准备成功以后，免得曾国藩及湘军将领恃功要挟。咸丰帝一贯采取这样的态度，从来不给他军政实权。曾国藩在《沥陈办事艰难仍恳终制折》（咸丰七年六月）里诉苦说：“臣未奉有统兵之旨，历年在外，不敢奏调满汉各营官兵，所居兵部堂官之地，而事权反不如提镇。”又说：“臣办理军务，处处与地方官相交涉，文武僚属，大率视臣为客，视本管上司为主，宾主既已歧视，呼应断难灵通。”这些“艰难”还不算，再加上中央政权的“部”和他为难。他说：“部颁紧要之件，亦不径交臣营，四年所请部照，因久稽而重请，六年所请实官执照，至今尚无交到确耗。此外文员之凭，武官之札，皆由督抚转交，臣营常迟久而不到。”部不承认他是正式统兵大员，因为他“未奉有统兵之旨”，咸丰帝连差遣他作军事行动，总是避免

“旨”，只用“廷寄”（军机大臣转达）的形式。曾国藩受尽了皇帝、部、地方官的明气，还要受各方面的暗气，他说：“外间时有讥议，或谓臣系自请出征，不应支领官饷；或谓臣未奉明诏，不应称钦差字样；或谓臣曾经革职，不应专折奏事。迄今岁月太久，关防之更换太多，往往疑为伪造，酿成事端。”但是曾国藩坚决的反革命，不论遭受多少明气暗气，总抱定“低首茹叹，但求集事，虽被侮辱而不辞”。他上了这个诉苦奏折，原想满洲主子给他一些实权，不料咸丰帝毫不体恤，竟夺去他的湘军统率权，下谕“准其开去兵部侍郎之缺，暂行在籍守制”。曾国藩大出意外，再上一个奏折，表示“军势未定，寸心难安”。咸丰帝又给他朱批说：“江西军务渐有起色，即楚南也就肃清，汝可暂守礼庐，仍应候旨。”反革命内部矛盾与革命内部矛盾互为因果，如果翼王能善处逆境，忍受挫辱，竭力保持内部和平，必然等到反革命内部矛盾扩大，湘军被绿营兵压倒的机会。曾国藩在家闲住一年，因石军攻入浙江省常山、开化，援浙湘军将领不服调遣，咸丰帝恐慌，给他办理浙江军务名义，去“挽救东南大局”，他“奉命即行”，又掌握了湘军统率权，而石翼王却成为无根基的孤军了。

石达开率大军到安庆，转入江西，攻取许多郡县。当时情形是“拿获贼中伪文，均称石达开谕令诸贼谨守江西。凡江西境内之贼概未调赴下游，而下游之贼反由景德镇以赴援抚（抚州）建（建昌），盖安庆为石逆旧踞之巢穴，江西为石逆新陷之土地。谕旨所谓石逆纠合党与，自图占踞，已可概见”（曾国藩：咸丰六年十一月，《江西近日军情据实复奏折》）。照曾国藩的估计是：“以大局言之，北岸安庆，南岸九江，该逆之所必争也。以江西言之，瑞州、临江为根本，抚州、吉安为膏腴，亦该逆之所不肯轻弃也。”如果达开真像曾国藩所料那样做，据安徽江西两省，与陈玉成、李秀成遥相应援，夹击湘军，不仅九江安庆可以坚守，陈玉成不会失援败死，杨韦余党投降清军可能减少，而且那时候捻军已与太平军合作，战争扩展到中原地区，革命反革命的决斗，胜败还是未可知的。石达开不顾皖赣有民众拥护的有利条件，却决心远征四川，自立一国。路线错了，虽然拥数十万大军，转战江西、浙江、福建、湖南、广西、广东、贵州、湖北、四川九省，历时七年，表现了革命军队的高度坚韧性，到底不免一败涂地（同治二年在四川大渡河战死）。狡猾的曾国藩，看出达开已不是大敌，咸丰九年，定四路进兵策，一意取安庆南京，把达开军当作“流贼”，放到第二等地位上去。

石达开走错了路，太平革命重担不得不加在李秀成、陈玉成二人肩上。陈、李都是天才的军事家，陈保卫安庆，纵横上游皖鄂两省，与曾国藩湘军、胡林翼楚军、胜保北军相持数年，曾胡竭全力抵抗，侥幸获胜，陈败安庆失陷。李保卫南京，克复下游江浙两省，与曾国藩湘军左宗棠湘军、李鸿章淮军、戈登“常胜军”、英法侵略军力战数年，胜败略等，李败南京不守。陈李失败主要由于洪氏集团从中破坏与石达开不愿配合作战，第二个原因才是外国侵略者直接帮助满清，共同镇压太平军。

本期战争以陈玉成安庆保卫战为主，李秀成东征军为辅，战争目的在打破反革命军进攻南京。

陈李联合作战　杨、韦两党互杀，再加石达开带走将士十余万人，太平军实力大受耗损。陈玉成勇猛有战功，又是洪仁玕的侄婿，李秀成新招张洛行、龚得树等部捻军，号称五十万，兵力最大。洪秀全不得不依靠陈、李来支持局面，但并不真心信任。

咸丰七年九月，和春、张国梁陷镇江。八年三月，和、张进至雨花台，又建立江南大营，与德兴阿的江北大营隔江呼应，掘长沟，困南京城。四月，九江被湘军李续宾部攻陷，守将林启容全军一万七千余人战死，无一人投降。这时候南京、安徽同时危急，天王下诏在外将领勤王，没有人奉召来救。天王只得封秀成为忠王（玉成先封英王），都督中外诸军。秀成威信极高，亲到安徽枞阳镇（桐城县东南）大会各镇将领百余人，慷慨誓师，诸将都愿服从指挥，太平军重新团结起来。在枞阳大会上定计先破江北大营，通南京粮道。八月，秀成联合玉成前后夹击，大破德兴阿、胜保马步军，杀万余人。又大破张国梁援军，江北大营溃散，南京与江北的交通恢复。李续宾得九江，乘胜进攻安徽，连陷太湖、潜山、石牌、桐城等地，九月，攻三河镇，陈玉成率兵往救，李秀成援军继进，大破李续宾军。李续宾是湘军主力，一战被歼灭，文武官死四百余人，兵卒死六千余人。反革命所受打击，只要看胡林翼自供就很明白，他说：“三河败溃之后，元气尽伤，四年纠合之精锐，复于一旦，而且敢战之才，明达足智之士，亦凋丧殆尽。”这两次大捷，都由于陈、李两军联合作战，此后陈玉成经营安徽，拒湘军进攻安庆，李秀成守浦口，拒江南大营的进攻南京，陈李两军各当大敌，事实上不能机动布置，互相救援了。

陈玉成安庆保卫战 咸丰九年，曾国藩、胡林翼定计，合湘楚两军水陆全力四路进攻，安庆陈玉成联合张洛行、龚得树等捻军十余万人奋力抗击，激起革命反革命空前激烈的战斗。正当两军在太湖、潜山一带恶斗，十月，池州（贵池县）守将韦俊投降湘军，“情愿收取芜湖、太平关、建德等处，立功赎罪”。这个无耻的叛贼“久踞池州，所部不下数万，强悍众多”，“且系狗逆（曾、胡极怕陈玉成，呼为狗逆、四眼狗以泄忿）旧属，于用兵机谋，早能觑破”（《胡林翼致杨载福书》）。曾胡如获至宝，赏他一万两银子，一个“游击”虚衔，他也表示“投诚归顺，无有二心，请调赴皖北，以图报效”。他要取得信任，对玉成军确起了极大的破坏作用。九年十一月，两军大会战，一〇年正月，玉成军战败。胡林翼称这次战争为“军兴数年以来仅见之大战”（《克复太湖县城疏》)。“此次血战似系军兴以来未有之奇，他省兵将似难如此坚强果毅”(《复官文书》)。当“前敌军情，万分吃紧”的时候，急得曾国藩幻想“狗已冥诛”，胡林翼急得“近日肝气决裂，见兵将尚和，见吏则不是可解，有痛詈不堪者，自知太过，而怒不可遏，大约是病矣”(《致曾国藩书》)。大战的结果，太平军失去太湖、潜山两个县城，湘军曾国荃进驻集贤关，开始围攻安庆。

陈玉成败后退军，会合李秀成，攻破江南大营。胡林翼料到太平军秋后定要反攻，惶恐地说：“不过三个月，狗肢又壮，狗胆又雄，楚其旰食矣！又终是天下之祸根，弟苦心焦思六七年矣，竟未能屠灭此贼。”(《致丁月台书》)五月，他请求咸丰帝允许添募湘南勇丁，说：“去冬今春兵力未分，四眼狗陈玉成以十万之贼，西犯以救潜山、太湖，臣等与曾国藩合力图谋，血战月余，屡濒于危，幸而胜之。今则江东各路全军破坏(指江南大营溃散)，贼势既无所顾忌牵缀，必挟全力全势悉数西犯以谋楚军。是楚北、皖北之危迫情形，不待智士而已知之矣。”(《奏陈筹拨招募并军情贼势缕晰情形疏》)他竭力筹备战守，严密戒备，趁玉成军在下游，催促杨载福、彭玉麟水师攻取枞阳，他说：“枞阳为安庆之吭首，不得枞阳，不能合围，即再顿兵十年，不能制贼要害，亦不关贼痛痒。”五月，杨、彭督率韦俊部血战攻破枞阳。这个叛贼立了大功，胡林翼写信给曾国藩说：“韦军血战，劳苦功高，幸而得之，为安庆谋，则此功极大，战绩良苦。”要国藩令韦俊率重兵守枞阳，并保荐他得官职。太平军失枞阳，安庆形势愈益危急。

九十月间，玉成率黄文金、杨辅清、吴如孝等联合捻军龚得树、孙金星等十余万人救安庆。曾国荃被猛攻，准备撤退围城军，韦俊自枞阳出兵断绝练潭饷道，玉成军乏食，国荃用韦俊计，屡获胜利，玉成退归桐城。

与玉成救安庆同时，李秀成自浙江回南京，奉天王命援皖。江西湖北各州县起义首领四十余名，派人向秀成“公呈降表投军”。约定援应太平军。秀成军攻破皖南黟县，入浙江转向江西进发。

咸丰一一年春，陈玉成直捣胡林翼的老巢——武昌，李秀成直捣曾国藩的老巢——祁门，造成太平军与湘楚军战争以来最紧张的一次大战斗。陈玉成军自桐城经霍山县攻入湖北，沿途打败敌军，势如破竹。二月，攻克孝感、黄州、德安、随州、黄安、黄陂等城，民众武装响应，仅德安一处，就有二万二千余人。当时胡林翼楚军驻太湖，助曾国荃围安庆，不曾想到玉成行军“风驰雨骤，昼夜兼行”，飞调水陆援军，一时缓不济急。武昌城总督满人官文，昏聩无能。守城旗兵绿营兵总数不满三千。他料定武昌必失，大势已去。本来太湖大战已经吓成大病，这一次悲观已极，索性连“军报亦废搁不阅，五心烧热如火炙，夜间尤甚。咳嗽吐浓紫色血”，希望速死（八月里吐血死去）。这个危局怎样得救呢？自咸丰八年，英国在汉口取得租界，它用武力阻止陈玉成渡江取武昌，把一群反革命从绝处救活了。玉成分兵协助人民守城，自率万余人回救安庆。

李秀成屡破曾国藩军，三月攻克景德镇，绝曾军饷道。曾国藩是向来不上战场的，这时候急了，三月，亲到休宁督各军攻徽州城，希望打通浙皖交通线，一战大败，逃回祁门。秀成军围祁门猛攻，曾国藩困守绝望，写遗嘱给妻子，准备自杀。这个汉奸头子三次寻死，靖港、鄱湖是仓皇失措，这一次是计穷力竭，形势比前两次更严重。自然，所有汉奸都拼命救他，左宗棠在乐平打了大胜仗，秀成撤围入江西，攻克大部分郡县，把安徽放松了。他得江西湖北起义首领和民众接应，行军顺利，四月，由密安、瑞州进占修水、武宁，逼近湖北。胡林翼全力抵御，节节败退。六月，秀成占领兴国、通城、蒲圻、崇阳一带城池，武昌万分危急，吓得在太湖的胡林翼"咳逆弥甚，呕血日至升余，形销神瘁，气息奄奄"(《奏陈病势增剧恳请开缺调理疏》)。秀成无意进攻武昌，长江被湘军水师封锁，望见楚北的玉成军旗帜，也未设法渡江会合。他收得起义民兵三十万，退出楚南，经江西攻入浙江，放弃与陈军的配合作战。三月间，玉成率马步精兵回救安庆，与曾国荃水陆军大战，不能取胜，他留下刘玱林率"平日第一枝悍党，战守可恃"(曾国藩语)的精兵守集贤关营垒，自己去南京求救。五日曾军攻击集贤关，刘玱林被杀。这次战败，损失异常巨大。曾国藩说："查粤逆自出扰以来，我军所斩长发老贼至多不过数百名。此次歼灭长发贼至四千名之多，实为从来所未有。"(《官军围攻赤岗岭贼垒悍贼歼除折》)胡林翼说，玱林是"悍挚著名，四眼狗所依赖，此次就擒，老贼诛戮殆尽，功抵塔忠武(塔齐布)岳州、李忠武（续宾）九江矣”（《致曾国藩等书》）。玉成得到败报，赶回再救安庆，但精锐伤亡太多，虽经几次血战，仍不能挽回颓势。八月，安庆终于陷落了，守将叶芸来率全军战死。

陈玉成想去湖北招兵，“不意将兵不肯前去。那时兵不由将，连夜各扯队由六安而下庐州（合肥）。英王见势已不得已，亦是随回转到庐城。英王见势如此，主又严责，革其职权，心烦意乱，愿老于庐城，故未他去。坐守庐城，愚忠于国”（《李秀成自述》）。一八六二年（同治元年）四月，庐州失守，玉成率残兵往寿州（今安徽寿县），被团练苗沛霖诱获，献给清帅胜保。这个太平军两大支柱之一的英王为革命牺牲了！他死时还只有二十六岁。

陈玉成的主要对手是胡林翼，他怎样畏惧玉成呢？他说“贼势较石逆为少，贼计较石逆为狡为悍”（《致金观察书》）。他尤其畏惧玉成的深得民心，在致罗澹村信里说：“昔年民欲贼来，不肯清野，近年民不愿（？）贼来，然尚不肯清野也。欲清野，尚待创深痛巨之后。”于是自己率领一群民贼来制造“创深痛巨”，教州县官要“居今日而图治，非用霹雳手段不能显菩萨心肠，必须辣手示惩，使知畏法”（《复枣阳县贺月樵》）。这等于说“不听反革命的命令者杀无赦”。又教军官放火烧城，说“得城之时，密派勇丁各持一炬，将城内大小房屋米粮付之一炬，片瓦不留，则异日必无贼可守矣”（《复吴干臣》）。统治阶级推崇备至的“胡文忠公”，就是这样一个出卖民族专门杀人放火的强盗。他还强迫文武官员抢粮，在《札余副将霍山县》里说：

查霍山乐儿岭附近等处，士民无仇贼之心，有助贼之意，将所有谷米囤聚，不碾不售，以致兵食缺乏，试问是何居心？应由余副将严查有谷有米之家，出示封锁，勒令运营出售。如该处士民始终抗玩，其中必有不明大义，甘心助贼倡率阻粜之绅民。仰即查明捆斩十余人，并将米谷充赏。倘该将有心讨好，不知轻重缓急，姑息养奸，定于严参。

绅民有米不愿出售，这就该“捆杀十数人么”？

他又不反省一下，为什么绅民“有助贼之意，无仇贼之心”，这不是所谓官，实际是民贼，而所谓贼，实际是民友的铁证么？自然，民贼是不能反省的，因为他们的头脑是剥削阶级的。试看他《致前敌各营书》：

> 粤贼窜扰以来，皖民受祸既久，迷溺尤深，诚恐军行之际，贼党造作谣言，蛊惑人心，果于从逆，亟应出示晓谕，破其从前之惑，予以自新之途，亦解散贼党之一法……俾其家谕户晓，去邪归顺，实为至要。

人民解放叫做“受祸”，觉悟叫做“迷溺”，当满洲奴隶叫做“去邪归顺”，坚决反抗异族侵略者叫做“果于从逆”，这就是从民贼们特殊头脑里发出来的特殊语言。

民族英雄陈玉成被反革命杀害了，还被描写成残暴无比的“狗逆”，究竟谁是狗是逆呢？可看英国人令利《扬子江日记》：

此处（据南京上游大通地方）村落，荒苦不堪言状，其破坏之遗迹，大都政府党兵士之所为也。太平党兵士之蹂躏，焚毁寺院，瓦砾无余，此其遗迹，所有而是。而政府党兵士之蹂躏，则父老痛哭而谈，以为奸淫妇人，恣意杀戮，惨无人道。太平军之暴行，不过强人民为其运输粮食，若凌辱妇人，则往往处以死刑，罪人之首，高揭于犯事之地。尤记太平军之名将所谓英王者，训其部下，不得妄取民间一物。政府党之兵士不及远矣。

李秀成南京破围战　江南北大营是咸丰帝与曾国藩、也是反革命内部满与汉矛盾的产物。咸丰帝的计划是湘军出力，江南北大营收功，因此对它特别重视，兵额增至七万人，饷原指定江苏、浙江、上海、福建、广东、江西等地供应，几乎占东南财力的大部分。大营惟一战将张国梁与和春成见很深；军队是满人、两广人、各地流氓的杂合体；军风纪是“将骄兵惰，终日酣嬉，不以贼匪为意。或乐桑中之嬉，或恋家室之私，或群与纵酒酣歌，或日在赌场烟馆，淫心荡志，极乐忘疲”（胡林翼：《饬各统带查办各营》）。它逼近南京，形式上成为可怕的大敌，但实际大敌是上游的湘楚军。太平军对江南北大营应取守势；对湘楚军应陈李联合全力攻击，首先要确保安庆。

咸丰一〇年正月，张国梁攻陷九洑洲要塞，南京震动。胡林翼给曾国藩信说：“江南得九洑洲，歆动一切，东南成功尚早，我辈自行其志，不睬他人。”曾、胡看得很真切，一心争夺安庆，李秀成却看错了，定策消灭大营。秀成率精兵自皖南攻入浙江，以调动江南大营。二月，破杭州城。大营果分兵救浙江，秀成军从间道驰回南京城外，玉成军也从上游来会。闰三月，大破江南江北两大营，和春、张国梁败死，大营溃散。

这次战争在革命反革命双方都是重要的关键。太平军方面，李秀成着重下游用兵，想占领江浙两省作根据地，他到江西湖北，是招收投军新兵，目的不在争夺上游。陈玉成往来江北成了孤军，得不到秀成军的有力援助。从此太平军形成江南江北两个独立军，势力分散，江浙军事胜利，反加速南京的陷落。反革命方面，咸丰帝计划失败，不得不全部依靠曾国藩，给他兵部尚书衔、署理两江总督的军政实权。指挥统一了，饷源充裕了，反对派不敢为难了，湘军的势力和地位从此大进一步。左宗棠听到溃散，欢笑道："天意其有转机乎！江南大营将蹇兵疲，岂足讨贼，得此一番洗荡，后来者庶可以措手耳。"胡林翼听到曾国藩得兵权、政权，喜欢道："涤帅诚得督符、兵符，则否极而泰，剥极而复，天下士气为之一振。"反革命的喜欢就是革命的困难，李秀成还在注目江浙上海，不急救安庆，败局不可挽回了。

二　后期的革命形势——困守

安庆失守，南京危在旦夕，正是太平军振作精神，死里求生的紧急关头。李秀成是向这方面努力的，可是洪秀全和洪氏集团里腐化的习气太深，眼中只看见南京一座孤城，心中只依赖天空一位"上帝"，拒绝李秀成弃城运动、向远大处现实处开辟新环境的建议，终不免于亡国惨运的迅速到来。

杨韦内讧后，洪秀全在精神上消失了永安以前的发皇气象，也消失了内讧以前的信人勇气，继续增长的却是暮气沉沉的保守思想。他要保有自己的地位，对臣下采取有疑忌没有团结、有惩罚没有爱护的消极手段，像李秀成、陈玉成那样忠义有功、人人信服的大臣却更遭他的猜疑，竟乱封九十多个王来互相牵制。结果“人心不服”（李秀成语），“各争雄长，苦乐不均，败不相救”（曾国藩语）。太平军呈瓦解现象，许多主要将领投降满清，出死力攻击太平军，变成了满清的猛将；这固然由于叛徒们无耻贪生，出卖革命，但秀全猜疑政策也是一个主要的原因。

洪氏集团专擅政权，把杨秀清时代建立的圣库、圣粮制度破坏无遗。照《李秀成自述》所说：“我在京，洪姓不敢逼人，不敢十分强欺城中百姓，又不敢欺逼官兵。我不在京城，渠满城逢屋查过，有米银等物，任其取用，不敢与争。日日按户查寻男女（人口），不得安然。”就在最后一次围城中，还是“各处要紧城门要隘之处，概是洪姓发人巡查管掌，我（秀成）在京并未任阖城之事”，见秀成“慈爱军民，恐有图害国之心，声言我（秀成）忠而变奸”。李秀成所说“今日之国破，实洪姓之自害也”，事实上洪氏集团正是秀全猜疑政策的产物。

洪秀全和洪氏集团本身并无兵力，不能抵御反革命的攻势，握兵权的李秀成，军事上自有一种见解，与洪秀全不合，对洪氏集团更是严重的对立。太平军内部纷歧，力量分散，大局无法挽救，但天国还能延长三年，这全靠李秀成为首的一枝军队对革命无限忠诚和江浙人民对革命的有力支持。

咸丰一〇年闰三月，秀成军破江南大营、追击溃兵。四月，取得常州、苏州、嘉兴等地，江浙肥沃地区大部分归入天国领土这种意外迅速的战胜，与其说太平军的勇猛，不如说人民力量的伟大。例如李秀成到苏州城外，“百姓多有来迎，街上铺店民房，门首俱贴字样云‘同心杀尽张和两帅官兵’”。秀成在新领土施行善良政治，民心悦服，合力守卫解放地区。满清江苏巡抚薛焕勾结美国人华尔率洋兵进攻青浦县，秀成率兵迎击，“两阵交锋，鬼兵大败，杀死鬼兵六七百人，得其洋枪二千余条，大炮十余条，洋刀三百余口，舟只数百余条，当解青浦之围”（《李秀成自述》）。乘胜攻克松江，进兵至徐家汇，离上海十八里（曾国藩也承认“上海舟师（洋兵）大挫，危迫殊甚”）。英法兵替满清守上海城，秀成准备进攻，因嘉兴方面军情紧急，退兵救嘉兴，上海解围。

这一次追击战，是洪秀全、陈玉成解救安庆的计划。原计划是“派杨辅清、李世贤、李秀成等直取苏常，再攻徽浙，以入江西；又派吴如孝、张洛行由定远、寿颍、六霍入湖北，定于秋间，四路大举”（曾国藩：《安庆军营搜获陈玉成自南京发来密件》）。这计划确打中了满清的要害，反革命全体大恐慌，议论纷纷，都注目到下游地方，咸丰帝认为湘军“规取安庆，顿兵坚城，即使安庆得手，亦属得不偿失”，严令“曾国藩接奉此旨，即统率所部兵勇，径赴苏州，以保全东南大局，毋稍迟误”（一〇年四月，上谕）。老奸曾国藩、胡林翼是不动摇的，他把湘楚军主力死钉住安庆，奏称“但求立脚之坚定，无论逆氛之增长”（曾国藩：《通筹全局并办理大概情形折》），一面保荐左宗棠、李鸿章、沈葆桢分任浙苏赣三省军务，自己督大军全力进攻安庆，洪陈计划被曾胡破坏了。

李秀成似乎不曾参与洪陈谋议，自述说：“自六解京围（江南大营溃散）之后，息兵三日，天王严诏下颁，命我领本部人马，去取苏常，限我一月肃清回奏。人生斯世，时为其用，不得不从。”他出兵是勉强的。后来用兵顺利，民情爱戴，又见物产富饶，洋兵易打，产生取江浙作根据地的思想，对上游甚至南京比较看轻了。九月，陈玉成在安徽大战，“天王严诏颁到，命我赴上游，催我领军而扫北。由苏动身到京，将来情启奏，不欲扫北。我主盛怒，责罚难堪。此时亦无法处，出师而上江西、湖北”（《李秀成自述》）。当时江浙并无大敌，曾胡又不曾中计，调秀成军援皖是完全必要的，不过那种强迫命令的方式，使秀成不能忘情江浙，咸丰一一年上半年经江西入湖北，收新兵三十万。石达开部逃兵二十万，又回到浙江来。陈玉成在皖北战败，奏调秀成兵千余人助守安庆，秀成不甚愿意，并预料“其省不能保也”。集贤关惨败后，又不拨大兵助玉成恢复实力。安庆失陷，秀成至少要负不相救的责任。

安庆失陷的危险性与曾、胡的战略目标，秀成没有足够的认识，加深了洪秀全及洪氏集团对秀成的猜疑与裂痕。洪秀全的战略思想着重在上游，用兵江浙只是牵制性质。咸丰八年满清与英法（两个主要侵略国）订《天津条约》，出卖长江流域，英法更不许革命势力的伸张，反对太平军到达江浙地区，秀全深知这种情形，一向不主张东进。一〇年，英法联军准备进攻天津，怕太平军来上海，英法军舰队司令贺布往南京，提出“太平军不得行至距上海、吴淞二日路程以内，英军也尽力阻止清军从上述二地攻击太平军”的条件。得秀全允许，约定以一年为有效期限。秀全利用这个时机，规定用兵限于江浙内地，不攻上海，避免与侵略者直接冲突。英法联军在北方获得意外迅速的胜利，背约攻扰太平军，引起太平军的反击，当时反击是需要的自卫，但进攻上海却给英国借口保护上海正式作战。赖文光说:“忠王李秀成，不知君命，而妄攻上海，不惟攻之不克，且失外国和约之大义，败国亡家，皆由此举。”(《赖文光自述》）忠王经营江浙，显然与秀全计划不合，被看作违反“君命”的自由行动。洪、李间失和，双方都该负责，但在力争上游这一点，秀全并不错误。曾国藩称“洪逆老于戎行”，足见反革命是认识他的。

李秀成于一一年六月，自湖北经江西攻入浙江，克浙东各府县，十一月，克杭州省城，浙西相继攻克，浙苏两省膏腴尽为秀成所有。曾国藩称:“江浙贼势浩大,尽占富庶之要区,广收官军之降卒,财力五倍,人数十倍”。太平军的声威,确把一切反革命骇倒了,连曾国藩也动摇起来,要曾国荃遵旨去救苏杭。国荃却说:“不然。金陵为贼之根本,我急攻金陵,贼必以全力援护,而后可以图苏杭之地。”国藩因此又坚持原定计划,派国荃到湖南添募新勇,准备进攻南京。满洲主子西太后给国藩节制江苏、浙江、安徽、江西四省军政大权,并公开宣示“江浙等省军务朕惟曾国藩是赖”。这是满洲皇帝第一次对汉族奴才低头,但这个奴才有谁可赖呢?当然,他只有向外国侵略者屈膝依赖。

曾国藩的计划首先依赖外国侵略者保护上海,说“目下情势,舍借助洋兵,亦实别无良策”(同治元年二月,《遵旨通筹全局折》)。其次是想乘太平军英勇抗击侵略者的机会,从中取利。他说:“臣处搜获伪文,亦知金陵洪逆,词意不逊,与洋人构衅甚深。在洋人有必泄之忿,在中国为难得之机,自当因势利导,彼此互商,嘉其助顺,听其进兵。乘洋人大举之际,我兵亦诸道并进,俾该逆应接不暇,八方迷乱,殆亦天亡粤逆之会也。”（三月，《筹议借洋兵剿贼折》）他又规定对洋兵应取的奴隶态度，说“臣当谆饬部曲，平日则言必忠信，行必笃敬，临阵则胜必相让，败必相救，但有谦退之义，更无防范之方”（六月，《议复调印度兵助剿折》）。他那种对太平军幸灾乐祸，对侵略者奴颜婢膝的汉奸民贼思想，被一切反革命分子奉为典范，李鸿章、左宗棠都依样实行了。李秀成叙述当时汉奸军“忠信笃敬”的情况说：“鬼兵到太仓攻打，外有清兵前来助战，打入城者，鬼把城门。凡见清官兵，不准自取一物。大小男女任其带尽，清官兵不敢与言，清朝官兵多言者，不计尔官职大小，乱打不饶。”但汉奸军还有另一副凶残面目，李鸿章《与彭玉麟书》说：“该军（‘常胜军’）往往破贼，而不能多杀贼，故须我军偕作，以辅其力之所不逮也。”这样绝非人类所有的残忍性，甚至戈登也以为太甚，斥责李鸿章，鸿章的答复是“此中国而非欧洲也”。这就是说按照中国统治阶级的特性，应该疯狂屠杀中国人民。不过这自然不是因外国反革命者如戈登那一类人对中国人民还有些人类同情心。李秀成、谭绍光（守苏州主将）致戈登书说：“戈登桂（贵）台惠览：顷接来信，知欲放出受伤诸人，以便医治，并欲往来买卖枪炮，兼有回去之人，道及我处待人情谊，故来候函，具见桂台义重情挚……今者桂台之助清朝，亦犹白聚文之来我处，各从其便。至各人军装炮械，彼此皆知底细，你处图利，我处置办，听从通商，原无禁令，此时你处如有枪炮洋货，仍即照常来此交易，若或桂台肯到我处，我等亦乐共事……即或桂台一骑进城亦无不可。”这里说明太平军行动文明，放回受伤俘虏，使戈登不敢过分残杀太平军，更重要的是军火贸易，有利可图，使他不愿过度破坏太平军。

李秀成占领江浙，外国侵略者当然要武力干涉。同治元年三月，李鸿章率淮军八千人到上海，联合英法军、“常胜军”开始对太平军作战。太平军抗击反革命联军，勇敢坚决，充分表现中国人民无限的英雄气概。反革命联军有强大的力量：第一，英国、法国驻沪海陆军，配备着当时最新式的武装，有英法反动政府作后盾，声势最盛。第二，美国流氓华尔统率的“常胜军”，人数约五千，外国军官约一百五十人，军饷每年多至九十万两，每攻下一城，满清酬华尔本人银三万或三万六千两（戈登攻下苏州城酬银八万两），将佐兵士得大掠城中财物人口，作为酬报。“常胜军”是一枝新式武装的强盗军队，有居住上海的官僚、买办、绅士、商人作主要后盾，这些人把华尔当作救星，大商人杨坊送女儿给他，鼓励他的战意。第三，李鸿章统率的淮军是一枝屠夫军队，武器用外洋枪炮，专跟在外国军队后补充杀人并接收土地。它有整个统治阶级作后盾，被认为江苏方面的主力军。这个联合军是反革命的结晶体，力量不容轻视，但李秀成却打了一连串的胜仗，不曾失败过。联合军一败于太仓，再败于嘉定，三败于青浦，法水师提督普罗帖战场毙命，英法军弃嘉定青浦两城逃走，李秀成说“那时洋鬼并不敢与我见仗，战则即败”，确是事实。不过战争胜利，并不能挽救南京的危急。

正当秀成在下游用兵，五月，曾国荃围逼南京，扎营雨花台附近。天王调秀成军来援，秀成集诸将会议，议定“待二十四个月之后，再与曾国荃决战”，天王急了，“差官捧诏来催。诏云，三诏追救京城，何不启队发行？尔意欲何为？尔身受重任，而知朕法否？若不遵诏，国法难容”。秀成被迫归救南京，闰八月，亲率大军三十万，号称六十万进攻围城军，大战四十六日，曾国荃死力抵御，曾国藩飞调“常胜军”应援，“常胜军”不敢前来，形势确极危急。秀成军因未带冬衣，九十月正逢天冷，兵又无粮，部下各王不肯齐心合击，曾国荃得侥幸守住营垒。“自攻未下，我主严责革职，调我当殿明责，即饬我进兵北行，不得不冒雪而往。”(《李秀成自述》)。当时上游反革命兵力薄弱，赖文光、陈得才在湖北、河南、陕西行动，声势浩大，洪秀全派秀成北进，会合赖陈军，从上游来解除南京，原不失为一个计划。可是疑忌秀成过甚，既损他的威信，又夺他的兵权，调遣秀成“手下各将，任王次兄洪仁达乱为”，江浙留守军无人调度，任其自行。君臣上下互相猜怨，离心离德，全局更接近瓦解的形势。秀成率孤军转战江北，进到安徽寿州。曾国藩定计“急争金陵老巢，以攻其所必救”。同治二年五月，竭全力攻破雨花台及聚宝门外诸石垒。“那时京内惊慌，天王差官捧诏，召我（秀成）回京，当即分军回转”，军士战死、落队及饥寒病死，前后失去十数万人，战斗力大受损伤。

南京陷落，这时候已经决定了。李秀成建议：“内少粮草，外救不来，让城别走。”弃城别走有两个方向。走向上游，联合赖陈军、捻军、回军在北方发展，证以后来捻回的强大，建立新国不是不可能的。走下游占江浙闽粤沿海各省，利用同情革命、投效太平军的不少外国友人，运入新式军火，继续抵抗反革命联合军，也可以支持危局。曾国藩深怕太平军“变为流贼，更难收拾”，足见秀成这一建议是可以实行而有效的计划。在反革命方面，当时湘军已是精疲力尽，矛盾到处发生。首先是满洲主子对曾国藩的猜忌。曾国藩《沥陈饷绌情形片》说：“论兵则已成强弩之末，论饷则久为无米之炊，而户部奏称收支六省巨款，疑臣广揽权利。臣虽至愚，岂不知古来窃权利者，每遘奇祸，外畏清议，内顾身家，终夜悚惶，且忧且惧。”其次是湘军本身腐化没落，“臣带兵九年，今年始有饷匮兵逃之事”（同治二年，曾国藩：《近日军情并陈饷绌情形片》），湘军初起“用儒生将农人，今则所谓儒者不儒，农者不农”（《湘军志·营制篇》）。其三是新起的左宗棠老湘军、李鸿章淮军自成势力，用兵各有企图，单独行动，不受曾国藩调度（《湘军志·曾军后篇》）。反革命阵营有这许多裂痕，如果洪秀全听从秀成的建议，自率一军北进，联合捻军，命秀或回江浙团结部属，攻击沿海各省，南北呼应，重振战局，满清必然惊慌失措。即使调湘军追击，在满汉矛盾下（北方清帅官文、僧格林沁地位比曾国藩高，仇视湘军），曾国藩丧失汉奸信用，无法再施展湘军的长技（湘军失长江水师，又无马队，战斗力减去大半，）无疑的要溃败。可惜洪秀全疑秀成有异心，更着重提防内变，不放秀成出京，君臣困守危城，坐待灭亡，给左李在江浙方面顺利地击破各个孤立的太平军守将。

左宗棠攻陷浙江省　同治元年正月，左宗棠从安徽进入浙江衢州城（满清在浙江惟一的城池），太平军大将李世贤阻击左军，到六月，左军还不能出衢州境。闰八月，世贤回援南京，左军才得沿钱塘江进攻。浙江的失陷，左军和江苏李鸿章军一样，都是跟在外国反革命军后面，做杀人、收地、抢掠的工作。外国反革命军的取得胜利，却因太平军失去李秀成的领导，各地孤立无援，军心动摇，没有整个战守计划。浙江失陷，不从左军入衢州城开始，而是从英法军攻陷宁波开始。

同治元年四月，英法军舰炮击宁波城，英法陆军联合满清宁绍台道张景渠所率海盗攻城，太平军退至乡间抵抗。李鸿章请华尔自上海率“常胜军”往援英法军，至慈溪县（离宁波三十里），太平军击毙华尔。

闰八月，花旗国副将法尔斯德乘轮船到定海，会同官兵民团合剿“海盗”（左宗棠:《定海兵团会同轮船搜捕海盗情形片》）。

十月，“法国因宁波海口吃紧，愿将伊国副将勒伯勒东权受中国职任，带兵防剿。该副将在宁波所属中国兵丁一千五百名应给饷项，即行按照旧章（‘常胜军’旧章）支放”（左宗棠:《发给勒伯勒东札凭片引上谕》）。

十一月，上谕:“左宗棠、李鸿章奏《中外官军（可耻的名称！）攻克上虞》一折……惟据法国公使哥士耆言及轰城竟日，而城中绝无动静，遣人往视，始知贼已宵遁，与此次所奏官兵奋勇登城，贼由西南逃窜情形不符。与外国人共事，全在乎以诚信，若稍有粉饰，即为所笑，嗣后务须据实详报，不得一字虚假。”反革命首魁曾胡左李都是这样的一个骗子，只是这一次不幸被外国反革命揭穿而已。

同治二年正月，上谕“据李鸿章等奏，英国拟派白齐文、法思尔德会带‘常胜军’，法思尔德现住宁波防剿”等语。花旗国副将法尔师德是否即法思尔德。

正月，“署总兵勒伯勒东伤故后，洋将买忒勒继之。臣饬蒋益澧一军会同洋将进规绍兴，密嘱蒋益澧与洋将共事，惟守礼示信，勿计功攘利，致启争竞之端”（《奏报连复六县情形折》）。

二月，“上年勒伯勒东伤故后，法国参将买忒勒权受中国副将职任，来宁接带该营兵勇。英国总兵呿乐德克亲运大炮到营筹剿绍郡贼匪。正月初一日，呿乐德克、买忒勒带领洋兵花绿头各勇，车轮大炮径攻西郭门。突有黑洋人五六十名助贼施放洋枪，弹入买忒勒脑左，登时殒命”（《查明法国参战阵亡请恤折》）。

五月，富阳久围不下，增募外国兵助攻（《湘军志·浙江篇》）。

八月，“迭次助剿最为出力之英国领事夏福礼、总兵呿乐德克、法国参将德克碑、税务司日意格、教主田雷思等九员，臣细加考核。克复各城，外国官兵，实属出力”（《外国官兵助剿出力请酌赏物件片》）。

八月，“杨政谟率水勇，德克碑率炮勇。此次中外官兵会攻富阳，其苦战克城，以法国总兵德克碑为最”（《奏报克复富阳县城折》）。《据李秀成自述》，鬼子兵攻破宁波，得赏银之后，又领赏银来打绍兴，钱塘江上游太平军恐后路断绝，陆续放弃金华、龙游、严郡（今建德县）、温台等地，退屯富阳。左军才得顺流而下，请鬼兵由水路攻城，配合鬼兵炮队，连战数十仗，鬼败，又调鬼兵多来，攻破富阳城。秀成《自述》与《湘兵志》符合。

十二月，“洋将德克碑带花勇前来助剿，并令浅水轮船点放开花大炮”（《攻剿杭州余杭情形折》）。

同治三年二月，“德克碑开放大炮，轰坍城垛数丈”（《附陈杭州余杭攻剿情形片》）。

三月，“法国参将德克碑此次助攻杭城，每次攻剿，极肯出力，杭城克复，实著劳绩，臣筹给纹银二万两，分散所部‘常捷军’出力弁兵”（《洋将助克杭城出力拟请奖赏片》）。

以上都是左宗棠勾结外国反革命军（左与李鸿章不和，请法国人组织“常捷军”与李对立）屠杀中国人民的一些自供，浙江人民就在这样可耻的“中外官军”共同的屠杀之下又被奴役了。

李鸿章攻陷江苏省　华尔死后，美国人白齐文继任。同治二年，英国人戈登代白齐文统率“常胜军”，用英国大炮五十二门会同淮军陷常熟、昆山等城。九月，进攻苏州，“江浙各将告急，日日飞文前来，不得已又启奏我主。主及朝臣要我助饷银十万，方准我行，我主限我下苏杭四十日回头，银不交足，过期不回者，依国法而行”（《李秀成自述》）。秀成到苏州坚守，十二月，见内部有变，出城逃回南京。苏州失陷。“常胜军”乘胜攻陷约五十城，所谓淮军的战功，就在跟着“常胜军”大杀大抢。《湘军志》说：“复苏州时，主将所斥卖废锡器至二十万斤，他率以万万数。”容闳《西学东渐记》说李鸿章“有私产四千万以遗子孙”，自然大部分是后来贪污所得，不过在攻掠江苏时获得大量财物，也是不容置疑的事实。

曾国藩、曾国荃攻陷南京　江浙一带太平军一部分坚守湖州城，大部分转入江西境。秀成带来守城军人数不多，因为南京食粮不能供给太大的军队。在危城中，秀全疑忌秀成更甚，城内居民饥饿，“贼盗蜂起，逢夜间城内炮声不绝，抢劫杀人，全家杀尽，抢去家内钱物”。南京无法支持了。同治三年四月，洪秀全服毒殉国。六月，南京陷落。轰轰烈烈的人民大革命因南京失陷而暂时失败了！

李秀成奉幼主洪福冲出城墙缺口，不幸散失，洪福逃往湖州，秀成藏匿民间，奸人向清营告密，被曾国荃捕获。曾国藩从安庆赶来，亲自审问。秀成并无多言，只说：“速将纸笔来，吾当书之，吾史馆实录为尔曹焚掠尽，吾不述，奚以传后。”他在囚笼中写天国始末、本人战绩数万字，并不隐讳天国亡国的原因，也不隐讳本人对天王的不满。这当然不是对敌人诽谤自己，而是想借最后一个机会流传天国信史（曾国藩也不得不承认“情事真确”），给未来的革命人民留一悲惨教训，用心是极苦的。万恶的汉奸曾国藩既把洪秀全掘出遗体“戮尸焚化”，又把“万古忠义”（天王写四字封秀成）的民族英雄李秀成“凌迟处死，传首发逆所到各省，以快人（兽）心”（曾国藩：《贼酋分别处治粗筹善后事宜折》）。这已经是残忍凶暴之能事，但曾国藩还要对死者行最后的侮辱。他不仅删去秀成“自述”至少一半，涂改字句不知若干，而且卑污到代造乞怜语句和什么“招降十要”“天王十误”。曾国藩明明说他“文理不甚通顺”，而这些伪品恰恰文从字顺，与真品显出两手。又明明说“自来元恶解京，必须诱以甘言，许以不死，李秀成自知万无可逭，在途或不食而死”，秀成如果真有乞降的意思，正可“诱以甘言，许以不死”，为什么怕他“在途不食而死”？曾国藩所代表的这类人，自己秽浊黑暗，却畏忌别人的清白光明，定要让死人也蒙些不洁才觉快意，真是狗彘不食其余的可耻懦夫。

第六节　太平革命失败的原因

太平革命最大的意义，就在于它是中国历史上第一次提出政治、经济、民族、男女四大平等的革命运动。自从太平革命揭开了中国资产阶级民主革命的序幕，陈胜、吴广以下数千百次的旧式农民起义，面目为之大变。太平革命是中国历史划时代的大事件，与五四运动同为一百年来历史上两大转变时代的标帜，它的光荣成就永不会废灭，它的伟大精神也永远在继续和发展。

太平革命失败了。失败的原因，在主观方面，主要由于领导方面犯了许多严重的错误，归纳起来，有宗派思想、保守思想、安乐思想三种。

宗派思想 永安突围以前，太平军领导集团包括革命各阶级各团体，从工人、农民到富农、流氓无产者、兵士、失意士人，某些政治上被压迫的地主、豪绅、商贾；从新式的上帝会到旧式的天地会，团结在反满旗帜下，展开广泛的革命运动。永安到南京，势如破竹，就是这个统一战线的效果。洪大全死后，上帝、天地两团体开始分裂，失去一部分助力。定都南京以后，宗派思想继续发展。第一，老兄弟之间的分歧。洪秀全为首的广东派与杨秀清为首的广西派发生裂痕，广西派压迫广东派。例如智勇兼备的罗大纲“尝谓人曰，吾与秦日纲、胡以晃同起兵，功亦不相下，二人以广西老兄弟故，皆封王，我以粤籍乃不得一侯，天下之事未有不平如此者，天王也自忘其为花县籍乎？秀清闻之，疑其有贰志，由是不敢以重军付之”（《太平天国野史》）。又如多谋善战的捻军首领赖文光（秀全妻弟），杨秀清忌之，“不使闻军事，授文职”（《野史》）。文光《自述》也说：“六年秋，值国家多故之际，是以弃文而就武，奉命出师江右。”咸丰六年秋，广东派联合广西别派韦昌辉派残杀杨派，韦派又压迫广东派，广东派联合残余的杨派屠杀韦派，造成极大的内讧，结果石达开出走，天国元气大伤。第二，老兄弟与新兄弟的分歧。两广起义人称老兄弟或老军，享特殊权利，“天王倚为羽翼，虽无职，每加功勋。平湖（胡）诸衔，有过亦不尽法惩治。而老兄弟恃功骄恣，任使多不称其职，太平大局之坏，此一原因也”（《野史》）。“太平军初入南京时，广东、广西人十分不过二三，湖南十有五六，湖北人十有二三”（祁嶲藻：《贼情访闻记》），后来湖北三江人数量大增，地位却在两广人下，自然引起不平之感。到太平末期，湘淮军悍将多是太平军叛徙，屠杀革命军民比满清将领更残忍，这些人大抵出身新兄弟或杨韦余党，因怨恨不平投降反革命。第三，军人与文士的分歧。《贼情汇纂》说：“贼掳我官吏绅衿，读书有心计人，或挫折以死，或分为各馆充当书手，号曰先生。所办无非写奏章、诰谕、封条、出告示、造家册、兵册等事。一切军令概不与闻，盖防有用之才之算己也。”又说：“掳来书写人，统称先生，准穿长衫，著鞋袜。小馆扎黑绸包巾，大馆扎黄包巾，无腰牌号挂。”读书人受俘虏待遇，地位比士兵低，多数乘机逃走或充满清的间谍。至于著名文士，如浙江人钱江，在永安城中已封“三法大司马；”江苏人王韬劝李秀成与洋人讲和，专力攻击上游曾国藩军；广东人容闳向洪仁玕建议七策（办海陆军营校，改进军队，建设善良政府，立各种实业学校及银行等），后都失意离开太平军，转到反革命方面当谋士。第四，英忠两王的分歧。英忠两王是合则双美、离则两伤的天国支柱，可是英王在上游苦战、不向忠王告急，忠王也不出力援助，自向下游用兵，两王间意见不一致，多少流露在《李秀成自述》里。第五，天王与英忠两王的分歧。杨韦内讧后，政权归洪氏集团为首的广东派，对英忠两王取猜忌态度，大封列王九十余人（实际不止九十余人）使不相统属，意在牵制两王，指挥赏罚不能如意。英王在安徽战败，洪氏集团借口防溃兵，封江阻他归南京。玉成《致马融和等谕》里说：“今兄（玉成自称）因偶尔见朝中办事不公平，兄在庐郡具本启奏，现下不以本章为然，小事酿成大端。”又《致扶王陈得才等四王书》说：“去岁耘元燕之案，曾经兄直奏回朝，致触圣怒，复命敬王，畏王恭捧圣诏三道，圣旗一道责兄前退太湖后退安省……罪皆在兄。现已荷蒙圣恩，出以赏罚革黜。思处此之时，亦是万幸。”洪氏集团无理欺压，使玉成处境愈感困难，然毫不见爱护扶助的意思。玉成殉国，李秀成独力支持，洪氏集团猜忌更甚。“去年（同治二年）天王改政，要合内外大小军营将相……称天朝、天军、天民、天官、天将、天兵、御林兵等，皆算渠一人之兵。我等称为我队我兵者，责曰，尔有奸心。恐人之占其国。此实言也。何人敢称自兵者，五马分尸”（《李秀成自述》）。秀成守南京，“洪姓用广东之人巡各门要隘”，“时时有人防备，恐我有变心”。灭亡在眼前，还事广东、广西的私见，宗派思想使人昏迷猜忌，至死不悟，这是太平天国失败的重要原因。

保守思想 太平军占领南京，领导集团在思想上进取心减退，保守心转居统治地位。在军事上，北征、西征两军都派二等将领率领（北征林凤祥、李开芳、吉文元，西征罗大纲、赖汉英、石祥贞、韦俊），又不指定主帅，军情全由杨秀清遥制，缺少全力进攻的精神。在制度上，采取许多封建旧习惯。例如《太平礼制》规定各种称谓，鄙陋可笑。禁人称大哥，禁人用红黄两色，因大哥是耶稣专称（秀全称二兄），红黄是“天朝贵重之物”，犯者处斩刑。官员都坐轿，天王轿夫六十四人。东王轿夫四十人，最下至两司马还有轿夫四人、东王仪仗队多至千数百人，有开路龙灯等无聊器物，很像民间迎神赛会。又有野蛮禁律，如：

> 一、凡东王驾出，如各官、兵士回避不及，当跪于道旁，如敢对面行走者，斩首不留。
>
> 一、凡检点指挥各官轿出，卑小之官、兵士，亦照路遇列王规矩。如不回避，或不跪道旁者，斩首不留。

这虽是军律，并非强迫人民也跪道旁，但列王及大官对小官兵士的威严已经超过满清的制度。咸丰一一年，颁布《钦定士阶条例》，居然恢复阀阅制度、世袭制度，上帝教的平等思想在洪氏集团掌政时期，事实上是否还有若干存在，是很可怀疑的。

安乐思想 洪杨到南京，就大兴土木，建筑王宫。“杨逆起造伪天王府，周围筑墙，厚若城垣，高又过之，可以俯瞰城外。臣等于紫金山遥见甚明”(向荣:《奏报太平军情》)。天王居深宫中，从不出门，也不朝见群臣，生活腐化，中外各书所记大体相同，可信确是事实。杨秀清才能极高，腐化程度却不亚于秀全。韦昌辉“虽贵为列王，常贩运货物以营利”(《太平天国野史》)。刘玱林戒昌辉说“共患难易，共富贵难，知此二语，乃免于难”，后来杨韦残杀，原因就在“此二语”。洪氏集团统治时期，腐化发展到朽烂。仁发“贪冒聚敛，无所不为”；仁达“嗜洋烟”，与仁发“贪货蠹法，狼狈为奸”；仁政“时携狡童，被艳服，往来于市”；仁玕“好使酒，矜意气，忌贤殊甚”。这样一个酒、色、财、气的无赖群，把持政权，李秀成对洪姓痛心疾首，陈玉成认朝政不公平，完全是有理由的。不过太平军将士生活，与一般领导者相反，始终保持良好的纪律。杨秀清“令严军民畏”，石达开、陈玉成、李秀成却能以身作则，阻止军队腐化，所以若干领导者的堕落，并不减低太平军的声誉，不然就无法解释人民拥护太平军的原因了。

宗派、保守、安乐三种思想，总根源在农民阶级消极方面的狭隘性、保守性、私有性。太平军领导集团的腐化分裂，正是这些特性的反映，也就决定了太平天国的必然崩溃。

除去上述主观方面必败的原因，客观方面也不允许它取得胜利。如果说，太平军也曾有过可能胜利的机会，那就是占领南京以后两三年内，全力进攻北京，迅速摧毁满清政府，当时英法美与满清勾结还没有成功，事实上不得不承认天国政权，不管天国此后如何变化，万恶的满清总是可以消灭了。失去北征这个时机，太平天国不可能获得最后胜利，原因是：第一，满清统治阶级与外国侵略者逐渐结合，反革命势力壮大起来，力量超过革命势力。第二，那时候中国不曾有进步阶级的存在，农民阶级不得进步阶级的领导就无法负担民主革命的任务。太平天国在主观客观两方面都缺少胜利的条件，北伐是惟一的机会，又因战略指导错误而失败。所以，历史决定这个革命只能起着民主革命先驱者的作用。

第七节　太平革命的余波

南京陷落了，洪秀全、李秀成殉国了，太平天国灭亡了，但这并不等于革命消灭。相反的，中国人民还是坚持巨大的革命斗争。

天国灭亡后，还有下列革命力量：

太平军残部（一八六四年至一八六五年）；

捻党起义军［一八五三年（咸丰三年）至一八六八年（同治七年）］；

苗族起义军［一八五四年（咸丰四年）至一八七二年（同治一一年）］；

云南回族起义军［一八五五年（咸丰五年）至一八七三年（同治十二年）］；

西北回族起义军［一八六二年（同治元年）至一八七三年（同治十二年）］。

太平军残部　李秀成最后一次入南京，浙江方面只保有湖州（守将黄文金）等数城，大部分军队如李世贤、汪海洋等十余部都转入江西境。秀成殉国，各将领无人指挥，大体分成湖州军与江西军两大部。

同治三年六月，淮军、老湘军、“常捷军”会攻湖州，“英国将（官）发炮以攻屯，不能克”，“英国将遇寇战辄败退”（《湘军志》）。七月初，黄文金遣弟黄文英护送幼主洪福到安徽广德县，准备守城大战。七月底，叛将蔡元隆勾结南门守将投降清军，文金弃城奔广德，奉洪福转战皖浙边境，文金战死，残部入江西，洪福被江西清军捕获，湖州军败散。洪福在南昌被杀，太平军更失中心。九月，李世贤、汪海洋等攻入福建，击毙湘军大将张运兰、福建提督林文察，民众群起响应。李世贤驻漳州，汪海洋驻汀州，众号二十余万。满清急调左李曾（鲍超部）三军配合外国海军攻福建，清军屡败，左宗棠请厦门英法领事严密封锁海岸，断太平军运入军火。同治四年二月，汪海洋率军攻入广东镇平县（蕉岭县）。清军全力围漳州。世贤向海洋求援，海洋不应。四月，世贤弃城走永定县，与清军战大败，逃匿山中。军中讹传世贤战死，余众推李元茂率领归汪海洋。海洋阴谋并吞李部，杀元茂示威，军心不服。七月，世贤自山中昼伏夜行到镇平，海洋大惊，夜中刺杀世贤。太平军与清军相持，十二月，清军围嘉应州（梅县），海洋突围战死。

余众推谭体元守城，继续突围，清军四面进击，体元战死。清军登山大呼“弃械者免死”，太平军失主将大溃乱，被清军斩杀兵士五六万人，将官七百三十四人。《湘军志》说：“自寇起至破灭，未尝见斩刈如此之易。”原因很显然，汪海洋残杀李世贤，将士离心，斗志消沉了。太平军经过这次大歼灭，嫡系军队丧亡已尽，南中国全部被满清征服。

石达开对曾国藩、胡林翼，因杨韦内讧而失利，李秀成、陈玉成对曾胡及李鸿章，因洪氏集团猜忌而失败，李世贤对左宗棠，因汪海洋吞并而歼灭，宗派思想的危害，断送了太平革命，真是可怕极了。

捻党起义军　捻党是山东、河南、安徽等省农民一种秘密结社的名称，太平军攻下南京，捻军大起，各部数千人数百人不等。太平北征军战败，残兵散入捻党，捻势渐强。首领张洛行据雉河集（安徽涡阳县），众增至数十万，最称大部。李秀成招洛行助战，捻军蓄长发，接受太平军纪律，大得民众拥护，成为太平军的北方友军。后来陈玉成在皖北大战，得捻军助力极大，洪秀全封洛行为沃王。玉成败后，部将赖文光、陈得才率孤军渡淮，“过王关，越秦岭，抵中原，出潼关，于壬戌一一年冬（同治元年）由郧阳而进兵汉中，一路滔滔，攻无不克，战无不胜。于甲子一四年春（同治三年）由汉中而还师东征，图解京师重困未果，以致京都失守，人心离散”(《赖文光自述》)。当时张洛行战死（同治元年被叛徒谋害），捻军失统帅，“其头目任化邦、牛宏升、张宗禹、李蕴泰等誓同生死，万苦不辞，请予领带，以期报效”(《赖文光自述》)。这说明什么呢？第一，安庆失守以后，湘军全力下注，北方兵力空虚，文光、得才带领一枝小军队，经过安徽、河南、湖北、陕西四省，变成数十万人的大军，足见北方雄厚的革命力量，太平军未能充分利用；第二，北方革命群众，需要太平军领导，南京方面如果及早派遣大将数人，发动捻军，攻湘军后路，南京城围可能减轻。等到文光被推为首领，捻军已是孤军，《赖文光自述》也看到“恐独立难持，孤立难久”了。

文光统率捻军，声威大振，清军不敢接仗。同治四年，在山东大破清军，杀清帅僧格林沁。满清大惊，调曾国藩督湘淮军抵御，曾国荃率新湘勇驻湖北。捻军深入湖北，击溃国荃军，新湘勇全部歼灭。国藩督战无功，退回两江总督原任，满清改调李鸿章督战。淮军全用洋式武器，捻军只有刀矛，但捻军有民众拥护，万骑奔腾，一日行百数十里或二百里，往来自如。曾国藩奏称："官兵骚扰异常，几有贼过如篦，兵过如洗之惨，民圩仇视官兵，于贼匪反有恕词，即从贼亦无愧色。"这个民贼的供辞，多少泄露一些统治者的罪恶。五年秋，文光感到孤立，"特命梁王张宗禹幼沃王张禹爵（洛行子）怀王邱远才前进甘陕，往连回众以为犄角之势"（《赖文光自述》），自此捻军分东西两部。赖文光、任化邦率东捻军攻山东，张宗禹等率西捻军攻河南转入陕西，满清又调左宗棠老湘军抵御西捻军。六年，任化邦战死。七年春，赖文光被捕殉国，东捻军溃散。西捻军自陕西入山西，转攻直隶，清廷大骇，派恭亲王奕䜣（咸丰帝同母弟）督旗兵迎敌，湘、淮军，安徽、山东各省军追踪北上，直隶民众沿路袭杀清兵，十数人小队不敢行乡间。左宗棠给他的儿子信里说："直隶之大（名）顺（德）广（宗）一带，与山东河南接壤，各处民团凶悍异常，专以兵勇为仇，见则必杀，杀则必毒，似此光景，成何世界。淮军骄逸习气，实冠诸军，皖军战不足恃，东军弱不胜战，仅我军士马一万九千，尚未至大坏耳。”照左宗棠自供，大群所谓“官军”的贼匪烧杀淫掠，试问成何世界？人民见贼匪必杀，试问是否是合理的自卫？左宗棠一类民贼所造成的世界，无疑是人民的地狱，这不是明显的事实么？西捻军寡不敌众，七年秋转入山东，徒骇河水涨不能渡，西捻军被歼灭。捻军起义凡十六年，战争地区经江苏、安徽、湖北、山东、河南、陕西、山西、直隶凡八省。

苗族起义军　贵州东南部（榕江、台拱为中心）是苗族居住地，雍正、乾隆时侵略苗疆，设官吏治苗民，称为“改土归流”。苗民所受的痛苦，可在罗应旒的奏折里稍见一二：

> 苗疆定后，尚有土司（苗族中贵族）、通事（苗奸），其人助官为虐，挟其诈力，朘剥无已。一切食米、烟火、丧葬、聚嫁、夫马供应之费，无不取之于苗民。此外，又复千百其术，借事勒索，不倾其家不止，而苗民之生机绝矣。

苗民纳税本轻，或不出税，而官吏则以民愿报效，不敢领价，勒索民物，均由土司通事办理，官收其一，而土司、通事则增数倍。

苗民例须供役，平日摊班，及至委员过境，或官吏下乡，则合境应役。其不至或无役者，折钱二三百文，否则拘罚至数倍。苗民贫困，乃于役前数日裹粮守役，男病女役，官吏待之一如牛马。其尤令苗民恐慌者，则客民入境，夺其田地，而相仇恨也。

苗民在满清官吏，汉族地主，苗族土司、通事等的联合压迫下，生活还不如牛马，他们屡起正义的反抗，决不是所谓“野性难驯”，相反，他们是有公正合理的民族精神的。《湘军志》载“群苗”的信条说：

吾辈不知何者为友，以兵来则战，以好来则抚（和）饥则掠，怒则杀耳。吾不扰官，官乃扰吾，惟有强者胜耳。

满清置贵州防兵一万七千人，就是不采取“以好来则和”而决心“扰”苗的表示。湖南巡抚李瀚章说：“究其始祸，无不由汉民之欺凌，官吏之贪暴。”但始祸之始祸，归根还由于满清挑拨民族仇恨的卑劣政策。

咸丰四年，苗民受太平革命的影响，推张秀眉为首领，起义反抗满清，攻取城池。五年，出境攻湖南边境。官吏派兵屠杀，“因乱株连良懦，皆悔其不反”，起义军势力更盛。满清调湘军，川军，桂军以助贵州军，苗民也联合汉民协力对抗。汉民有贵州、广西的会党，有思南的天主教民（教民分三部，思南为白号，铜仁为红号，思州为黄号），苗、教聚众至数十万人。九年八月，石达开军入贵州，苗、教纷起响应，合力攻击清军，省城贵阳危急，清官困守孤城，政令不及数十里外。苗、教军出入广西、湖南、云南三省，以湘军为主力的清军守垒不敢出。“苗以此并轻湘军，当入寇，辄叩垒门呼曰，吾当往攻汝湖南矣。既掠归，复谢曰，多扰汝”（《湘军志》）。当时清廷深怕石达开率苗、教军攻入湖南，边境屯防兵，无力进攻，达开志在入川，苗、教“无远略”，战事中心不离贵州境。

同治四年，满清合四川、湖南两省财力，进图贵州。六年，调湘军席宝田专任军事。席宝田是湘军著名悍将之一，有恶毒的战争经验，又用洋枪炮，便于攻山寨，张秀眉"语群苗曰，苗疆危矣，往日官军败则走，今深入寻战，此痴军也。汝曹谨备之"(《湘军志》)。宝田合各军攻荆竹园险要，七年，被攻破，"白号、黄号教及石达开余党俘斩略尽。言黔事者皆惊喜以为奇功"(《湘军志》)。苗教军从此失势，专依山险取守势。宝田又采"雕剿"法，选精兵入深山奇袭，烧毁苗民粮草，一面诱降苗寨，分化苗、教军，双方恶战到同治一一年，张秀眉战死，苗民起义才被镇压下去。

满清屠杀苗民，几乎尽灭苗民的种类。《湘军志》："苗寨存者十之二，皆良苗，其能劫掠精壮者殆尽。"《席宝田传》(先正事略)："拓地千余里，破寨千数，歼苗及百万，自有三苗以来，兵威所及，未有至此者也。"贵州巡抚黎培敬《筹办善后折》："黔省兵燹垂二十年，百姓存者不及前之十一。"

云南回族起义军 回族与汉族杂居，满清挑拨民族恶感，尤着重在汉回两族。法律规定回民犯罪"加等科罪”，实际是“回伤汉民，一以十抵；汉伤回民，十以一抵”，官吏审断辞讼，总是“护汉抑回”，故意造成两族间不平等，满清得从中操纵取利。

云南回族，相传元初随蒙古军迁来，到满清时代，人口不及汉人十之二三，但团结力极强，不断与汉人冲突。咸丰五年，回汉争夺矿产，总督恒春、巡抚舒与阿乘汉回互杀，密令大杀回人，省城回人被杀数千，永昌被杀八千，其他州县同样残杀。回民首领杜文秀等起兵反抗，攻占大理府。清政府派吴振棫带四川兵入滇查办，奏称绅士黄琮倡议“灭回”，激起事变，把黄琮革职，这当然欺骗不了回民，战争继续扩大到全省。清政府诱降回民首领马德新、马如龙，借回杀回；又派广西土司岑毓英带苗瑶兵攻回，杀戮极惨。同治一二年，文秀战败。岑毓英宣称投降免死，回兵动摇，文秀自杀家属，吞鸦片到清营求免杀回兵。毓英立斩文秀头，纵兵大烧大掠，大理及各县城乡回人全被屠洗。总督劳崇光奏称：“沿途察看地方，残破不堪，田亩抛荒。”清政府赏岑毓英“轻车都尉”的爵位，报酬他杀回的功劳。

西北回族起义军　陕西、甘肃、宁夏、青海回民与新疆东部回民同属东干族，宗教上有黑山（旧教戴黑帽）白山（新教戴白帽）两派。满清故意护汉抑回，又助旧教抑新教。咸丰一一年，太平军陈得才攻入汉中，陕西回民乘机响应。回汉两族不懂得自己同被满清愚弄，一开始就互杀起来。西安、大荔一带二三十县回汉死亡（多数是汉人）不下数十万人，清帅多隆阿借口“护汉”，屠杀史家河回民，六十里内全成白地，反满力量因分散削弱了。同治五年，西捻军入陕，联络回军，捻回势力才扩大到陕北，甘肃回民起兵接应，左宗棠的对策是“以地形论，中原为重，关陇为轻；以平贼论，剿捻宜急，剿回宜缓”，驻重兵陕西耀州，“防捻回合势”。当时捻军自南而北，回军自西（甘）而东（陕），纵横各千余里，陕北成两军交汇点，往返游击，左宗棠军疲于奔命。六年，西捻军自宜川渡河入山西，左宗棠率军追捻军。八年，左宗棠回陕西，全力进攻陕甘回军，当然，回军是力不能敌的。

左宗棠对回民的认识是“其人柔则狡诈，刚则桀骜，知畏威不知怀德，性与人殊”（《与夏小涛书》）。这就是说，回人非人，因此定出“回性犬羊，先抚后剿”的办法（十月，《遵查刘松山各情复陈折》）。所谓先抚，就是诱降回民，所谓后剿，就是屠杀降回，与“我能剿，彼乃甘心就抚”的思想一致，用兵目的在歼灭看作“犬羊”的回民。

左宗棠先驱回民到陕北，大屠杀后，进攻新教中心地金积堡。教主马化龙哀求投降，宗棠坚决不许。连清政府也认为不分良莠“滥杀激变”（清政府不是爱惜回人而是感到每年八百万两军费太巨），严谕责问，宗棠仍主张“痛剿以服其心”，要求西太后允许“痛剿”。九年，陕甘回军反攻大胜，杀左宗棠“右臂”刘松山，一路南下到蒲城、富平、大荔一带，全局大震。西太后大怒斥责，宗棠死力攻金积堡及其他回寨，回军也英勇抵抗，“堡寨将破时，先刃其家属，或投诸水火，乃解衣格斗，死而后已”（十月,《合围金积老巢首逆被创折》)，宗棠穷极无法，只好允许马化龙投降，令化龙招各地回军来金积堡，缴马匹军械就抚。一〇年，回军到齐，宗棠突然纵兵大杀，不留一人。他给儿子信里说：“不宜少留根荄，重为异日之忧。”给王孝凤信里说：“金积事了，其干净熨贴，较之东南诸役，尚似信心。”这就是所谓“先抚后剿”，平生杀人最快意的一次。

他得了这次可耻的大“胜利”，大军一路向甘肃、青海杀去，到同治一二年九月，又用“先抚后剿”去攻破肃州城，纵兵大杀掠。《与友人书》说：“肃城克复，首要各逆，实无一漏网，土客、各回六十以上，十五以下及妇女概免诛，数十年征伐之事，以此役为最妥善。”所谓老弱妇女免死是骗人的，他在奏折里明明说“环视尸体枕藉，即老弱妇女亦颇不免”也还是骗人的，总之，杀人到无可再多，他才认为“最妥善”，而且认为“汉唐以来未有之奇”，想见他当时的得意。经这次最后一城的屠洗，西北回军连同回民大体被他杀光了。左宗棠利用汉人仇回心理、互相惨杀，据他的自供有下列结果：

陕回窃据以来，远近城邑堡寨，惨遭杀掠，民靡孑遗。平（凉）庆（阳）泾（川）固（原）之间，千里荒芜，弥望白骨黄茅，炊烟断绝，被祸之惨，实为天下所无（八年四月，《追剿逆回大胜折》）。

甘肃汉回杂处，昔本汉多于回，今则回多

于汉。宁灵一带周数百里，汉民几无遗类，其产业妇女均归金积堡。老弱死亡，壮丁为其佣工佃雇，汉民之痛心疾首，抑何怪其然（十月，《遵查刘松山各情复陈折》）。

以陕回人数计之，从前无事时，散处各州县，丁奚啻数十万，现计除西安城中土著两三万外，余则尽族西行，陕西别无花门遗种。即合金积、河、狄、西宁、凉州等处现剩陕回计之，人口亦不过数万。其死于兵戈、疾疫、饥饿者盖十之九，实回族千数百年未有之浩劫（九年七月，《收抚回民安插耕垦折》）。

肃州城中汉民三万余人，被回民先后残杀，城破时，男女存者仅千一百余口（《左宗棠年谱》）。“肃州土客逆回业已办结，现在肃州实无一回羼杂。其甘州，凉州各回死亡殆尽，亦无遗种，从此关内（陕甘）外（新疆）花门勾结当无可虞”（一二年十月，《安插肃州老弱回民片》）。

回汉互残，满清获利，各民族人民应当牢记住这个血腥的教训。

捻军、苗军、回军都是反满的力量，太平军领导不能及时联合，协力作战，终于被满清各个消灭，民族革命必须依靠广泛的统一战线，这个教训也是永远不可忘记的。

第八节　反革命破坏下的中国社会

太平军、捻军都有良好的纪律，就是反革命渠魁曾国藩、胡林翼也偶尔泄露出这个事实。苗军、回军仇杀汉人，行动残暴，但主要责任仍在满清的民族政策，苗回只负被动的责任。太平军、捻军战斗的地区，被反革命破坏到什么景象呢？照那些渠魁们说。

江南情况　自池州以下，两岸难民，皆避居江心湖渚之上，编苇结茅，棚高三尺。老幼相携，草根掘尽，则食其所亲之肉。徽池宁国等属，黄茅白骨，或竟日不逢一人（曾国藩）。

皖南及江宁各属，市人肉以相食，或数十

里野无耕种，村无炊烟（同上）。

江北情况　舒庐六寿凤定等处，但有黄蒿白骨，并无民居市镇，或师行竟日，不见一人（同上）。

江苏情况　查苏省人稠地密，大都半里一村，三里一镇，炊烟相望，鸡犬相闻。今则一望平芜，荆棘塞途，有数里无居民者，有二三十里无居民者（李鸿章）。

常州之江阴、无锡、金匮各县城乡村市，一片焦土，遍地黄蒿，行终日而不见人，偶遇二三难民，露处僵饿，旦夕待死，惨苦不堪（同上）。

浙江情况　浙江此次之变，人物凋耗，田土荒芜，弥望白骨黄茅，炊烟断绝。残黎喘息仅属者，昼则撷野菜为食，夜则就土墙以眠。有骨肉死亡在侧，相视而漠然不动其心者（左宗棠）。

江西情况　余走彭泽，东流沿江数百里，人烟寥落，不闻鸡犬声，惟见饥民僵毙道相属（周馥）。

豫东情况　东西三百余里，南北二百余里，皆无人烟，贼过之区，粮食农具聚而焚毁，轮奸妇女，即老妇亦不能免（《豫军纪略》）。

陕西情况 西同凤三府地最沃饶，今土地之开垦者十不二三，而人民之死亡者十居六七，或行数十里不见一椽一屋一瓦之覆，炊烟尽绝，豺獾夜嗥，气象殆非人境（刘蓉）。

这种悲惨的情况，是谁造进成的呢？反革命自然全部推给太平军、捻军。但是曾国藩在同治二年二月不是对满洲主子这样说么？"粤匪新兴，粗有条理，傍江人民安之若素。今则民闻贼至，男妇逃避，颗粒无收……"这里所谓今，当然指同治二年前后，咸丰一一年太平军失去安庆以后，兵力不达"傍江两岸"，颗粒无收的大破坏，明明是湘军烧杀抢掠的结果，与太平军无涉。下游方面，李秀成军纪律，外国反动者也认为"奇严"，他连宰耕牛都严厉禁止，为什么要破坏生产？江浙两省白骨如山，田园荒芜，不出于屠夫李鸿章、左宗棠，而出于禁宰耕牛的李秀成，谁能相信这种鬼话？曾国荃有"田一百顷"，"湘军将士争求从军，每破寇所虏获金币珍货不可胜计，人人足于财，十万以上资殆百数”（《湘军志·筹饷篇》），还说部下犹未大掠，这些巨大财物，难道是人民乐捐的？捻军如果是“轮奸妇女，老妇不能免”，为什么“山东民团相聚拒杀官军”，“湖北民大失望”，“直隶民患之，相约格杀，日有狠斗，戎服乘马者十余人犹不敢经行，枉杀者不可胜计”（《湘军志·平捻篇》）。难道北方人民喜欢捻军“轮奸妇女”，反对保护他们的“官军”么？

曾国藩《与友人书》说：“近年从事戎行，每驻扎之处，周历城乡，所见无不毁之屋，无不伐之树，无不破之富家，无不欺之众民，大抵受害于贼者十之七八，受害于兵者亦有二三，喟然私叹，行军之害民一至于此乎！”这些话必需改为“受害于兵者十之七八，受害于革命者亦有二三”，那就近乎事实了。

从一八五〇年太平军起义到一八七三年回军消灭，前后凡二十四年，中国本部十八省全化为战场，革命和反革命斗争的规模是空前巨大的。反革命在战斗中获得胜利的结果，社会生产力大破坏，中国进一步变为半殖民地国家，革命虽然遭受挫折，却给后人留下宝贵的革命教训。

第四章　第二次鸦片战争
一八五一年（咸丰元年）至
一八六一年（咸丰一一年）

第一节　绪言

第二次鸦片战争是第一次鸦片战争的扩展和深入。发动战争的主要原因是外国侵略者结合中国封建势力共同扑灭中国人民革命的火焰。这个火焰要烧毁满清统治，也要延烧侵略者在《南京条约》上抢得的特权。狡猾的侵略者采取战争手段来促迫愚昧顽固的满清政府觉悟到进一步结合的必要。第二次鸦片战争就是中外反革命结合过程的具体表现。

第一次鸦片战争以后，中国面对着英法美俄四个外国侵略者。满清政府却把《南京条约》叫做“万年和约”，自信是“一劳永逸之计”（道光帝批准《南京条约》的上谕）。满清政府在经济上虽然开始依赖外国（关税及鸦片非法收入），但在政治上隔离还很远，因为除了通商口岸，内地仍保持闭关政策，利用条约阻止外国势力的伸入；镇压小规模的人民起义也无须外国势力的援助。这种形势，到太平革命军占领南京才发生了变化。

四个侵略国各抱野心，待机进攻。其中英国据南方、从海岸向内陆、沙俄据北方、从大陆向海岸，扮演侵略的主角。法美从海上来，势力远不敌英国，扮演侵略的配角，四国对华情况大体如下。

英国——《南京条约》订立后，英国商人对中国市场发生异常兴奋的情绪。一个有名的商行向华输出大批刀和叉（食具），并声明它决计把这种商品供给全中国。另一个极著名的商行向华输出了大批钢琴。它们出卖商品所得的金钱，几乎连运费都不能抵偿。毛棉织品也同样遭受厄运，在开放五口的时候，曼彻斯特盲目地作了一番极大的努力，可是这番努力落空了。这个世界纺织中心的城市，陷入萧条状态中，只好希望偶然碰到机会来挽救自己。一八四七年下院曾选出一个专门委员会调查中英贸易的状况，调查的结果认为："贸易上的困难之所以发生，由于用银子来支付鸦片，使华人底一般贸易遭受巨大的损失，而丝和茶事实上则应抵偿其余商品底价值。"一八五〇年《亨氏商人杂志》上发表一篇论文说："究竟那种贸易应被取消——鸦片贸易呢，还是英美商品的出口贸易呢？"显然，华人不能同时购买毒药又购买商品，"鸦片买卖之增加和西欧工厂制造品底销路成反比例"，英国政府完全懂得这个原理，但决不愿放弃飞跃发展的鸦片买卖。它在第一次战争中，获得了充足的经验，相信战胜满清军队、强迫交出大宗权利是轻而易举的事。这种自信，鼓励它进行同样的新试验。

英政府一面尽量扩大鸦片贸易，一面竭力寻觅畅销工业的方法。它相信一种空想的公式，以为"商业的发展与开作商埠的港口数量成正比例"，因此要在南北海疆及长江沿岸开辟更多的商埠。它又相信一种实际的经验，就是英国使用政治权力和经济势力，破坏了印度的旧生产方法（印度和中国都是小农业与家庭工业合成一体的生产方法），收得廉价商品消灭手工纺织的效果。因此它害相思病似的要进广州城见总督，进北京城见皇帝，企图在广州、北京伸张自己的政治影响。最后它还相信一种惯用的办法，就是以海盗行为来辅助营业精神，向中国勒索军事赔款来弥补自己商业的入超。恰巧太平革命军到达南京，引起西方列强的震动。英国为首的外国军舰准备在上海、南京以及运河口等处安定“秩序”，借以扶助摇摇欲坠的满清政府，扶助的报酬自然是政治上、经济上各种特权。

法国——法国对华贸易，每年货船不过一、二只，说不到经济侵略。道光二四年迫满清订约，承认传教权，在海口设立天主堂，教士私入内地传教，专力进行精神侵略。它要取得内地传教的合法地位，又没有商业上的顾忌，因之侵略行动特别露骨，天主教士迅速与鸦片烟同成侵略中国的两大先锋。

美国——美国需要大量茶叶和相当数量的丝，中美订约后，每年平均输入二百万英镑的中国商品。一八五五年，输入华货增至五百三十九万英镑，输出二十七万英镑，差额极巨。支付方法是美国输送棉花至英国，英国输送布匹至印度，印度输送鸦片至中国。它的商业地位决定它对满清尽量保持伪善的温和态度，一面追随英国之后，援例要求，均沾侵略的利益。在扶助满清反对中国人民革命的时候，它的态度甚至比英国更积极些。因为英国反对中国人民革命，但也反对满清政府顽固，美国总在别国成功以后援例获得同等的利益，这样的政府它自然是满意而予以援助的。

沙俄——沙俄在地理上邻接满洲、蒙古，陆路通商有二百年历史，在外交上沙俄使臣不否认朝贡名义（从康熙年间起），与理藩院办理交涉，比英法美占极大便利。它援助满清，第一次鸦片战争后，获得航行黑龙江并在边疆区域自由经商的权利。第二次鸦片战争时，它夺取黑龙江以北的领土及东三省黑龙江南岸的大部分土地，还装做公正保护者，充当《北京条约》的中间人，勒索满清的酬谢。英国发明对待满清的方法是“华人难与说理，惟临之以威，可以惟我所欲为”（咸丰四年江苏巡抚许乃钊《奏报上海英新闻纸论文》）。沙俄利用英国采取这个海盗式的袭击方法，自己表示中立态度，使满清政府不能不向沙俄实行那些它本来不愿意实行的让步。英俄是侵略中国的两大主角，外交上沙俄却常占优势。

当时欧洲列强间相互冲突，达到那样紧张的程度，就是要动用武器和使用最后手段。欧洲各首都每日都有消息，今天说世界战争快要爆发，明天又说和平有了保证，过了一星期又说起战争来了。总之，欧洲局面是很不安的（一八五三年，马克思:《论中国的和欧洲的革命》)。太平革命的发展，不仅引起鸦片、丝、茶、毛棉织物市场的缩小，而且这种缩小将引起欧洲工商业的危机，转成革命和战争。英法美在华舰队援助满清政府镇压太平革命，同时索取各满其意的报酬，收复并扩大中国市场。它们的愿望如此，但满清统治集团分成两派，对外国的愿望意见不同。一派是顽固派，在北京以咸丰帝、恭亲王奕䜣为代表，在广东以叶名琛为代表。一派是洋务派，以曾国藩为代表，比他稍前，还有不少上海、江苏买办化的官绅，两派都是封建势力，区别只在买办成分的多寡。大抵顽固派疑忌心超过依赖心，洋务派依赖心超过疑忌心。开始顽固派掌握大权，拒绝外国援助，经第二次鸦片战争三次失败的教训，顽固派分化，一部分转化为洋务派，积极要求外国武力的直接援助。恭亲王奕䜣就是这一部分的代表人。

第二节　顽固派第一次失败——广州失守

咸丰六年九月至七年十一月

道光二九年，香港总督文翰要求进广州城，被升平社学十余万人威力制止，文翰恐惧，订约永远不进广州城。总督徐广缙、巡抚叶名琛冒功封爵，大得清政府信任。咸丰二年，叶名琛升任两广总督，自以为尊贵无比，侮辱外国人，每接交涉文书，略写数字答复，或竟不答，自称“雪大耻，尊国体”。英人受辱后谋乘机报复。

平英团、升平社学的反抗外国侵略，道光帝、耆英早就合谋，企图用会党、土匪等罪名残杀反英人民。太平军起义，以一百三乡为中心（首领李文茂），广州附近各府州县民众发展反满武装斗争。反满军有司马、先锋（太平军作冲锋）、总统、都督等军官，当是天地会采取某些太平军制度的组织（统治阶级称为红巾贼或红头贼）。它声势浩大，但不能统一行动。叶名琛利用一部分地主豪绅领导的团练，实行血腥镇压，下令各府州县：“凡通匪者，不论过去现在，一律格杀勿论。”中国第一个留美学生容闳的《西学东渐记》里有一段记载，写广州刑场的惨状，节录如下：

> 一八五五年，粤中适有一暴动，彼两广总督叶名琛者，于此暴动发生之始，出极残暴之手段以镇压之，意在摧残方茁之花，使无萌芽之患也。统计是夏所杀，凡七万五千余人（前后共杀十余万人），以予所知，其中强半皆无辜冤死。被杀者有与暴动毫无关系，徒以一般虎狼胥役，敲诈不遂，遂任意诬陷，置之死地。叶之戮人，不讯口供，捕得即杀，有如牛羊之入屠肆。刑场中流血成渠，道旁无首之尸，纵横遍地，任其暴露于烈日之下。刑场四围二千码以内，空气恶劣如毒雾。地上之土，吸血既饱，皆作赭色，余血盈科而进，汇为污池，后闻于城西远僻处觅得一极大沟渠，投尸其中，任其自然堆叠，以满为度，无需人力更施覆盖，以尸中血色之蛆，已足代赤土而有余，不令群尸露少隙也。此种情形，非独当时观者酸鼻，至今言之，犹令人欲作三日呕。

这都是容闳亲身见闻的事实。这个近百年改良主义路线的创始人也不禁“自刑场归寓后，神志懊丧，胸中烦闷万状，食不下咽，寝不安枕，愤懑之极，乃深恶满人之无状，而许太平天国之举动为正当”。叶名琛恶魔野兽般的残忍性和广东人民遭受毒手的惨苦情形，得容闳这一记载流传下来，而统治阶级的著述却把叶名琛写成“生平宅心忠厚”，“三元里红头贼起，势猖甚，公昼夜督剿，收复二十二属，疆臣负才名赫赫有建树者，公其尤也”。

叶名琛屠杀广州人民十余万人，省外各属被杀至少也不下一二十万人，平英团及其他革命势力大受摧残，李文茂等率余部攻入广西江西，响应太平军，一部分民众逃入海岛，英国海军围海岛胁降，载回香港，日夜训练，准备进攻广州。当起义军势盛时，曾围困广州城。广东洋务派勾结香港总督鲍林，建议借“洋人力御寇”，叶名琛恃有地主豪绅领导的团练，拒绝洋务派建议。鲍林眼见人民反英武力已不存在，决计发动军事行动来完成进入广州城的志愿。这种行动有英国内阁的秘密训令作根据，因之毫无顾忌，积极求达到目的。

咸丰六年九月，广东水师在亚罗号船上逮捕水手十三人，亚罗号曾购得香港英商通航证，现在期满，已无权悬挂英国旗，纯粹是中国船只，驻广州领事巴夏礼认为示威的良机到来，宣称水师违法捕人并侮辱大英国旗及领事体面，强硬要求放回十三人，并对英国谢罪，限二十四小时满意答复。叶名琛置之不理，鲍林命海军进攻省城。沿岸炮台守兵不战溃散，叶名琛号召四乡团练入城守卫。英军本属恐吓性质，并非有意开战，目的在借口面议，英官乘机进城。不料叶名琛不允英官入城交涉，又不允自己出城相见，鲍林反觉进退两难。十一月英军一千攻近城炮台，守城兵勇团练数万人出城烧十三洋行，毁灭英美法商馆。英兵烧城郊民房五千栋，退出虎门，劝法美共同出兵，压迫满清政府修改条约。

“亚罗号”事件传到伦敦，英政府乘机鼓动战争，宣称：“我们的国家遭受了很大的侮辱，我国国民在辽远的地方遭受了种种的侮辱、强迫和虐待，对于这样举动是不能置若罔闻的。我国根据条约所享有的各种权利，已被人破坏，而责在保护我国在该地（中国）的利益的人员，不仅有权利来对付这些暴力行动，而且务须采用一切办法，毅然决然来对付这些行动。”（英首相在市长、爵士宴会上演说）英首相把形势说得如此严重，但政府反对派在国会揭穿他的阴谋说：“鲍林爵士自己承认通航证没有效力，亚罗船也没有权挂英国旗。可是请注意他（鲍林）说的话：‘船当时不在我们保护之下，不过中国人不知道这一点，千万不要把这一点告诉他们。’”英国政府为什么定要扩大事态呢？《泰晤士报》正确地答复了，它说：“英国营业精神的伸张，已与闭关自守的中国社会底结构相冲突。这种行为是否合法，那种行为是否适宜，这些琐细地方都用不着提起，如英国这样的民族，要用暴力手段向软弱的不善于谋进步的民族发生来往关系。”这就是说，英国要在远东伸张势力，什么口头上动人的理由都是捏造的。

满清政府被迫订约承认外国人在商埠传教，内心异常愤恨。它希望上天保佑，神力毁灭外国的宗教和武力。道光三〇年两江总督陆建瀛等奏折，可以代表统治阶级顽固派及落后民众的心理：“五月十四日未时，疾雨迅雷，将上海洋泾滨天主堂所供十字架及耶稣木偶全行击毁，并其所存火药全行漂失。臣等查该夷欲诱我愚民，援入彼教，其居心大不可问。今大威震怒，诛其所尊，洵足褫奸夷之魄而破愚民之惑，此皆我皇上敬天勤民有以感召，臣等不胜欣幸。”雷击天主堂，当作大事奏报，咸丰帝也不胜欣幸，朱批“敬感之余，更深惭愧”，自以为真得上天保佑了。洪秀全创上帝教起义，满清君臣认“上帝会乃天主教之别名”，对外来宗教更是深恶痛绝。咸丰三年，法国马神甫潜往广西西林县传教。六年，西林县官捕马神甫及其信徒二十五人，毒刑拷打，分裂尸体，枭首示众。消息传到巴黎，法王拿破仑第三借保护教会为名，同意英政府提议，共同向中国用兵。七年，英国派额尔金，法国派葛罗为全权大臣，率海陆军出发，七月，英法联军到达香港。

额尔金投递照会，要求入城、赔偿损失、重立约章。德美领事要求酌给赔偿，并愿居间排解。英法美主要目的在压迫满清修改条约，合力攻击太平革命，军事仍带威吓性质，并非真求决战。叶名琛似乎懂得一些对方用意，密告将军、巡抚等高级官吏说：“彼但作战势来吓我耳，张同云（汉奸）在敌中，动作我先知之，我不与和，彼穷蹙甚矣。”因此不作战守准备，将三国照会一一驳斥。他在奏报中自信必胜，他说："若再不乘此罪恶贯盈之际，适遇计穷力竭之余，将要求各款，一律斩断葛藤，以为一劳永逸之计，则得陇望蜀，伊于胡底。"咸丰帝也深信"该督熟悉夷情，操纵得宜"；谕令将进城、赔款及更换条约各节"斩断葛藤，一劳永逸"。两个顽固派首领做着同样的幻梦，等候"该夷自知理屈，悔罪求和"。不料联军五千人占据河南，在城外排列大炮，提出"哀的美敦书"，宣称二十四小时后开战。城中官吏绅商恐慌，叶名琛大言"彼技已穷必无事"，"敢赴敌船谋和者按军法"。

第一次鸦片战争以来，英国侵略者一贯执行"只与官争，不与民敌，恐吓贿买督臣，使弹压百姓，俯首听从，遂能为所欲为"（御史韩锦云奏）的政策。琦善、耆英、伊里布都是替英国弹压百姓的督臣，但当时升平社学未曾分化，那些督臣不敢公然执行英国政策。叶名琛大屠杀革命人民，社学被毁，只剩下一部分团练，这种团练对人民已是反革命武装，但对英还保持一些反抗精神。兵练烧毁十三洋行后，顽固派、洋务派（洋行主如伍崇曜等都是洋务派）一致憎恶团练凶悍，叶名琛出示禁止，不准留在省城。团练见他行动诡秘，以为与英人有私，是袭用琦善等“阳剿阴抚”的旧法，“纷纷解体，各谋自卫之计”(《中西纪事》)，广州成不设防城市。叶名琛认为不用团练守城，就不会惹起英军攻城，自己守定“通商而外，概不商量”的方针，敌人必穷蹙自退。所谓“不战不和不守”是他理想的外交办法，空城是他理想的外交场所，而这却正是联军的进攻对象。

咸丰七年十一月，联军发炮攻破城墙，叶名琛逃匿。将军穆克德讷、巡抚柏贵竖白旗投降，联军入城，俘获叶名琛，送往印度，囚禁中毙命。

广州事变，证明了残杀人民二三十万、“才名赫赫”的虎狼，在外国侵略者面前，必然变成逃匿和当俘虏的犬羊。穆克德讷、柏贵投降敌国，以合作名义，在英法委员三人监省下，出告示“弹压城内外军民”(穆、柏等人《广州失陷奏折》)，收缴民间武器，禁止人民反抗运动，这又证明了统治阶级不论独作合作，总是尽力反人民(穆、柏等自称“安民”)，决不会放弃自己的天职。同时，人民反抗运动绝不因压力加强而低落，相反，反抗愈益普遍和深刻化。

第三节　顽固派第二次失败——《天津条约》

咸丰八年三月至十月

英法美通商传教权利主要在上海，因此都反对太平革命势力到达长江流域。英国商业最大，暂时采形式上的中立，观望变化，以便双方取利。美国商业较小，顾忌较少，助满态度也较积极。法国企图取得内地传教权，竭力讨好满清，态度最露骨。两江总督杨文定奏折说："上海通商各国，惟米利坚为最恭顺，此次贼匪窜扰，经吴健彰约会，即发火轮船前来助剿，旋因搁浅转回，至法兰西则专以传教为事。英吉利又强悍诡谲，惟利是视。该夷畏贼焚掠，欲与言和，但该夷总以胜负为从违。"（咸丰三年三月奏）这正是太平军初到南京时三国的态度。洋务派使用各种媚外卑劣手段，请求援助，各国也或明或暗提出报酬条件。下列材料可看出当时江苏上海洋务派的卖国活动及外国的侵略野心。

咸丰三年三月，刘丽川在上海起义。江苏巡抚吉尔杭阿谋于各国领事。法兰西提督辣厄尔首请助战。又商得英美领事同意，让出进攻道路。四年，清兵水陆并进，法兵发大炮相助；起义军冲击陈家木桥，洋兵与清兵并力防御。五年，清兵攻城东南，法兵攻城北，上海陷，刘丽川被杀（《中西纪事·借助夷兵克复上海档案》）。

四年五月，英公使鲍林、提督赐德龄晤吉尔杭阿，“据该酋口称，上海贼久未平，以致英国贸易滞销。兹愿将贼党驱逐，无论送往何处，不必过问，即将城池交还贵国”（江苏巡抚许乃钊奏）。

闰七月，“米利坚夷酋麦莲勒毕唵口称，伊国情愿随同官兵从上海起，一路剿灭逆匪，开通长江。如上海等处有一匪未平，即不敢越次而进”。又口称，“倘蒙钦差大臣指给地方贸易（镇江、南京、汉口）。其他如有贼匪，必当随同驱除净尽，并饬洋商补交旧税，以备军饷”（吉尔杭阿奏）。

八月，鲍林提出英国修约说帖，第九条是“彼此会同设法，肃清海滨盗匪（指太平军）”。

七年，英吉利致两江总督何桂清照会：“贵境沿海贼匪势甚鸱张，有妨商务，本国甚愿襄助荡剿，消除其患。”

这些“助剿”的代价是很高的，就是要消灭内地的闭关政策，开放中国全部。条件主要部分（也是满清政府最怕的部分）是：（一）各国公使驻扎北京；（二）开辟沿海（包括天津）及长江商埠；（三）内地自由游历（包括传教）；（四）修改条约。吉尔杭阿为代表的洋务派主张承认一切要求。他在当时被看作外交模范，两江总督何桂清致直隶布政使钱炘和信里传授他的外交秘诀，先批评顽固派的外交方法说："英夷于咸丰三年，见我内地多故，即起戎心，经吉雨山折之以理，慑之以气，而又推诚以结之，故能转为我用。其推诚之法，必先破其疑团。该夷之最疑者，中华大吏不将其苦哀据实具奏。因凡有关涉夷务事件，只奉寄谕，不奉明发。而准行事件，亦作为承办之员意见，代为乞恩，非由该夷求请，故不感激而转疑中华大吏一味蒙蔽圣聪也。"何桂清认为顽固派那种不诚的办法，不会换得外国的"感激"，要得外国的"感激"，必须学吉尔杭阿推诚的办法："吉雨山廉得其故，遇有可行之事，即告以据实代奏。其不可行之事，则告以尔等欲我代奏，不能不奏，然一经代奏，大皇帝必将我革职治罪。我等相好，将此顶纱帽结交朋友，无甚要紧，但不知尔等安否？该夷以为不欺，尊之曰吉大人，而中心诚服矣。”这样摇尾乞怜的丑态，说得如此妙用，其实只是一个“准”字（一切承认），所谓“准则俯首听命，不准则为所欲为”，与其为所欲为后还是准，不如准了免得为所欲为，这是洋务派自觉比顽固派高明处的所在，也正是多数顽固派人后来转化为洋务派的原因。试看吉尔杭阿的外交！咸丰四年，英法美提出公使驻京、开辟商埠等十八条，吉尔杭阿奏称：“夷情狡诈暴戾，凡有所求，必得乃止。”又替三国解释说，“若云助逆犯顺，则长江现为贼踞，何妨借此横行，而乃赴粤赴沪并赴天津，必待请命而行，似又并非恶意”，结论是“夷情如此恭顺，不妨曲示包荒，许其所请”，以免“该夷心未惬服，终恐别滋事端”。照吉尔杭阿等洋务派的主张，咸丰三、四年满清就和侵略国结合，共同进攻太平军，来绞杀革命了。可是当时掌握决定权力的顽固派，别有一种主张。

顽固派首领咸丰帝与他的胞弟恭亲王奕䜣都是生长皇宫、极度自高自大的纨绔子。他们首先要保守“天朝”的尊严；第二要维持内地的闭关政策；第三是旧怨不能忘怀；第四是疑忌外国与太平军勾结，不信他们肯实心助战。顽固派这种思想产生一切“不准”的外交方针，在屈服于侵略者为所欲为以前，它做着很多扩大灾祸的事，表示充分的愚蠢无知。

满清以小民族统治中国，用绝对严格的“礼”作为统治汉人的重要工具，外国人不跪拜中国官吏，尤其是不跪拜中国皇帝，在满清政府看来，实在是莫大的危机。广州、北京拒绝外国人进城，主要为了总督衙门与宫殿里有了地位平等不必跪拜的“夷人”，无异宣示“天朝”尊严的丧失。咸丰帝训示叶名琛，要他“接见夷酋等（英美公使）仪文，仍当恪守旧章（外国贡使免冠拜伏，屏息待命），无得以该夷等有相待稍优之请，稍涉迁就，以致弛其畏惮之心”（咸丰四年），叶名琛傲慢招祸，这个训示也是一种原因。咸丰九年上谕规定，英法美公使入京换约，“照外国（朝贡国）进京之例，不得坐轿摆队”，后来美公使要坐轿入京，伴使力劝骑马，最后改为乘车，到京后宣称美国“入觐”，企图诱行三跪九叩首礼，美公使谢绝进宫，国书交伴使转递，匆匆出京。满清自以为外交上胜利。一〇年，何桂清奏称接见“英酋普鲁斯”。咸丰帝痛斥说：“清朝臣子有如是者耶！虽将汝抵法，朕实赧颜，何以对天下臣民。”联军进攻北京，咸丰帝谕怡亲王载垣说：“巴夏礼欲来求见，恐该夷以宾礼自居，长其骄傲，着该王大臣勿庸接见，以崇天朝体制。”他逃往热河，还谕示奕䜣说：“现在抚局难成，人所共晓，派汝出名与该夷照会，不过暂缓一步，将来往返面商，自有恒祺等，汝不值与该酋见面。”《北京条约》订立，群臣奏请回京，他谕称：“各国尚有首领（公使）驻京者，且亲递国书一节，既未与彼等言明，难保不因朕回銮，再来饶舌。”他这样拒绝与外国人见面，外交上起许多风波，所争只是拜跪礼。他原想用拜跪使外国人畏惮“天朝”，结果反因不拜跪使“天朝”畏惮外国人，“智浅而欲轻人，力弱而欲伏人”（赫德：《局外旁观论》），就是顽固派保守“天朝尊严”的一点可怜的伎俩。

闭关政策是满清统治的精髓。它不愿外国人游历内地，尤其是传播宗教，破坏政治的文化的闭关，严重地威胁封建秩序。清初杨光先著《不得已》书，在文化闭关的观点上攻击天主教说：“天主教不许供君亲牌位，不许祀祖先父母，真率天下而无君父者也。”南京订约以后，教士入内地传教，尤引起顽固派仇视，说教徒毁祖先神主是吞食狂药，教徒同堂礼拜是男女淫乱。三纲五常的旧礼教与外来宗教不断发生冲突。在政治闭关的观点上，杨光先也预言道："天主教著书显言东西万国及我伏羲与中国之初人，尽是邪教子孙。异日者设有蠢动，还是子弟拒父兄乎，还是子弟卫父兄乎？卫之义既不可，拒之力又不能，请问天下人何居焉。"南京订约以后，民教相仇，洋教士保护教徒，自成一个政治势力，"犹之一国之中，有无数敌国而自专自主者"（《总理衙门与各国大臣商办传教条款》）。太平军起义，顽固派更证实外国宗教的危险，因之绝对拒绝开放内地的要求。

英国侵略最露骨，顽固派对它仇恨也最大。咸丰帝定出待遇四国的态度："俄夷与中国和好多年，自宜先行接见，待以宾礼。美酋并未助恶，亦可假以词色。法国于咸丰四年，在上海助我剿匪出力，若能改悔，当念其从前恭顺，曲从宽恕。英夷首恶，断难宽容，将来广东一口，必不准其贸易。"满清与英国关系恶劣，待遇条件悬殊，障碍着双方的接近。

英国对太平军暂守中立，引起满清的疑忌；又出版

《遐迩贯珍》一书，“杂识时事，语合讥刺，而于杨逆所作所为，反称其颇有法度，尤为狂悖”（咸丰四年许乃钊奏）。这更加强了满清的疑忌。英美要求开放长江，满清看作命运的关键，决不肯通融。咸丰四年，上海英法美公使率兵船开往天津，咸丰帝得报，不防备天津海口，却“恐鬼蜮伎俩，声东击西，夷船闯入江口，致与贼匪勾结”，令江苏文武官“密为防范”。八年，钦差大臣桂良奏报：英船入江，决不至于滋事；他批斥道：“不滋事必至勾通，设若不回，何以处之。”奕䜣也以为“逆夷要求各款，尤关利害者，莫如江岸通商一节”，主张调兵决战来阻止要求，以免“后日追悔而无及”。顽固派不信英国肯助战，英国要先得报酬后助战，疑忌阻止了反革命的迅速结合。

除上述四条以外，还有一条外交障碍，就是满清政府讳言条约，从皇帝到大小官吏，不愿看或看不到条约原文。正如何桂清所说：“查道光年间在江宁所定者谓之万年和约，系一成不变之件，在广东所定者谓之通商章程，载明十二年后酌量更改。历来办理夷务诸臣，但知有万年和约之名而未见其文，以至误将章程作为万年和约，徒以口舌争辩。”外国说十二年期满，应修改条约；满清说万年和约，一成不可变。外国以为痴人说梦，满清以为无理要挟，两方永不能合拍。这五条的存在，侵略国无法循外交途径达到改订条约、增加权利的目的，惟一方法，只有“临之以威，为所欲为”，用武力来解决问题。

英法占领广州后，想乘势迫清政府改订约章，俄美也趁火打劫，于是四国公使会商，联名致书清政府。大学士裕诚分别照会四国公使，以英法美三国交涉委之两广总督，俄国交涉委之黑龙江办事大臣。时英法公使集合在上海，得裕诚复书，不能满意，遂决定率联军北上。

咸丰八年英法联军到达大沽口，美俄两国借“从中调处”名义同来，向直隶总督谭廷襄投递照会。咸丰帝还看作“伸诉冤抑，前来乞恩”，令英法“交还广东省城，送还叶名琛，真心悔过，方能逐款定议”，否则，“除举兵攻城（广州）外，仍令五口绝英法两国通商”。他是完全在梦境中，以为可以吓退英法。四月，联军炮击大沽口，海岸守兵战败，联军占领天津城，咸丰帝才大惊，先后派桂良、花沙纳、耆英往天津议和。他的办法是“着桂良、花沙纳先行拒绝，于该夷续请各事，概勿轻允”，然后让投降派老手“耆英出为转圜，则该夷自当深信耆英，不致推托”。不料耆英被英人斥逐，狼狈逃回北京。咸丰帝计划失败，把耆英杀死泄忿。旁的办法他是没有的，英法宣称要带兵进京，他赶快承认全部条款，仅附带一个要求:“公使驻京，一切跪拜礼节，悉遵中国制度，不得携带眷属。”这种无聊的要求，桂良自然不敢向英法提议，英国提出五十六条，法国提出四十二条，迫令桂良、花沙纳用印画押。中英、中法《天津条约》成立。美俄也得订立了满意的条约。《南京条约》是不平等条约的开始，《天津条约》是不平等条约的加强。中国人民就是这样被满洲统治者出卖了。

《天津条约》的主要条款:（一）公使驻北京，用平等礼节;（二）开放牛庄、登州、台湾、淡水、潮州、琼州、汉口、九江、南京、镇江为通商口岸，海关雇用外人;（三）耶稣教、天主教得入内地自由传教;（四）外国人得往内地游历;（五）中外人民争讼事件由领事官会同中国官审办;（六）修改税则;（七）减轻商船吨税;（八）外国兵船得游弋各通商口岸;（九）对英国赔款四百万两，对法国赔款二百万两；（十）享最惠国待遇。当时英法人所能写出的条件，“一字不改”的取得了。规定次年在北京交换批准的正式条约。英法军退回上海，与桂良、花沙纳订定税则:（一）承认鸦片为合法贸易，改名“洋药”，每担收税银三十两；（二）除例外（丝茶、鸦片称例外）免税（外国人用品免税）两项外，进出口货物一律按时价值百抽五征税；（三）洋货运销内地，按市价抽百分之二点五子口税，免缴厘金和常关税。在这种税则下，中国新式工业不可能发达，旧工业必然大破坏。经济上决定了半殖民地的地位。

咸丰帝等待联军退出天津，又恢复皇帝的威风，严令桂良、花沙纳“激发天良，力图补救”，取销“公使驻京、内江通商、内地游行、赔缴兵费”四条，以“全免税课”为交换。他不惜放弃每年数百万两的关税收入，不是不爱钱，而是决计强迫人民来补偿。桂良等不敢向英法交涉，奏称有十可虑，其中如“不税于夷，必税于商。且我虽税于商，该夷总以为税从货出，必至饶舌”；“既免夷税之后，而中国又收烟税，恐夷人笑我因有烟税之利，而始免其纳税，转致得所借口”。桂良指出夷人仍要饶舌，打破了他的幻想。但是他决不肯甘心，密谋“不动声色，使之不疑，先将天津海口预备齐全，候其来年赴京换约，聚而歼之”。十月，洋务派两江总督何桂清深知前途危险，劝他慎重，说：“兹事重大，非徒尚意气及空谈经济而无实用者所能任事，恐一误再误，必至不可收拾而后止。”这个蠢悍的顽固派首领当然不听，朱批“朕思迟则有变，莫若先发以制”，积极准备来年“聚而歼之”的大阴谋。

第四节　顽固派第三次失败——《北京条约》
咸丰九年五月至一〇年九月

大沽和北塘是天津两个重要海口，咸丰帝令僧格林沁率东三省蒙古骑兵设防大沽，布置相当周密，北塘只留兵丁数十名看守炮台，等于不设防，指定换约公使由北塘登陆进京。这种行动不能用军事理由来解释，纯属专制主义“顺我者生，逆我者死”的表现。他在被迫屈服、签订条约以后，想争回一些“天朝”体面，第一步要换约公使服从走北塘的命令。第二步按照朝贡国旧例，公使进京，“所带人数不准过十名，不得携带军械，不得坐轿摆队，换约之后，即行回帆，不许在京久住”。第三步，见皇帝行跪拜礼。何桂清奉旨向英公使商量，答复是“见大皇帝只肯跪一腿”。他定要跪两腿，警惕了英法公使从事武力准备。

英法方面感到争议跪拜的预兆，知道要用武力保护换约。额尔金致水师提督西穆尔电，请他“集中充分雄厚的巡江舰队于上海，护送公使普鲁斯由白河（大沽口）进京”，就是说，准备与咸丰帝的“逆我者死”作斗争。

咸丰九年五月，英法公使率兵舰到大沽口，直隶总督劝公使改走北塘，不听。联军进攻炮台，双方接仗，结果联军完全失败，英战舰三艘沉没，死伤四百六十四人，法人死伤十四人，英舰队长贺布也受了伤，联军逃出大沽口，退回上海。败报传到英国，政府党（自由党）报纸大肆咆哮，“一致要求实行充分的报复”。例如《每日电讯》主张“大不列颠应攻打沿海各地，占领京城，将皇帝逐出皇宫，并得到物质上的保证，担保以后不发生袭击”。“无论如何应该实行恐怖手段，应该教训华人重视英人，英人高出于华人之上，英人应成为华人的主人翁。我们应永远占领广州，作为我们远东商业的中心，来抵抗俄国在东三省边境所已得的势力，并奠定新领地的基础”。英政府虽然如此狂妄，侵略野心充分暴露出来，但它并没有足够的力量进行大规模侵略战争。首先是保守党借口反对战争，力谋倒阁。第二英军占领茶叶输出地广州，一八五七年英国茶叶进口减少了二千四百万磅，因此商界害怕由战争引起的商业停顿普及到上海及中国其他各商埠。第三印度常起纠纷，使英国不断地感受不安。第四准备欧洲发生战事，不敢向远东多派援军。第五怕满清投到沙俄方面，如果逼迫过甚。更重要的是满清政府崩溃后，无法勾结中国全部封建势力共同镇压太平革命。英军在广州宣称兴兵报仇，观察中国方面情势。上海商人议捐银二百万两给英军，请勿再举。英法公使借此转圜，照会通商大臣何桂清：“若事事遵八年原约（《天津条约》），即可罢兵。”何桂清奏请息事。不料咸丰帝自以为大胜，下谕说：“所有八年议和条款，概作罢论，若彼自知悔悟，必于前议条款内，择道光年间曾有之事，无碍大体者，通融办理，令其有以回报本国，仍在上海定议，不得率行北来，倘再有兵船驶入拦江沙者，必痛加攻剿，毋贻后悔。”英法看到《天津条约》的一切果实，忽被从手里抢去，只好决心一战。

咸丰帝令僧格林沁撤北塘防队，专守大沽，希望英法服从命令，从北塘进京朝贡。一〇年六月英军一万、法军八千攻大沽，分兵登陆北塘，攻大沽后路。咸丰帝又恐慌起来，他那种迫切讨饶的懦怯心情对照前些时妄自尊大的强蛮态度，活画出顽固派的标准模形。他督促直隶总督恒福赶快“照会该夷进京换约（即‘概作罢论’的《天津条约》），不可任令委员借口风浪不顺，畏葸不前。倘再贻误事机，致令大局决裂，惟恒福是问。该总督当仰体朕心，曲为开导，以顾大局，是为至要”。七月初，僧格林沁军崩溃，逃回通州，天津陷落。联军提出开天津为商埠，赔兵费二百万两，公使带兵进京换约，长驻京城等条件，并不乘胜直追。咸丰帝令桂良、恒福等往天津交涉，承认天津开商埠以交换公使驻京一款，理由是“天津已在该夷掌握，通商一层，许与不许等；公使驻京断断不能应许”。赔兵费、带兵换约二条绝对不许，说“以上二条若桂良等丧心病狂，擅自应许，不惟违旨畏夷，是直举国家而奉之。朕即将该大臣等立置典刑，以饬纲纪，再与该夷决战”。这当然是些梦话，桂良回报说：“该夷恃其兵力，于所请各条招巴夏礼会议，丝毫不容更改。”英法军向通州进军，他派怡亲王载垣到通州承认一切条件，但公使见皇帝必须跪拜。会议以逮捕巴夏礼而破裂。他谕令僧格林沁坚守通州，自己准备逃往热河。临逃前下了一道“朕今亲统大师，直抵通州，以伸天讨而张挞伐”的上谕，表示并不“畏夷”，一面召开御前会议，暗示大臣们阻止亲征。他依据众议，又下“坐镇京北”（热河）的上谕，说“将以巡幸之备，作为亲征之举”，换句话说，“我要把逃走当作亲征”，多么不像人说的言语。

联军进攻，满清兵船沿路溃散。八月初，联军到北京城外，顽固派第二首领奕䜣到长辛店藏匿。联军入北京，派兵抢掠圆明园，又把它放火全部烧毁。满洲统治者吸取中国人民的无限血汗，经营二百年，综合中西建筑术，聚及古今艺术品，造成全世界少有的壮丽宫殿，咸丰帝整年在园里度着荒淫无耻的生活，经联军烧抢，顿成白地，文化上的损失是无可计算的。

联军一切都满意了。英国提出九条条款，法国提出十条条款，只缺一个签字人。咸丰帝任命奕䜣为钦差全权大臣，这个主战最力的顽固派首领，不敢出面见“该夷”，从中取利的俄公使，自任保护人，奕䜣才敢出来画押盖印。咸丰帝立即顺从英法的要求，批准公布条约全文，饬各省督抚按照办理，并下谕说：“所有和约内所定条款，均着逐款允准，行诸久远，从此永息干戈，共敦和好，彼此相安以信，各无猜疑。”中英、中法《北京条约》成立，中国又被满清政府出卖一大批权利。

《北京条约》规定：（一）开天津为商埠；（二）准华民赴英法属地或外洋别地工作，满清出卖人民当奴隶，替英法服苦役，开发殖民地，英法从此合法诱拐“猪仔”，数百万穷苦人民在海外牺牲了生命；（三）割让九龙为英领地；（四）交还教产于天主教堂，当翻译的神甫私增“教堂在各省租买地产建造自便”条文，奕䜣也一概承认；（五）赔偿英法兵费各八百万两，恤金英国五十万两，法国二十万两，赔款由各海关税收内扣缴，海关更进一步落入外人手中。十月英法联军退出北京。

两个出卖中国的顽固派首领又恢复“天朝”尊严了。咸丰不肯回京接受英法国书，下谕说：“此次夷务步步不得手，致令夷酋面见朕弟，已属不成事体，若复任其肆行无忌，我大清尚有人耶！”奕䜣讥笑额尔金坐轿出京，奏称：“沭猴而冠之状，殊觉不堪入目。”背着外国人说些大话遮掩自己的羞辱，也算阿Q们得了胜利。

第五节　一部分顽固派向洋务派转化——所谓同治中兴

太平军起义以后，满清政府完全依靠汉奸曾国藩之流替他支持。这些汉奸在反革命内战上表示对满清绝对忠实。当北京危急的时候，咸丰帝飞召南军勤王，要曾国藩等各挑二三千名勇丁北上，上谕严厉地说：“勿得借词延宕，坐视君国之急。”不料曾国藩拒绝派兵，直截教他“抚夷”。当然，咸丰帝是早就希望投降的，但在调兵不服从这一点上，他就感到空虚了。满清在北京养大批满蒙兵丁，号称“八旗禁旅”，从来不出仗，对汉人保持天兵无敌的假声名。“今观天津通州之役，一战而蹶者十之二三，不战而溃者十之六七，是满蒙之众，非但不可以龙兴（清初侵入中国）例，即求如闽粤川楚之绿营亦相去甚远”(《中西纪事》)。与曾国藩等汉奸军尤其无法相比，这又使他感到更大的空虚。用什么力量来反抗太平革命、维持对内统治呢？只有依靠外国侵略者的援助。

顽固派排斥外国，主要由于自大与疑忌。皇帝不接见各国公使，仍是自大排外的表示，但跪拜的争议却因此和缓。疑忌的中心，第一是公使驻京；第二是内江通商。事实证明洋人在京并无“粤东囚掳重臣，是其前鉴，肘腋之变，可为寒心”的那种危险；长江开埠，且有“助顺剿贼”的极大利益。其他行事，很多使统治阶级喜出望外，如“洋人入京，不伤毁我宗庙社稷”，可灭不灭，实在是“大德”(曾国藩语)；洋人管理海关，每年收税数百万两，交满清政府充军饷，可吞不吞，实在是“公平”(桂良语)；“观其不敢害叶名琛，知有畏惧天朝之意，观其仍肯交还广东，知无占据地方之心”，实在是“并非有深谋诡计”(桂良语)；逆夷贪利逞强，然以贸易为性命，并不利我土地人民，与内地逆匪盗兵作乱者不同”，要求各款实在是“可以信义笼络，驯伏其性”(奕䜣语)。满清对外国虽还有疑忌，那都是次要的，从重要处说来，信赖代替了疑忌，可以安心接受外国的援助了。

顽固派转化为洋务派，在政府主持中外合作反太平军的是奕䜣，在地方实行的是曾国藩、李鸿章、左宗棠。洋务派也输入一些外国工业（军需工业），与当时改良派创始者容闳的主张截然不同。洋务派制造船炮，目的在镇压革命，并无对外国自卫的企图；办同文馆等，目的在培养译员买办，只求能应对外人，并翻译某些书报。中学（封建专制学说）为体，西学（格致天算学）为用，是洋务派一贯不变的方针。至于改良派，是不甘心中国永远落后，要求讲“富强之故”。容闳曾向太平天国建议七条：（一）依正当的军事制度，组织一良好军队；（二）设立武备学校以养成多数有学识军官；（三）建设海军学校；（四）建设善良政府，聘用富有经验之人才为各部行政顾问；（五）创立银行制度及厘订度量衡标准；（六）颁定各级学校教育制度，以耶稣教《圣经》列为主课；（七）设立各种实业学校。以上七条除“《圣经》列为主课”一条专为太平天国立言，其余各条，可看作改良派的一般政纲。改良派目的在走资本主义的道路，与洋务派走殖民地的道路截然不同。但它注定了失败的命运，首先是不认识中国已是半殖民地，外国侵略者不允许资本主义的发展；其次是希望结识中国达官，“庶几得行予志”，而这些达官非顽固派即洋务派，有意或无意地反对资本主义。宏闳结识曾国藩、李鸿章的效果，只是做了购办造船机器及派遣被顽固派严格管束的留美学生两件事，来替洋务派服务。第二次鸦片战争以后，改良派开始以动摇依附的姿态出现，而洋务派则成为与顽固派平分政权的统治者。它在外国支持下反革命成功，被称为“同治中兴”。

洋务派的设施，不外“设外交机构”、“借洋兵助战”、“自强”三类。严重的结果也有三个：一个是加深殖民地化，一个是加深人民的灾难，一个是加深满汉统治阶级的裂痕。

设外交机构　满清对南方藩国的制度是北京设礼部，管朝贡事务（北方藩国属理藩院）。贡使先到广州，粤督抚坐大堂受免冠拜伏礼，粤督抚派人伴送到礼部，由部官引贡使带贡表到午门行三跪九叩礼，皇帝命礼部设宴，礼毕回国，不得在京逗留。欧美通商国当然不肯受跪拜的屈辱，满清也当然不肯受不跪拜的屈辱，因此广州督抚拒绝会见及接受禀帖，一切由十三洋行转达。中外纠纷以至引起战祸的这样一个小节，在当时却看作“国体攸关”的大事。《北京条约》以后，各国公使驻京，满清不愿机密性的军机处有外人往来，又不能用礼部、理藩院名义办理交涉，咸丰一〇年特设“总理各国事务衙门”（即理藩院化名），作为外交机关，奕䜣、桂良、文祥三个满洲贵族掌管外交权。以前只有两广总督一人出面办外交，现在组织扩大，北京总理衙门下设南北洋通商大臣。北洋大臣驻天津，管牛庄、天津、登州三口，地位最高。南洋大臣驻南京，管长江及山东以南各海口，职权极大。南北洋大臣照例由直隶、两江总督兼任，两督位置，又几乎照例归湘淮军阀专有。军阀官僚买办混合体的南北洋大臣，势力远比贵族官僚买办混合体的总理衙门强大，这是因为外国侵略者赞许“精明”的南北洋大臣远比昏聩的总理衙门能办事，扶助他们权位的提高。汉族军阀政权，开始了对满洲贵族政权的分裂运动。

与总理衙门设立同时，奕䜣开办同文馆。学生资格限八旗十三四岁以下儿童；教习资格取广东、上海通英法美文字语言、诚实可靠的商人；学业程度定“俟八旗学习之人，于文字语言悉能通晓，即行停止，奏请优奖”。他这样拒绝汉人参预外交，引起汉人反感，到同治元年还请不到教习，只得忍痛聘请英国人包尔腾教书，年薪一千两，另有汉文教习兼暗中监视洋教习一员，年薪只九十六两。学生总数共十名。这个小书馆，实际进行的是崇拜洋人、贱视汉人、放任满人骄惰的教育，每年经费数千两，不曾造就翻译的技能，却养成买办的精神，这些学生若干年后都担任外交要职，成为满洲籍的洋务派。李鸿章以“上海，广东两口交涉事件较多，势不能以八旗学生兼顾”为理由，援同文馆例，在上海设“外国语言文字学馆”（广方言馆），考选江浙一带十四岁以下文童及年轻小官吏入馆，聘中西教习课中西语文，学生出路是“承办洋务”（充当通商督抚衙门及海关监督翻译官），及翻译“测算之学、格物之理、制器之法”。不久广东也设学馆。上海广东两馆也比北京馆发达，南方洋务派压倒满洲派，满清独占外交权的计划，又归失败。

借洋兵助战　满清在外交上最痛心的是公使不肯跪拜，最欢迎的是洋兵助内战。《北京条约》以前，外交主题在争跪拜，表示可笑的骄傲；《北京条约》以后，外交主题在争助战，表示可耻的卑谄，转捩点在咸丰一〇年九月签订《北京条约》的那一天。

在签约宴会上，法公使葛罗宣称："愿于海口助中国剿贼，所有该国停泊各口之船只兵丁悉听调遣。"沙俄公使也面见奕䜣说："发逆在江南等处横行，请令中国官军于陆路统重兵进剿，该国拨兵三四百名在水路会击，必可得手。"英公使因与太平天国约定一年内各不侵犯，不表示意见，咸丰帝谕曾国藩等共同商议。曾国藩首先赞成，以为"借助夷兵，事属可行"；别一派军阀袁甲三（在河南攻击捻军）坚决反对；以为"有害无利，必不可行"。咸丰帝动摇不决，令奕䜣探英国公使态度。英国新得巨大利益，要全力开发新商埠（主要是汉口），对天国取军事防御，暂不进攻；它又不愿俄法积极助战，额外取得满清新报酬，威吓奕䜣说："剿贼本系中国应办事件，若借助他人，不占踞地方，于彼何利？非独俄法克复城池不肯让出，即英国得之亦不敢谓必不据为己有。"这把咸丰帝吓倒了，密谕上海官绅说："若肯受雇助剿，只可令华夷两商自行经理，于大局或可有利无弊。”美国流氓华尔的“常胜军”，就根据这个密谕组织起来。

咸丰一一年，英国变更态度，一面对奕䜣表示“太平军断无成事之理，而湘楚各军船炮不甚坚利，恐难灭贼”；一面由英人赫德建议鸦片新税法（纳税后贩至无论何处销售，免纳厘金），每年可增加收入数十万两，购买英国小火轮。它这一狡计，包含笼络满清、贩卖船炮、扩大鸦片销路三种利益。法国要求均沾利益，代购船炮，奕䜣允许英法各买一半。奕䜣自以为外交成功，向咸丰帝报功说：“臣等自笼络英法以来，目前尚称安静，似可昵而就我。若乘此机会，中外同心，以灭贼为志，不难渐次扫荡。”又说：“失此不图，战势既难逆料，即英法之笼络，亦恐无以善其后。”那种迫切求助、奉侵略者如神圣的卑劣心理，真使人见之作呕。咸丰帝自然极为欢喜，令“该督抚等（曾国藩等）悉心妥议，期于必成，不得畏难苟安”。曾国藩也“称为救时第一要务”，招募水勇，准备接受。后来在奕䜣、曾国藩、李鸿章三人间发生权利冲突，咸丰帝与奕䜣的一场欢喜落了空。

法国军队助满清最积极，前后战死提督三人，引起英军的猜忌。“常胜军”将弁多美国人，英军表面帮助一些军火，但暗中谋夺取领导权。同治元年李鸿章到上海筹备“会剿”，英领事表示“不令伊国派员会带，即将外洋火器取回，恐此军亦归无用”。李鸿章很害怕，说：“‘常胜军’初立战功，仅赖几件炮火，何伯（即贺布，英舰队司令）华尔等拼凑而成，其勇并非精强也。”（李鸿章：《致曾国藩书》）。华尔在慈溪战死，美人白齐文代作管带，英领事指使大商人杨坊不发军饷，“常胜军”哗变，白齐文免职。同治二年，英人戈登统率“常胜军”，英国才积极参加反太平军战争。法国在上海失势，到浙江助左宗棠组织“常捷军”。李、左两大军阀，借英法武力攻陷江浙两省，被称为“中兴名将”，实际是英法的两个傀儡。曾国藩是英法美共用的傀儡，他不专靠一国，因此有资格当傀儡的首领。外国侵略者找到了湘淮军阀，北京的奕䜣被冷淡了。英公使威妥玛批评总理衙门说：“总署向来遇事总云从容商办，究是一件不办。说来说去，无非空谈。”

自强 奕䜣《请设总理衙门奏折》里说：“臣等就今日之势论之，发捻交乘，心腹之害也；俄国壤地相接，肘腋之忧也；英国志在通商，肢体之患也。故灭发捻为先，治俄次之，治英又次之。”这里所谓“治俄”、“治英”，都是装点门面的话，只有“灭发捻”才是代表满清统治阶级的实话。不过他还有一句代表满洲贵族的话不便说，就是“治汉为先之先”。《北京条约》以后，满汉洋务派都谈“自强”，奕䜣所谈的是治汉的“满洲自强，”曾左李所谈的是利己的“军阀自强”，“自强”目的都在壮大本集团的力量，镇压人民革命。他们“自强”的程度，决定于所得外国侵略者援助的多少。

在《北京条约》签字的宴会上，法公使葛罗说：“法国洋枪炸炮等件，均肯售卖，并肯派人教导铸造各种火器。”俄国公使对奕䜣说：“俄国愿送鸟枪一万杆，炮五十尊。”奕䜣听到这些话，喜出望外，奏请“分给八旗兵丁，即行演习”。原来俄法都是空谈，奕䜣受愚弄，空拟了一个“训练旗兵”的计划。同治元年李鸿章在上海“购买外洋枪炮，设局铸造开花炮弹，以资攻剿，甚为得力”（同治四年，李鸿章：《奏置办外国铁厂机器折》）。同治二年，奕䜣看到李鸿章设局造炮弹业有成效，派旗人四十八名交给李鸿章，“专令学习外洋炸炮炸弹，及各种军火机器与制器之器”。他抱着这样大的希望，派去学生却都是些愚惰的旗丁，训练旗兵计划第二次落空了。他在奏折里说：“查治国之道，在乎自强。自强以练兵为要，练兵又以制器为先。此项精秘之器，京营学成后，只可推之各省驻防旗兵学制，缘旗人居有定所（难道汉人居无定所？）较易防闲。仍禁民间学习，以免别滋流弊。”奕䜣不懂得外国各自扶助地方的军阀傀儡，北京政府背后并无可靠的外援，“自强”必然失败，治汉野心只能加深满汉统治阶级的裂痕。

“军阀自强”的基础是取得船炮。李鸿章首先到上海，也首先学制火器。他说：“深以中国军器远逊外洋为耻，日戒谕将士虚心忍辱，学得西人一二秘法，期有增益。若驻上海久，而不能资取洋人长技，咎悔多矣。”（同治元年《致曾国藩书》）他要学得一二秘法，不惜重资雇洋人数名，分给各营教习；又募外国匠人，由香港购办制炮器具；又托英法提督各代购大炮数尊，自本国寄来（同治二年《致曾国藩书》）。他自信“若火器能与西洋相埒，平中国有余”，请曾国藩提倡制造枪炮轮船。李鸿章依靠英国侵略者，在军阀中是洋务先进。他的“自强”论被洋务派推崇和遵行。他说:“中国欲自强，则莫如学习外国利器。欲学习外国利器，则莫如觅制器之器，师其法而不必尽用其人。欲觅制器之器与制器之人，则当专设一科取士”（同治三年《致总理衙门书》）。设学馆培养译书人才，江南机器制造局附设译书局，比奕䜣的办北京同文馆，目光确是比较远些。奕䜣被他提醒，在同文馆内添设天文算学一馆，学生资格限于翰林、进士、举人、贡生那些八股专家，自然毫无成就。满洲洋务派处处落后，中央政权不能不逐渐落到船炮及洋务人员拥有者湘淮军阀的手里。

同治四年，曾、李合作，在英美援助下，设江南机器制造局于上海。五年，左宗棠在法国援助下，设造船厂于福州。此后各省督抚都设立大小军火局，目的是镇压人民，但也含着军阀割据的意味。

下面是军阀所谓“自强”的好例。

咸丰一一年，奕䜣委托赫德购买船炮，共买得小军舰七只，运输船一只，用银一百零七万两。奕䜣主张“水手用山东人，炮手用湖南人，水兵用八旗人”。曾国藩主张全用湖南人，编入长江水师中，并要求不驶出长江口外。同治二年，轮船到上海，奕䜣不愿让给湘军，声称“轮船水勇已在外国雇定，毋庸添募楚勇”，舰队分交曾、李二人节制，曾国藩提出严重的抗议说：“水陆将士，皆将引为大耻。既不与之同泊，亦不复言统辖（节制）。不如早为之所，疏而远之。”当时曾国藩怕洋兵来分战功，又不愿李鸿章分得轮船，几乎要用兵变来示威。他直截指出疏而远之的办法，说：“以中国之大，区区一百七万之船价，每年九十万之用款（每月经费七万五千两），视之直轻如秋毫，了不介意。或竟将此船分赏各国，不索原价。”他对满清一向自称为忠臣孝子，这样粗暴露骨地揭开了可怕的面目，确把西太后、奕䜣吓倒了，只好顺从他，解散洋兵，退还船只，英国凭空得银一百四十余万两。曾国藩反对非湘军所有的轮船，但酷爱湘军所有的轮船。他派容闳到美国买造船机器，同治四年在上海开办江南机器制造局，造兵船编入长江水师，说是“中国自强之道，或基于此”（同治七年，曾国藩：《新造轮船折》）。

很明显的，满清和军阀们所谓“自强”，实际是分裂割据。满清与军阀，军阀与军阀，在利害冲突时暴露出狞恶的真面貌。他们讲“自强”，并不是欢迎资本主义，而是害怕资本主义。李鸿章《奏置办外国铁厂机器折》里说：“洋机器于耕织印刷诸器皆能制造，原不专为军火而设。臣料数十年后，中国富农大贾必有仿造洋机器制作以自求利益者。官法无从为之区处，不过铜钱火器之类仍照向例设禁，其善造枪炮在官人役当随时设法羁縻耳。”他在《致总理衙门书》里又说：“倘山陬海隅，有不肖之徒，潜师洋法，独出新意。一旦辍耕太息，出其精能，官兵陈陈相因之兵器，孰能御之？”他预料机器的危险，也预料科学、工程师、工人的危险，愚蠢的满洲贵族，当然更感到异常危险。奕䜣要八股专家学天文算学，李鸿章阻止私人办新式工业，以“官督商办”的方式监视洋机器，官营工厂任令腐败关闭，毫不爱惜，宁愿购买外国货物（船炮以至日用品），主要原因之一，就在害怕洋机器。

第六节　中国人民的英勇反抗斗争

顽固派的愚蠢，洋务派的“自强”，把中国推进半殖民地的深渊里。如果说，《北京条约》以前，满清是封建统一的帝国，现在却是在英法俄影响下，走上由分裂以至瓜分的道路了。同治五年，赫德《局外旁观论》、威妥玛《新议论略》向满清政府提出瓜分警告，大意说，满清如果政治上不信赖外国、遵守条约，经济上“不准洋商合华商会制轮车（火车）电机（电报）各等事”，“将来中华天下不免分属诸邦”。在侵略者看来，像满清那样腐烂无能的统治，没有外国保护，应该“数年之内为万国之役”，但他们不看也不敢看中国的另一面，那就是一八五七年马克思在《论波斯与中国》里指出的：“华南人在反对外人的斗争中所表现的那种狂热态度的本身，很明显地指明中国人已觉悟到古老的中国遇着极大的危险。过了不多年以后，我们就会看到世界上最古老的帝国作临死时的斗争，同时我们也会看到整个亚洲新纪元的曙光。”这是与赫德之流极端相反的预言，而中国历史正是遵循这个预言发展的。马克思指出以广东人民为首作出如下的抗英行动：“现在至少在南方各省，民众是积极地而且是狂热地参加反对外人的斗争的。华人完全镇静地和有意地在香港欧人居住区域内将毒药渗入大宗面包。华人暗带武器，乘搭商船，而在中途就突出痛击船长、水手和欧洲搭客，并夺取船只。甚至乘轮船到外国去的苦力，都好像事先约定的一样，在每个放洋的轮船上起来骚动，夺取轮船。他们宁愿与船一同沉于海底或者是在船上烧死，而不愿降服。甚至侨居国外的华侨，也密谋起事，突然在夜里举行暴动，当局只有严加戒备并使用武力，才能压服他们。”自称“文明”的侵略者斥责这种抵抗方法是懦怯的、野蛮的、残忍的方法，马克思却给以很高的同情和评价，说:“英国政府的海盗政策，引起了华人对一切外人的这种愤激情绪，并使这种愤激情绪带有完全歼灭敌人的战争性质。如果内地的人民也有狂热情绪，则这个战争（第二次鸦片战争）对于英人将是非常危险的。”事实也是中国人民在广东天津表现的反抗精神，如果有好的领导和广泛的组织可以阻止英国的侵略。由于缺少这两个必要的条件，再加满清遏抑民气与敌勾结，反抗运动终于被压制下去。

广东革命民众遭受叶名琛大屠杀，元气大伤，剩下一部分团练，又因叶名琛行迹可疑，纷纷解体。咸丰七年十一月，英法军攻陷广州城。八年正月。三元里一百零三乡人民号召南海、番禺两县义民在佛山镇成立团练局，有义兵数万人。三月，咸丰帝派侍郎罗惇衍等三人到佛山办团练，领导权落入大绅士手中。《西人月报》记载当时起义情形说：“省城内外居民似易于讲和，惟城外九十六村（即三元里百三乡）之人，大不相合。闻英人破陷省城，九十六村纠众会议，以为必夷人贿买官长，以致城池之陷易于摧枯。今我等拟上京控告，纠集人众以图剿灭。”英人得到消息，企图诱致九十六村首事人入城，劝“共相和好”，并且威吓说：“倘劝谕之后，仍怀宿怨，害及英人，即屠戮一村以为九十五村之鉴。”这个反帝运动发源地的九十六村，既不受诱，也不受吓，积极准备杀敌攻城。

佛山团练局议决各乡“坚壁清野，禁绝汉奸”，又宣告“夷人入其界者，登时格杀勿论”。英法兵恐慌，不敢到乡村骚扰。正二月间，团练准备攻城，英法兵更恐慌。迫驻防旗兵缴械投降，防旗兵作内应。三月，团练局发起大罢工，凡广东人“有在香港等处为外洋人教书、办理文案及一切雇工服役人等，限一月内概行辞退回家”。不到一月，二万余人罢工回来，洋人商务停顿，连做饭也要自己动手，困苦不堪，要求领事巴夏礼设法。巴夏礼说：“要停止罢工，必需破坏佛山团练局。”但水师提督去天津时，曾切实告诫：“在粤兵丁毋得与粤人挑战，现在只好出布告劝复工。”他派火轮船到新安县贴布告，义兵突起袭击，杀死洋兵汉奸数人，其他地区布告不敢再贴。英法出兵攻陷新安县城，并不能挽回罢工的狂潮，英法兵被逼退出新安。

团练局声势浩大，省城大官僚都逃到佛山镇（只有将军和巡抚未得逃走），各人争夺领导权，企图借团练得功名。官绅民意见分歧，战斗力大为削弱。五月，总督黄宗汉到广东，出示称赞“粤省人民之忠勇”。六月，《天津条约》成立。额尔金要求解散团练，革退黄宗汉及罗惇衍等。黄宗汉立即出示：“中外现议和好，尔等民人毋得复相攻战。”以此为理由，竭力破坏团练，得英人谅解，保存了总督地位。罗惇衍等原奉密谕“相机攻剿”，现在被咸丰帝出卖，硬指为“伪造廷寄谕旨，深为诧异”，下一道上谕说：“中国自来抚驭各国，一秉大公，从无设计暗害之事。乃有伪造廷寄，令罗惇衍等与该二国为难，以致英人疑虑。著黄宗汉严拿伪造之人，尽法惩办，使各国皆知中国办事光明正大。”罗惇衍等被查办，佛山团练解散。民众运动受官僚绅士领导，结果就是这样。

广东人民反英法斗争，应用游击战术，《西人月报》把它描写得很神秘，也就是感到很恐惧。节录教条如下（原文见《中西纪事》）：

> 英人行至香港僻野之处，辄被广人劫掠杀害，所以英人不敢在外私行。
>
> 广勇骁健异常，每夜于附郭地方放流星射入城中，欲以起火。省城中埋锅箭者有之，暗地布网者有之。目下外国人若无兵丁防守之处，不敢游行。所有中外人等两不交易而生意寂然。
>
> 广人诡计日生，故英人在省不能十分安全。有一日法国官食时见饭中置有毒药。又天竺黑兵被人潜擒至乡间。又香港亦屡受其害。又放火烧英人所居之屋。

英法在军事占领地区，并不能保障自己的安全。“日夜防守，寝食不安”。英国政府党报纸曾妄想“把广州保留在自己手里，和领有加尔各答一样”。在人民英勇打击下，只好放弃那些妄想。

英人于黄埔地方竖一枝大旗，黄埔之人于夜间将旗绳割断，以致颠仆。

黄埔地方有英国商船在岸上修补，夜间有一队乡勇逾山而来。船主带兵百名上岸查访，至一村不见一人，疑有埋伏，往别处查看，不料乡勇伏于隐僻处，内藏炮台，忽放炮弹，英兵伤者六名，船主亦受伤。黑暗之中，该勇于隐僻处各放一炮，潜走莫蹑其踪，而其炮甚巨。

英武弁有厨子系天竺人，偶行路上，忽被人以刀割其首而去。时有同行之天竺兵二名，并未见及，其神速如此。

法人自火轮船上岸，往南门买食，忽被广勇围住。二人夺围而出，一人在后，头与手皆被割去。后法人查知其处，以兵屠之，死者四十三人。

黄埔是水陆交通要道。人民不怕残酷的屠杀，扰袭交通线，守城兵更感不安。英官以英法兵勇“不耐广东暑热”为理由，运来大批“天竺之兵，代守省城”。

英国武弁闻白云山有乡勇防守，遂带领兵丁一百零七名出省往查，及至该处，见乡勇人多众寡不敌，遂移文至省，当夜调兵千名。次日会剿，而乡勇已逃逸。英人追至数里外，即欲折回，而英官大怒，追行至日中，为战伤者五人而受酷暑死者六十余人。英兵退回省城。有医生在后，忽被乡兵擒去斩首。自此该勇等胆气愈大，又得天津大沽之信，愈加忿怒，肝胆愈大。有花旗法兰西天竺兵数名都被广人杀去。

乡兵诱敌深入，选中午作战，击败大队英兵，这是人民创造的游击战术。三元里、白云山都打败千人以上的侵略军，证明这种战术的有效。《天津条约》签字消息传到广东，六月十四日，广勇七千人攻广州，驾云梯上城，满洲驻防军助英法军战守，广勇败退，死伤约三百人。流三百人的热血来抗议英法侵略及满清卖国，虽然战败，爱国精神永垂不朽。

三元里民众组织升平社学，“不受地方官约束”，革命性质最强，成功也最大。佛山团练局对官绅妥协，结果被官绅愚弄并出卖。天津地方接近封建统治中心北京，人民久受欺骗，中毒较深，向官府请求抵抗，连团练也办不成。咸丰八年，英法联军到大沽口外，津民谋纠集“盐枭海盗”，焚烧敌船，跪求钦差（桂良）、总督（谭廷襄），请准许团练助官兵打仗。钦差、总督“恐误抚局”，坚决不准。津民空抱义愤，但又不敢违法“擅动”。桂良反把人民义愤作为投降的重要理由，说：“天津民情汹汹，数日不（讲）和，必将内变。附近天（津）河（间）两府土匪以及各属盐枭，久欲观衅而动，一闻有警，盗贼四起，官军应接不暇，此战之不可者二也。”他提出五不可战，以证明接受天津条款的必要，把人民要求反抗看作第二不可战（第一不可战是“该夷枪炮迅利”），津民向他们跪求，真是愚蠢得可怜。不过这种民气不是没有影响的。联军进攻大沽炮台，直隶总督谭廷襄坐轿先逃，提督、总兵等凡三品以上军官全数奔溃，但守台士兵继续抵抗，“炮台三次为英人炮弹所中，华兵三次去而复返”。“又有一弁，于英人逼近炮台时，单身从炮台上跳跃而下，前来迎战，英将命生擒之，忽被前队兵丁枪毙阵亡”。最后兵力不支，“有四品顶戴二人，一人执旗自刎”，一人战死（二人一名沙春元，一名陈毅），炮台失陷”（《中西纪事》引《西人月报》）。高级军官逃走，小军官还率士兵坚守，不是受民气影响，在满清军队里不能有这个少见的例外。

第二次鸦片战争恰与第一次一样，人民走的是反抗路线，统治阶级走的是投降路线。

第五章　洋务派的自强与第一次割地狂潮

一八六二年（同治元年）至一八九四年（光绪二〇年）

第一节　绪言

第二次鸦片战争以后，中国半封建半殖民地地位完全确定了。在这个新形势下，统治阶级分成顽固洋务两大派。

顽固派是纯封建性的政治集团，有满洲贵族、官僚、绅士、地主、八股士人及落后民众作基础，首领西太后，掌握政权，在政治上拥有极大势力。这一派人盲目排外，幻想闭关时代的回来。同治五年，奕䜣请设天文算学馆，讲求制造轮船机器诸法，倭仁上奏反对说："天下之大，不患无才，何必夷人，何必师事夷人。”拒绝一切新文化的输入，是这一派人思想的一面。郭嵩焘描写另一面说：“中国之人心，有万不可解者。西洋为害之烈，莫甚于鸦片烟，中国士大夫甘心陷溺，恬不为悔，数十年国家之耻，耗竭财力，毒害民生，无一人引为疚心。钟表玩具，家皆有之，呢绒洋布之属，遍及穷荒僻壤。江浙风俗，专行使洋钱，且昂其价，漠然无知其非者。一闻修造铁路电报，痛心疾首，群起阻难，至有以见洋人机器为公愤者。”欢迎外国消费品来满足自己的享乐，是这一派人思想的又一面。外国侵略者破坏中国政治的经济的封建机构，造成顽固派的排外心理，同时又加强了侵略者的破坏行动，怨仇愈结愈深，这种矛盾在顽固派与侵略者中间是不可消除的。但在政治上（如共同压镇革命）、经济上（如关税及借款）、生活上（如消费外国货物）他们保有紧密的联系，这又造成顽固派的媚外心理，作为与洋务派合作的基础，通过洋务派，顽固派服务于侵略者。

洋务派是《天津条约》的新产物，是外国侵略者改造封建旧军阀，使它适合于镇压太平革命之用的新军阀。因之，洋务派的基本成分，军阀、买办、官僚缺一不可。当时被侵略者选中的曾左、李、三大军阀，各拥有庞大的封建集团。左宗棠说李氏集团："李鸿章一门，勋阀既高，依附者众。当时随从立功，身致富贵者又各有其亲友，展转依附，实繁有徒。"李鸿章说曾、左集团："左宗棠、曾国荃两政十载（两江总督），湘楚旧部视如家乡（南京），而随宗棠者犹多且久。"这封建集团加入买办成分愈多，自然与外国侵略者关系愈深，政治上地位也愈高，李鸿章继承曾国藩，成为洋务派最大首领，原因就在李氏集团加入极大的买办成分。

顽固派、洋务派、外国侵略者在压迫中国人民的时候是妥协合作的。在相互关系上，顽固派据有中央政府，洋务派据有许多省区的地方政府及本系军队指挥权。李鸿章从同治九年起，任直隶总督、北洋大臣二十余年，包办外交，天津成事实上的政府，权力最大。这使两派不得不互相依赖，保持满清政府的统一形式。但形式的统一并不能阻止实际的分裂。湘系军阀（曾左两系）占南洋及福建造船厂地盘，淮系军阀占北洋及上海招商局地盘，彼此怀抱敌意。满清政府利用湘淮不和，但对李鸿章疑忌最甚。西太后善以玩弄手段，放任顽固派议论国政，把这些议论当作“清议”“公论”来牵制李鸿章，不让李氏集团过大的发展，李鸿章《与郭嵩焘书》说：“都中群议，无能谋及远大，但以内轻外重为患，欲收将帅疆吏之权。”又《与友人书》说：“清议之祸，与明季同出一辙，果孰为之耶？”他在《复鲍华潭书》里，直截表示对西太后不满，说：“深宫端拱，枢廷照旧赞襄，遇事多下部议，操天下政权仍在书吏，非外臣所能力争也。但冀因循敷衍十数年，以待嗣皇（光绪帝）亲政，未知能否支持，不生他变。”顽固派与李鸿章关系恶劣，几乎到两不相容的地步，阴毒的西太后不敢贬斥李鸿章，是什么原因呢？因为他不仅拥有强大军队，更主要的是外国侵略者选择他充当最顺从的代理人。

李鸿章守定曾国藩的衣钵，比其他军阀更能取得略侵者的信任。曾国藩主张对外不抵抗，忠实服从屈辱条约，说：“道光庚子（二〇年）以后办理夷务，失在朝和夕战，无一定之至计，遂至外患渐深，不可收拾。皇上登极以来，外国盛强如故，惟赖守定和议，绝无更改，用能中外相安，十年无事。”（同治九年《复陈津案各情折》)。这是绝对服从的外交方针，正与顽固派盲目排外同样祸国以至于亡国，李鸿章是这个方针坚决执行人。在侵略者不允“中外相安”的时候，例如英俄掠夺新疆，曾国藩主张暂弃关外（玉门关），专清关内（屠杀陕甘回民），李鸿章称为“老成谋国之见”，要求清政府放弃新疆。左宗棠出兵西征，李鸿章竭力阻止，说：“左倡率一班书生腐官，大言高论，不顾国家之安危。即其西路调度，不过尔尔，把握何在。”后来西征成功，湘淮两系仇怨加深，南洋大臣刘坤一斥责李鸿章说：“合肥自发捻平后，所部分屯南北，每年糜饷几千万，而机器轮船枪炮不在此数，似此养精蓄锐，倘遇敌而不能一决，求为贾平章亦不可得矣。”（同治七年《复李若农书》）。湘系军阀不曾承袭曾国藩的全部遗教，对侵略者还不能绝对服从，因之湘系军阀政治上地位落后于淮系。

李鸿章发挥曾国藩的洋务精神，外交上极端退让，军事上购买船炮洋枪，培养充足的对内武力。他办洋务非常自负，说：“今日喜谈洋务，乃圣之时，人人怕谈厌谈，事至，非张皇即卤莽，鲜不误国。公等可不喜谈，鄙人若亦不谈，天下赖何术以支持耶？中国日弱，外人日骄，此岂一人一事之咎。过此以往，能自强者尽可自立，若不自强则事不可知。”他把办洋务说成中国自强自立的途径，凡关于洋务的设施，都称为“新政”。顽固派保存全部旧政，洋务派陆续增加新政，人民负担有增无减，中国愈贫愈弱，以之求自强自立，必然得相反的结果。李鸿章抱着“圣之时”的自信力，主办新政，支配军事外交内政三十年，经中法战争破产了一部分，经中日战争全部破产了。

第二节　所谓“自强”的“新政”

一　新政第一期

一八六二年（同治元年）至一八八一年（光绪七年）

本期新政以自强为中心，所谓“强”，就是练操，用洋军器。同治元年，满清政府令都司以下武弁，学习外国兵法。李鸿章派一部分兵丁随英国兵头学习炸炮，一部分随德国兵头学习洋枪。这方面曾国藩比较保守，奏称“如果步伐枪炮一一习熟，臣当函商李鸿章派员转教臣军”，实际是拒学洋操。后来淮军演变为清末北洋新军，洋操是个重要的原因。用洋军器是湘淮军一致的要求，但船炮枪主要从英国购入，自己设局制造只是补助性质，开办不久就成官僚作弊的巢穴，结果很显然，洋务只求自强，是求本集团自强，而不是求中国自强。

同治元年，曾国藩在安庆设军械所，“全用汉人，未雇洋匠，造成一小轮船，行驶迟钝，不甚得法”。

同年李鸿章在上海设制炮局，“募外国匠人，由香港购办造炮器具，铸造开花炮弹，以资攻剿，甚为得力”。

三年，李鸿章在苏州设西洋炮局，“机器仅值万余金，不全之器甚多”。

四年，李鸿章在上海购得“洋人机器厂一座，能修活大小轮船及开花炮洋枪各件，实为洋泾滨外国厂中机器之最大者。价银四万两”。收买后改称江南小制造总局，先造枪炮。

同年，曾国藩购买美国机器（价银六万八千两）运到上海，并入制造总局。六年，开始制造轮船。局内设汽炉厂、机械厂、熟铁厂、洋枪楼、木工厂，铸铜铁厂、火箭厂（炮弹）。造船设备仅干船坞一座，兵商船只仍须入即松船坞（同治元年英人开办）修理。附设翻译馆，聘英美人译出《汽机发轫》、《汽机问答》、《运规约指》、《泰西采煤图说》等书，选聪颖子弟入馆学习，造就机械工程师。

五年，左宗棠在福州设船政局，开办费三十余万两，每月经费约五六万。机器及材料从法国买来，正副监督工程师都是法国人。局中工匠二三千人，杂工八九百人，多是湘军弁兵，工厂等于兵营。又设前后两学堂，前学堂学法文及造船学，后学堂学英文及驾驶术。共造大小轮船十五只编成南洋水师。

六年，崇厚在天津设机局。

六年，李鸿章在南京设金陵机器局。

九年，李鸿章扩充天津机器局，分设四厂。

光绪三年，丁宝桢在成都设四川机器局。

四年，左宗棠在兰州设机器织呢厂，聘德国人为技师，制造军用品及普通衣料。

七年，吴大澂在吉林设机局。

上述各局全属军事性质，每年耗费巨大款项，虽然口头上也说“御侮”，“自强”，实际是重在防内，并无对外的意图。任事官僚营私舞弊，各饱贪囊，等于添设许多新衙门、福州。上海两船厂较有成绩，也只能购买外国材料仿造旧式船只。这种局厂陆续出现，不是说明中国有了“自强”的基础，而是说明洋务派势力在不断扩大。

李鸿章办新政最多，从筹款困难，感到富是强的根本，在复丁宝桢信里说：“中国积弱由于患贫，西洋方千里数百里之国，岁入财赋动以数万万计，无非取资于煤铁五金之矿，铁路电报信局丁口等税。酌度时势，若不早图变计，择其至要者逐渐仿行，以贫交富，以弱敌强，未有不受其敝者。”他为着求强而求富，试看其求富的结果。

同治一一年，李鸿章在上海创办轮船招商局。

光绪四年，李鸿章在天津设开平矿务局。资本二十七万两，光绪八年增资本一百二十万两。

六年，李鸿章设电报局，奏请修筑铁路。

七年，开平矿务局造铁路二十里，又延长六十里。

英人享条约特权，设太古、怡和等轮船公司，往来各商埠，中国长江外海的运输事业，全被洋人轮船、夹板占尽。殷实华商“多附洋商名下，如旗昌、金利源等行，华人股份居其大半”。李鸿章接受容闳的建议，设立招商局，招回华商股本，政府特许运漕米、空船减税等权利。从三只轮船开始，到光绪三年，已有轮船十二只，又收买旗昌洋行，得船十八只。太古等公司大跌装货吨银，排挤招商局。李鸿章令各省拨借官本二百万两，维持营业。光绪七年，续备开拓海外航线，运华货到外国直接贸易，派“美富”轮试航新加坡、小吕宋、檀香山一带。又派“和象”轮试航美国，被美海关无故扣留，大遭亏折，从此华船不敢出航远海。外国侵略者愿意中国办造船、军火等厂，因为那些官僚机关，决不妨碍外国利益。带资本主义性质的招商局，一开始就遭受外国的摧残，因为一个招商局成功，将会产生更多的招商局。《马关条约》以前，外人还不能在中国设立合法的工厂，中国资本家有利用工价低廉的机会，如果资本主义发展起来，显然对外国不利。再看中外贸易（单位：千两）：

	输入	输出
同治三年	51 293	54 006
同治九年	69 290	61 682
光绪二年	79 293	78 883

输入额中除去每年平均七万箱（每箱约值银五百两）的鸦片价，外国正当商品销路有限，中国新工业尽有发展的余地。招商局招股，商人踊跃投资，光绪七年，粤商拟组织轮船公司，直接运货到英国贸易（被李鸿章阻止）。但是资本主义终于不曾应时兴起的原因，固然由于外国侵略者的压迫，同时也由于封建势力的摧残，例如李鸿章就是招商局的扶助者兼摧残者。他规定“官督商办”的制度，说“由官总其大纲，举其利病，而听该商董等自立条议，悦服众商”。事实完全由官绅包办，不许各商自行经理。“关道荐人”，“每遇载运漕粮时，各省转荐员绅”，“隔省官员挂名应差支领薪水”，“委任各员，任意开销，浪费侵蚀，私囊日充，公款日亏”，等等弊端，被人告发，李鸿章一概袒护，不肯整顿。有力官绅“视为利薮，群思攘夺，徒成一供差场所，门前冠盖如市，而有股份之商人，望之逡巡不敢前”。商人无权过问，还负“盈亏全归商认，与官无涉”的义务，当然不敢添股扩充。电报局同样官督商办，“规定官报免费，收发电报。先官后商，结果官报日多，商报日少，电报局赔累不堪”。官督商办是封建势力束缚资本主义的发展，招商局、电报局股东起初都对官府提出抗议和要求，后来却失望消极，让官府任意侵蚀。

二　新政第二期

一八八二年（光绪八年）至一八九四年（光绪二〇年）

本期新政重心转到求富，工业范围扩大。因洋布洋纱输入额逐年渐加，光绪八年，李鸿章奏请设立纺织局，谋堵塞漏卮。此后纺织工业逐渐增加，成中国产业界重要部门。各工业分官办、官督商办、官商合办、商办四种，官办占绝对多数。光绪八年，李鸿章在上海奏设机器织布局。一六年成立，资本四十万两。出品只完海关正税一道，概免厘税。一九年遭火灾烧毁。官办。

九年，商人祝大椿在上海创办源昌机器五金厂，资本五十万元。造各种机器。商办。

一二年，张之洞在广州设广东缫丝局。官办。

一三年，张之洞在广州设机铸制钱局及银元局。官办。

同年，李鸿章在天津设宝津局，用机器造币。官办。

一四年，贵州青县设贵州制铁厂。官商合办。

同年，李鸿章聘英国技师造津沽铁路，长一百七十五里，招集商股并暂借洋债及官款。官督商办。

一五年，张之洞在广州设广东织布局。官办。

同年，张之洞在广州设广东制铁厂。官办。

一六年，李鸿章在上海设纺织新局。官商合办。

一七年，张之洞在汉阳设汉阳铁政局，及枪炮厂。开采大冶铁矿及萍乡煤矿。官办。

同年，上海道唐松岩在上海设机器纺纱局。官商合办。

十九年，张之洞在武昌设织布、纺纱、制麻、缫丝四局。官办。

二〇年，大买办盛宣怀在上海设华盛纱厂。商办。

同年，湖北设聚昌、盛昌火柴公司。官商合办。

光绪一三年起，机器输入，逐次增加，依据海关报告（单位：海关两）：

一三年	398 407
一六年	410 348
一七年	900 500
一九年	930 651
二〇年	1 119 777

工业显然是在进步中。这种微小的进步，是受外国经济侵略的刺激而产生的。光绪一二年以前，进出口货相差不远，平均入超总不出一千万两，除去大量鸦片，土货出口仍占优势。一三年以后，差额大增，进口货转优势。试看下表（单位：千海关两）：

	出口	进口
一三年	85 860	102 263
一六年	87 144	127 093
一七年	100 947	134 003
一八年	102 583	135 101
一九年	116 632	151 362
二〇年	128 104	162 102

以十八年为例，是年主要进口货如下（单位：万海关两）：

鸦片	2 741	洋布洋纱	5 270
毛织品	479	钢铁等金属	713
米粮	582	煤、煤油	700
自来火	142		

一向居进口第一位的鸦片，被棉毛织物代替，几占进口总额的半数，鸦片约占四分之一，米粮棉布大量输入，显示小农业与家庭工业结合的社会结构遭受严重的

破坏，农村及城市手工业的破坏，迫使中国统治者（洋务派及某些顽固派）不得不采取近代生产方法，但他们的封建性又决定他们新事业的失败。

官办工业有亏无盈，是一种消耗机关。官督商办，官掌大权，商认亏损。官商合办，官掌大权，各认亏损。纯粹商办，政治上无依靠，难得存立。因此，官最喜官督商办，商希望“官为保护，商自经理”。妥协办法是官商合办。上海方面商人势力较大，所谓商，多是接近李鸿章的官僚、富绅、买办，依政治力量，取得官商合办或商办的权利。有意投资的普通商人，仍多被官排斥。例如湖北纺纱局，原议官商股本各半，张之洞派一个候补道当督办，一个候补知府当总办，变成官僚机关。商恳请减少官权，张之洞认为商有“成见”，取消商股，改为官办。开办以后，“局面大，耗费多”，营业亏损。张之洞奏称：“湖北织布厂一开，而江汉关进口之洋布已岁少千余万匹！”官办工业成绩就是这样的纸上夸张。陕西集股创用机器织布说略，代表当时普通投资人怕官心理，它在第一条里说：“拟官绅商合力，商管银钱账项卖买，绅管学习机器教训学徒，官主保护而不侵利权。即有事涉衙门，有绅承当，不累商民，无可疑惧。”不侵利权的官与不勾结衙门的绅，事实上绝少存在，因之商办工业也绝难成立。

官办必取督办独裁制，得任意吞蚀；商办必取股东民主制，不容许贪污。洋务派乐于官办，反对商办的真实原因在此。官办工业前后三十三年，有些什么成就呢？“凡百施为，类皆虚伪。工料之发给，十每不得五，价值之浮销，或竟报三。”（光绪七年刘锡鸿奏）就最著名的福建船政局为例“所造轮船，举不堪用。美国暨日本人谈及，有责洋监督日意格（法人）之无良，有为日意格原谅其难者，盖方今所谓制造若此其不足恃也”（刘锡鸿奏）。这是官办工业的通病，各省设立厂局并无例外。

“每年动用正款以数百万计，而所成之物，若经由外洋购买，或由洋匠承包，实可减半。官厂每制成一器，价比外洋尤昂，而复草率不精，形模徒具，往往取笑洋人，旋生狎侮，如此虽百年，终无生色。”（光绪二一年，钟天纬:《扩充商务十条》）官办工业的腐败与政治腐败是一致的，它是人民的一种负担，也是商办工业的一个障碍。钟天纬主张“令民间多开私厂，或即以官厂租给商人，每年收取租息。听其为民制造机器轮船，及一切开矿、挖河、抽水、磨麦、纺纱、织布各机器”。这种主张，符合当时新兴工业的要求，但决不能获得官僚资本的允许。

商办工业受压制，自然产生微弱的民主思想。例如陈虬批评“新政”说:“愚以为泰西富强之道，在省议院以通上下之情，而他皆其末。”(《创设议院以通下情论》) 许象枢著《议院利害若何论》，断言议院“有利无害”。君主立宪思想的发生，反映商办工业对官办工业的不满，同时也对政治不满，以上海知识界为中心，在思想上开始准备着戊戌变法运动。

第三节　新政第一次破产
一八八五年（光绪一一年）中法战争以前

一　李鸿章的外交策略—— 一意主降

天津、北京条约以后，英法俄准备割夺中国领土，先从边境入手。同治五年英国威妥玛呈递《新议略论》，向满清提出瓜分警告，说:“英国早得缅甸一分，法国已在安南，俄国分在西路（新疆）朝鲜之外。或问三国诚有必占内地之心乎，此理姑无深论。要在英国已在缅甸，离云南不远；法国已在安南，离广西不远；俄国不必再论。可虑者不在各国有无侵占之心，而在各处有易侵占之势。”侵略者公开表示领土野心，满清政府还看作“危词恫吓，傲慢之谈”。

顽固派“以不谈洋务为高。见有讲求西学者，则斥之曰名教罪人，士林败类”（郑观应:《盛世危言》)。对外交事件动辄主战，宁愿战败求和。醇亲王奕譞（顽固派首领，光绪帝生父，西太后亲信人）所谓“不能使彼不来，要虽来而不惧；不能遏彼欲战，要在虽战而不虞。然后再讲和约，可免别生枝节”（同治九年《论天津教案奏》)。这种不可理解的语言，正代表顽固派的思想。非李鸿章系的洋务派多附和顽固派先战后和论。

李鸿章系洋务派以北洋为地盘，办理新政，特别注重北洋水师。购买大批外国船炮，实力超过南洋水师。南洋属湘军系地盘，水师用福州、上海船厂自造船，外国船极少。北洋水师多用外国船炮，陆军全用外国后膛枪，顽固派及湘系洋务派又羡又忌，要北洋出兵一战。李鸿章以为“中国兵轮开办未久，断难骤敌西洋”，坚持“含忍议款，徐图自强”，就是说，兵力不敌，必需讲和。他那样办新政，永远不会有自强的一天，因之他永远是投降主义者。

英法俄及后起的日本要分割中国的土地，顽固派要先战后和，李鸿章要和而不战，交织成瓜分的第一步。

李鸿章说，“中国兵轮开办未久，断难骤敌西洋”。但丧失藩国给外国，恰恰从对同样“开办未久”的日本开始。琉球事件是洋务派新政破产的第一次宣言。

二　丧失琉球

一八七四年（同治一三年）

一八六六年（同治七年）——日本明治元年变法维新，开始对华侵略。同治一二年，日本政府借口琉球船遭风到台湾，被生番劫杀数十人，向清政府交涉。清政府称：“二岛俱属我土，土人相杀，裁决固在我，何预贵国事？”日使无言可对，摘引答辞中有“生番化外，我政府未便穷治”这句话，曲解为台湾番地不属中国版图。一三年，出兵三千人进攻台湾。日本当时还是贫弱小国，它敢于轻率动武，是事先取得英美法三国的援助。美国李仙得替日本当谋主，参赞军事，英美轮船替日军运输，英法海军还伴同日兵船到台湾、厦门，替它壮胆。这显然是西洋侵略者自己将要掠夺，让日本首先侵入台湾，试探满清的态度。日军攻番社，被番民据险击败，退守龟山，设都督府及病院，修桥筑路，意图在台湾蟠踞。福州船政大臣沈葆桢带海陆军到台，兵力远胜日军。英美公使出面调停，代日本要求兵费三百万两。沈葆桢奏称“倭备虽增，倭情渐怯，我但厚集兵力，无隙可乘，自必帖耳而去”，又通知李鸿章，“不必急于行成”。李鸿章也明知“日船非中国新船之敌”，“中国兵将之众，断不畏彼三四千人”，但英美各抱野心，美国军事上露骨的助日，英使威妥玛口头上横蛮的恫吓，迫使李鸿章决计屈服，令守台军不准“开仗启衅”。订立条约，承认“台湾生番将日本国属民杀害”，日本出兵是“保民义举，中国不指以为不是”，把五百年来忠实的藩国琉球含糊送掉，又赔偿日本兵费五十万两。琉球事件开了割地赔款的恶例，此后李鸿章忙着办割地外交。

三　马嘉理案

一八七五年（光绪元年）

满清办理外交的传统方法，一种是“非委曲顺从，即含糊答应，畏夷如虎，视民如草”（咸丰八年奕䜣论耆英办夷务）。一种是“凡外国要办一事，必要多方推阻，及至他国恃强举行，亦不过问”（威妥玛与李鸿章：《论总理衙门办事》）。两种方法都从先战后和论产生，先战所以多方推阻，后和所以委曲顺从，结果是“案出之初，小者细者未允，后则允其大者，仍不能结”（李鸿章：《致总署书》）。李鸿章另有一种方法，是“彼虽无礼在先，我未便失礼在后，姑且忍气耐烦，实为保全和局”（《与美公使谈日本侵台湾》）。这是有求必应的方法，最得外国侵略者称许。驻北京外交官熟悉情形，办理交涉，一言不合，动辄拍案叫嚣，以下旗绝交、调兵开战作外交手段，俨然自居殖民地主人地位。例如英使威妥玛办马嘉理案，对李鸿章痛斥总理衙门，说：“中国所办之事越办越不是，就像一个小孩子，活十五六岁变成一岁了。总理衙门办事大臣非先换几个人不可。”李鸿章被他那种“愤激不平之气，狂妄无理之言”，吓得“殊深骇异”，更坚信自己有求必应是“一了百了”的好方法。

英国要开辟滇缅交通，同治一三年，军官柏郎带兵从缅出发，北京英使馆派翻译马嘉理从云南入缅迎接。光绪元年，马嘉理回云南，传说英兵随后将攻腾越城。云南巡抚岑毓英杀马嘉理，调兵守边境。威妥玛向总理衙门提出要求三条，总署驳斥不准。威妥玛与俄公使密商，英向云南、俄由伊犁进兵，迫满清屈服。威妥玛出京，对李鸿章表示怒意。清政府开始恐慌，同意李鸿章保和局的建议。威妥玛提出六条，又另提七条，要求范围愈益扩大。总署接受条件比李鸿章少，交涉停顿。威妥玛威吓总署，说“中国不照办，是自取大祸”，提出更广泛的要求六条，又改成八条。总署根据新要求商议，威妥玛坚称撤回所提条件，率眷属及一部分馆员出京，表示决裂。李鸿章挽留在天津商议，威妥玛痛斥总署，说“而今我心已灰透了”，要把云南事交与印度总督办理，各海口交与水师提督办理，英商税饷概不准完纳。他不受李鸿章挽留，去上海装作在准备开战。这是威吓，足够地吓倒清政府，总署不再想如何推阻，而是想如何取得任何条件了。威妥玛经各面劝说，要清政府派定全权大臣，才肯商谈。自然，非李鸿章不可。光绪二年，李、威在烟台订《烟台条约》，允许：（一）印度总督派人到云南调查五年，准备“复订滇缅边界及通商章程”；（二）英使馆派人游历甘肃、青海一带，又由四川等处入西藏，前往印度，探访藏印路程；（三）英国派按察使在上海设立承审公室，中国在租界设会审公堂，扩大领事裁判权；（四）开宜昌、芜湖、温州、北海为商埠；（五）规定鸦片税及其他洋货捐。

马嘉理案关于抚恤金、惩凶、道歉等款在条约里是不重要的，英国借题发挥，目的在取得极大的额外权利，首先是缅甸的主权，英国有权订滇缅边界，等于满清承认英国占有缅甸全部。

四　伊犁交涉

一八八〇年（光绪六年）

新疆回民受满清特别残酷的统治，比内地回民苦痛更甚。同治三年，起兵反满。五年，浩罕酋长阿古柏自中亚细亚侵入天山南路，立国称王，得英、俄、土耳其承认。天山北路，回民攻陷伊犁，残杀汉民，秩序混乱。

一〇年，俄兵占据伊犁，拒绝交还中国。一一年，左宗棠攻灭关内回民反满军，准备进取新疆。当时湘淮两系军阀因琉球事件发生严重的争论。李鸿章力主放弃新疆，“准其自为部落，如云贵粤蜀之苗瑶土司，越南朝鲜之略奉正朔”。集中财力“作海防之饷”（同治一三年，李鸿章《筹议海防折》）。左宗棠力主规复新疆，认为“关外一撤藩篱，虽欲闭关自守，势有未能”（左宗棠《复陈海防塞防及关外情形折》）。清政府支持左宗棠主张，准其借贷外债充军饷。左军出关是先攻北路，转取南路，节节胜利。英国原想利用阿古柏，乘机吞并南路归印度，让沙俄取北路，平分新疆。英公使劝李鸿章阻止满清用兵，这个洋务派首领奉外国人命令，对西太后、左宗棠表示极大的怨恨。光绪四年，左宗棠收复新疆南北两路，索还伊犁的交涉开始。

光绪四年，清政府派崇厚往俄京索还伊犁。崇厚是同治九年天津教案当事人之一，曾到过法国谢罪，这在满人中算是外交家了，清政府特给“全权大臣便宜行事”头衔，希望他人去地回，折汉人尤其是李鸿章的锐气。不料崇厚到俄京，索得伊犁一个城池，却签订割让大块土地、赔偿兵费五百万卢布合银二百八十万两、新疆到汉口陆路通商、松花江航权等十八条款，丧失巨大权利。消息传来，舆论大哗，要求改约。左宗棠主张“先之以议论（交涉），决之以战阵”。这种和战并用法，得清政府及湘系军阀的赞同。李鸿章发挥他的投降主义说：“崇厚所定俄约，行之虽有后患，若不允许，后患更亟。”又说：“此次崇厚出使，系奉旨给与全权便宜行事字样，不可谓无立约定议之权。若先允后翻，其曲在我。自古交邻之道，先论曲直，曲在我而侮必自招，用兵之道亦论曲直，曲在我而师必不壮。”（李鸿章：《筹议交收伊犁事宜折》）这里所谓曲直，只是出让伊犁的一种借口，企图借俄制日。当时日本利用中俄之争伊犁，正式灭琉球国，改为冲绳县。琉球使臣哀恳保护，李鸿章以为“黑子弹丸之地孤悬海外，远于中国而迩于日本”，决计放弃。他怕日本得美国支持，不可力敌，要求履行崇约，换取俄国的援助，防日本侵犯台湾、朝鲜，奏称：“倭人畏俄如虎，与其多让于倭，不能助我以拒俄，何如稍让于俄，而我因得借俄以慑倭。”他始终玩弄“借夷制夷”政策，向双方出让权利，诱起强国互争，最后向更强者提供报酬，自己得保存本集团势力。湘系军阀看破他的用意，群起反对，两系势成“水火”（刘坤一:《复李若农书》)。别一洋务派首领张之洞斥责淮系说:“李鸿章岁糜数百万金钱以制机器而养淮军，若并不能一战，安用重臣。”这样的改约空气，迫使清政府违反李鸿章的主张，专用湘系中人对俄交涉。

光绪六年，派驻英公使曾纪泽为出使俄国钦差大臣，交涉改约。俄海军到中国海面示威，清廷调曾国荃守山海关，鲍超驻北京，刘坤一守长江，都是湘军旧将。只派淮军担任津沽一路，以示决心一战。俄国新与土战，欲事休息，乃于光绪七年重订《中俄条约》，中国多少收回一些土地和权利。

五　中法战争

一八八五年（光绪一一年）

同治元年，法国攻安南，下交阯（南圻）迫订《西贡条约》，割西贡、柬埔寨等地。法国原想从湄公河、澜沧江直通云南，后来发现二水不能通船，改图东京（北圻），想从富良江（红河）入云南。一二年，法兵攻陷河内，不久退出。一三年，订《法越和亲条约》，法国承认越南为独立国，实际成了法国的保护国。光绪五年，越南派贡使向清政府乞援，广西巡抚刘长佑（湘系军阀）示意越使招刘永福助战。刘永福是太平军将领，天国灭亡，率部逃入滇越边境，开辟山林，聚众耕牧，成一独立大部落，号称黑旗军。刘长佑这一表示，对刘永福算是解除敌意，对越南算是予以援助。越南招刘永福为三宣副提督，管宣光、兴化、山西三省，扼守富良江两岸。

法兵攻河内，谋开通航路，黑旗军勇敢善战，又得云贵总督岑毓英暗助军火，屡败法兵，法不得逞。

光绪七年，曾纪泽向法外交部交涉，声明安南是中国属国，中国政府不能承认“法越前订之约”。李鸿章向法公使声明“越南属中国已久，贵国如欲吞灭，中国断不能置之不问”。法外交部答词强硬，法公使答词含糊。曾不认法越私立条约，李默认条约，但求保持朝贡体面，二人方针不同，引起湘淮两系大争斗。

光绪八年，曾纪泽向清政府建议七条办法。按当时中法越三方情势，曾氏所提七条，应该说是外交上比较妥善的途径。李鸿章逐条驳斥，又不提自己的办法，牵强矛盾，毫无理由，纯属派系间闹意气。清政府昏愚无知，不采曾氏建议，信任李鸿章，进行盲目的被动的错乱外交，遭受大失败。安南事件中，李鸿章充分表现了卖国的罪恶。

下面简述曾、李二人意见：

（一）曾　令越南派遣大员长驻北京，传达中越双方情况。

李　照定制，陪臣不得驻京师。

（二）曾　令越南派员到中国驻法使馆，作为使馆随员，传达中法交涉情况。

李　《法越新约》第二条，法认越南有自主权，越可遣使驻法，未必肯作中国使馆随员。且法政府闻知必有责言，转增疑衅。

（三）曾　通知越南切不可再与法人轻立新约。

李　兵威胁迫难免续立新约。

（四）曾　劝越南开放红江，宣称“现遵

中国之命，将红江开设通商埠头，允与西洋各国贸易”。各国见我与越南“情不隔阂，可省无数窥伺之心”。

李　中国不认法越之约，似未便明劝越南于红江开埠通商。若劝之，是认此约矣。

（五）曾　法人常以红江多盗为言，无论盗之真伪，越南宜以除盗自任，力不足则求助于中国。

李　红江上游若果多盗，正可阻彼通商之意。

（六）曾　法越条约西洋各国并未认之。

李　无各国不认之证。

（七）曾　劝越南严束士民，勿与法人以口实。杀人焚屋等事皆无益而有害。

李　越境遍地教堂，杀人焚屋等事在所难免，但在临时办法若何。

李鸿章完全抹煞事理，任意乱驳，是什么用心呢？第一，曾纪泽修改俄约成功，声望大增。他害怕湘系有人夺取他的外交上地位。第二，他把藩属国看作可有可无，不值得为越南开罪法国。归根说来，除了保持北洋地盘及淮系权利，其他一切都可退让，是李鸿章的宗旨。

法国要开通红河，刘永福誓死不肯退让，法兵攻陷沿海城市，但无法消灭内地黑旗军。八年，法公使要求清政府令中国军队后退，让法国进兵驱逐黑旗军。清政府反对“我退而彼求进”，主张中退法不进。李鸿章致书总署，替法公使竭力辩护，说“细察该使用意，并无我退而彼将求进之心，恐其译汉忽促，文义不甚分明耳”。又说“彼实力愿和好”。他把侵略者说成那样“和好”，总署同意他和法公使在天津议定的三条原则：（一）中国撤兵，法国声明无侵略土地及削贬王权之意；（二）安南开放保胜（黑旗军根据地）；（三）二国分界（红江中间之地划界），保护安南共御外寇。第一条是中国放弃安南，第二条是承认进攻黑旗军为合法行动，第三条中国取得边外一些土地，防黑旗军战败退入边境，所争得的只是法国声明安南名义上不是法国保护国，反言之，还是中国的属国。

这一条约的订立，遭到各方面反对。中国方面，张之洞、张佩纶为首的所谓“舆论”一致主战；岑毓英支持黑旗军阻法人入滇不肯撤兵；曾纪泽主张强硬交涉。法国方面，议会坚主（同治一三年）《甲戌条约》既得权利，认政府交涉失败，改组政府，撤换驻华公使，出兵压迫越南。九年，中法交涉转入紧张阶段。

法国派海军大将孤拔率舰队进攻越南，法新公使向李鸿章声明“无与中国失和之意，但不能认越为中国属邦”。李鸿章主张退让，以为“各省海防，兵单饷匮，水师又未练成，未可与欧洲强国轻言战事”。曾纪泽因法议会中反对派不赞成用兵，力主“暗助越以兵与械，吾华添兵势宜趁早，兼可耸其舆论”。争议焦点在黑旗军，法要求中国勿暗助，让法军进攻。清政府默许岑毓英暗助黑旗军，利用它抵抗法军。李鸿章不能劝清政府撤退驻越军队，又不能私允法国要求，索性在形式上采不负责态度，等待军事上失败。他公然提出失败主义的新办法说：“我胜则法必添兵再战，我败则尚可退回本境，法必不遽深入，亦尚不至牵动大局。届时再徐议分界划守，妥议收场。”总署要他拨后膛枪接助滇桂各军，他说北洋所存无多，南洋存有二万杆，请令左宗棠指拨。他明知“滇桂各营后膛快枪既少，或有枪而缺子弹，徒以肉搏拼击取胜”，他又明知南洋各军还“前后膛参用”，而北洋各军一律改用毛瑟等新式，旧式后膛枪已废弃不用。要南洋援助滇桂，这不是湘淮暗斗等待失败是什么？满清政府内部和战不定，意见纷歧。法国在越发动战争，逼迫越南订《顺化（越南都城）条约》，确定越南为法国保护国，脱离对中国的朝贡关系。

一〇年，中法交涉进入最紧张阶段，李鸿章也施展出最卑劣的卖国手段。

曾纪泽向法政府不断提抗议，李鸿章认为“法外部与劼刚（曾纪泽）嫌衅已深，以后难商此事”，劝总署调曾纪泽为驻英公使，派淮系洋务人员李凤苞为驻法公使。法国与李鸿章在天津议和，清政府提出四个条件：（一）维持朝贡关系；（二）杜绝云南通商；（三）保全刘永福；（四）不赔兵费。李鸿章不向总署商议，私自订定《天津简明条约》：（一）中国退兵，不与闻法越条约；（二）许云南边境通商；（三）法保护越南，不侵占中国边地；（四）不索兵费。签押后含糊奏请批准。清政府要保全刘永福，还多少有些公道，李鸿章却诬蔑“刘永福所部，冗杂骚扰，与越民为仇，实为边境后患”。又说“刘永福黑旗一军，前后乘法兵单寡之时屡殪法将，法人恨之切齿，必欲报复”，建议遣散，替法人报仇。法内阁当然满意，外长给他电报说：“中堂所见两国公共利益并未来之事，竟与我辈相同，显有证据，下怀曷胜欣幸。”李鸿章复电说：“彼此为难之隐衷，两地心照，切盼。”似乎出卖越南不够爽利，表示抱歉。他这样迎合法国，以为可以了事，但紧张形势，反因秘密订约更趋恶化。

李鸿章的计划是一面欺瞒清政府，一面秘密通知淮系军阀两广总督张树声、广西巡抚潘鼎新自动撤兵，使云贵总督岑毓英势孤不得不退。预料法军消灭黑旗军，清政府也就承认既成事实，履行《天津简明条约》，决不敢出面抗法。他给张树声密电：“法必欲逐刘，实非与岑为难。岑素机变，临事当自审进止。法亦断不过我界。乞密致琴轩（潘鼎新）。”法国根据李鸿章的口头约定，派兵巡边逐刘。当时潘鼎新还没有接到张树声密电，说法军行动显与条约相反，主张“一意与战，较易著手”。清政府发觉李鸿章欺瞒，诘问：“法使与该督所谈巡边及驱逐刘团各节，何以不早上闻，豫为筹画？”

给他“传旨申饬”的处分。李鸿章无话可对，暂时沉默。清政府倾向主战论，布置对法战争。

清政府调主战论者张之洞为两广总督。令岑、潘驻越境“按兵不动，如彼族竟来扑犯，惟有与之接仗”。令岑毓英“照常接济刘永福一军，使为我用”。令李鸿章照会法国：“傥法兵来犯我营，则衅自彼开，即不能保全和局。”令主战论者张佩纶为会办海疆事务，助船政大臣何如璋督福建海军戒备海面。五月，中法海陆战争开始。

陆路战争第一期（光绪一〇年五月至十二月） 岑毓英助刘永福作战，态度是坚定的。潘鼎新服从李鸿章密示，要求退回国境，清政府严斥：“该抚上次电信，亦有‘一意主战，较易著手’之语。目前法人有意寻衅，何以该抚又有‘炮械不至、米粮缺乏’等语，岂欲以此为谢责地步耶？”又通令各军不准稍退示弱，违令者按军法。潘鼎新被斥责，不得不战，但战意淡薄，不愿主动出击。法军着重向潘军攻击，声称不管“和与不和，二日必要谅山”。潘鼎新被迫回击，法军战败，退三十里，战后向李鸿章解释说：“若非并力抵御，则全军皆为所乘，非我往攻法营也。”李鸿章“败固不佳，胜亦从此多事”的指示，使潘军不敢“一意与战”。法内阁密电质问：“阁下（李鸿章）允西历六月六日即中历五月十三日谅山退兵，何故并未照行。”李鸿章被法内阁质问，急欲改变清政府的主战态度。孤拔带兵北上，清政府也起恐慌，同意李鸿章的主张，表示“尊意即是鄙意”，要他出面讲条件，前敌更成和战混乱的状态。法海陆军进攻福州，留越南法军兵力微弱，但潘鼎新军并不出击。

海上战争（一〇年六月至十二月） 北洋大臣李鸿章管北洋水师，南洋大臣曾国荃管南洋水师，船政大臣何如璋管福建水师，各有船十余艘。南北洋大臣地位均等，不相统辖，福建水师半附属于南洋，但不归南洋指挥。南洋、福建水师成立较早，暮气最深，兵船迎送官员，拖船载勇，从不操练。六月，孤拔率兵船十三艘北上，攻毁台湾基隆炮台，法兵四百携炮四尊登陆，巡抚刘铭传（淮系军阀）击退法兵，杀伤数十人，夺炮四尊。法船开入马尾，船政大臣何如璋恐妨碍和议，不敢阻止。华法两国兵船同泊一处，华船被禁止移动，何如璋等仍不令海陆军备战。七月，法通知何如璋定期开仗，何如璋坚守秘密，对部将说：“昨得李相电，尚言和议大有进步，所云必系谣传。”到时法船大炮齐发，华船仓猝拔锚应战，但战机全失，船只相继被击沉。福建水师阵亡将士七百六十人，他们在投降主义者统率下，就是这样败死了。法船炮击船厂后，退出马尾，被炮台击伤两艘。李鸿章替法军夸张胜利，称法船“毁闽船不过数刻”，证明万难与敌。他拒绝派船救台湾，要南洋单独负责，又拒绝助南洋军火，以为“无须借助北洋”。南洋也同样不肯实力援助台湾，刘铭传要求李鸿章说：“南北洋轮船如肯出战，法船不难驱逐出境，尚求统顾全局为盼”。清政府训斥左宗棠：“当此时机紧迫，仍存湘淮畛域之见，不能和衷协力，妥筹援剿，致台北孤危（基隆水陆失守）贻误大局，定惟左宗棠是问。”事实上左宗棠无力援救，李鸿章有力不援，责左不责李只增湘系的不平。如果当时湘淮海上合力，滇桂陆路齐心，中法战争失败者不一定是中国。

十二月，法海军攻浙江镇海县海口，炮台守将欧阳利见（湘系）击毙孤拔，法海军退去。

六月初马尾战前，法船驶入马尾，与华船同泊一月，不见华船备战形迹，法内阁报告议会，说“中国万不敢战，四千人可扰七省”。议员准许政府用兵恫吓（李凤苞致李鸿章电）。李凤苞建议“雇德兵五十人赴华，法人知之，必疑为毕相暗助”，这种可耻的奴隶谋略，大得李鸿章赞许，令李凤苞拨给川资，“送来北洋差遣”。马尾战后，李鸿章忽得“德相毕士马赴巴黎结法图华”的消息，大起恐慌，认为“大局将不可收拾”，求和更急。越南方面，潘鼎新军受李鸿章指示，战胜不追，战败则退，士气非常低落，法军专攻潘军，谅山守将苏元春弃城退回边境。

陆路战争第二期（一一年正月至二月） 潘鼎新军退走，西路岑毓英、刘永福两军攻势猛烈，独力支持越境战局。张之洞请出七十岁的退伍老将冯子材率粤军援桂，驻镇南关。二月，法大军分三路进关，冯子材率总兵王德榜死力抵抗，苏元春往援，各军“悉力分剿，大获胜仗，追贼出关，割取首级一百余，伤贼一千余人”，潘鼎新电称“自越中用兵未有如此大捷者”，点验各军呈缴首级，“皆系精壮洋人”。冯、王、苏都是绿营兵，武器极旧，甚至还用刀矛冲锋。潘军不是没有战斗经验，又用新式毛瑟枪，节节败退，完全是接受李鸿章失败主义的影响。滇粤两军“将士一心，愿效死力，伤亡虽多，士气复振”，分路攻击法军，每战必胜，法公使急请和解，愿退出基隆，不押海关，不索兵费（曾要求八千万佛郎），但求批准《天津简明条约》。冯子材率兵进攻，大破法军，克复谅山，法统帅纳克列耳受重伤，收残兵败逃。冯军追逐，不战取得文渊城。冯子材、王德榜约会西路滇军，乘胜进攻北宁河内两省，西贡内应也已约定，准备驱法军出越南。法议会大哗，内阁辞职。李鸿章电总署说“谅山已复，若此时平心与和，和款可无大损，否则兵又连矣”。二月十九日，中法在巴黎签订议和草约，根据法方所提条款不加讨论，也不让曾纪泽与闻，签押后一日才通知他。这在李鸿章说来，淮系在外交上战胜了湘系。

草约订定，上谕各路军三月一日停战，十一日撤兵。张之洞希望停战前攻下北宁，李鸿章传旨斥责说：“冯王若不乘胜即收，不惟全局败坏，且恐孤军深入，战事益无把握。纵再有进步，越地终非我有。著该督遵旨亟电各营，如期停战撤兵。倘有违误，惟该督是问。”冯子材、王德榜只得放弃收复的城池，奉令撤回，在三月初一日子刻，即停战开始一刻给张之洞一个电报：“去岁上谕议和者诛，请上折诛议和之人，士气可奋，法可除，越可复，后患可免。”作为前敌将士被迫停战时向卖国贼提出忠愤的抗议。

六　丧失缅甸

一八八六年（光绪一二年）

英国侵略缅甸，咸丰年间已割取南部各地。中法战后，英军乘机攻灭全缅，清政府毫无违抗地订约承认吞并的事实。连安南、缅甸间老挝（南掌）地区人民反抗激烈，英人自愿退还中国，清政府也不敢接受，老挝归入暹罗。

七　北洋海军的扩充

一八八五年（光绪一一年）至一八八九年（光绪二〇年）

海军是当时新政的中心，外交上每一次失败，李鸿章总是说，水师还未练成，船舰尚须添置，不得不“含忍议款”。他搜括大量金钱，向外国购置兵船枪炮，认为是惟一的自强之策。至于中国官僚政治所产生：船厂制度的腐败，海军操练的松懈，海军将弁任用非才，暮气日深，购械官员的贪污（例如李凤苞购买铁甲舰，勾串外国流氓贪污至百万两，被人告发，奉旨革职查办），他都不以为意，只知出高价买外国废船旧炮，装饰门面，巩固淮系军阀的权势。他在光绪六年妥筹（放弃）琉球案奏折里说：“数年之后，船械齐集，水师练成，声威既壮，日本嚣张之气当为之稍平，即各国轻侮之端或亦可以渐弭。”事实证明他所谓“数年之后”是遥远无期的，也永不会有“声威既壮”的一天。

中法战争，湘淮畛域太显著了，清政府乘机收回海军，企图统一指挥权。一一年九月，设立海军衙门，派醇亲王奕𫍽为总理海军事宜，庆郡王奕劻、李鸿章为会办。善庆、曾纪泽为帮办。五人中满洲贵族占多数，但实际权力仍在李鸿章。北洋利用海军衙门整顿海防的名义，新添不少外国船，别处较好船只都拨到北洋来。从一一年到一七年，李鸿章的新政达最高点，北洋有新旧大小船舰二十五艘，他第一次发出满意的声明说：“综合海军战备，尚能日异月新，目前限于饷力，未能扩充，但就渤海而论，已有深固不摇之势。”（李鸿章：《校阅海军情形折》）在清政府害怕汉人拥有强大武力的猜忌下，户部尚书翁同龢借口筹饷，停止南北洋购买外国枪炮、船只、机器拨款，将所有价银解户部充饷。海军经费原定每年四百万两，奕譞希望西太后归政给他的儿子（光绪帝），赞成西太后修颐和园，移海军经费营造。李鸿章为了结交西太后和奕譞，以巩固权势，不但自己同意提款，更力劝南洋大臣曾国荃同意。光绪一四年以后，停止添船，一七年以后又停购军火。园工所费银约三千万两。这虽然应以西太后为首恶，但李鸿章实是大帮凶，他却无耻地推诿甲午战败责任，归罪于移款修园，军力不充。实际上船炮不及日本只是次要因素，他的投降战略指导才是主要原因所在。

自同治元年开始办“新政”，到中法战役，已历二十四年，新政的成绩，在“自强”上是不堪一战，在政治上是造成湘淮军阀割据对立，在外交上是割地丧权。总之“新政”在中法战争中表现了开始破产。不过洋务派是不能也不愿觉悟的，仍继续其“新政”，等待更大破产的到来。

从同治元年至光绪二〇年，曾国藩、李鸿章、左宗棠、张之洞都是著名的洋务派首领，李鸿章、张之洞开办各种工厂尤称出色，但丝毫不见“富强”的实效，重要原因就在军阀官僚把持机器，规定官办、官督商办、官商合办等方式，阻止机器与民间资本结合。洋务派愈“富强”，必然是人民愈贫，国家愈弱，把洋务派创办新工业，看作中国富强的基础，那是完全错误的。因此也就招致甲午中日战争时的惨败，“新政”受到彻底的破产。

第六章　甲午战争及第二次割地狂潮
一八九四年至一八九九年
（光绪二五年）

第一节　中日朝鲜交涉
一八七五年（光绪元年）至一八九五年
（光绪二〇年）

明治的维新变法，资本主义在日本逐渐发展起来。它和封建经济结合着，表现出特别强烈的侵略性，明治时代就奠定了大陆政策，企图征服中国甚至世界。照《田中义一奏折》所说，“明治大帝之遗策”是第一期征服台湾，第二期征服朝鲜，第三期征服满蒙，第四期征服支那，第五期征服世界。同治一三年（明治七年），日本在英法美主要是美国的援助下，开始侵略台湾，结果割取了琉球。南进政策获得初步成功以后，仍在美英援助下，向朝鲜侵入。美国要开放朝鲜市场，英国要阻止沙俄南下，日本要夺取“渡满洲的桥梁”，沙俄要乘机插足朝鲜，国际斗争集中在海东一角上，应付这个危局的是满清政府和李鸿章，外交逐步失败，最后发生军事上大失败。

朝鲜交涉经三个时期：第一期争宗主权，第二期引俄制日，第三期恃俄拒日。

争宗主权一八七五年（光绪元年）至一八八五年（光绪一一年） 光绪元年，日本军舰到朝鲜江华岛测量海口。日舰无故侵入领水，炮台开炮示警。日舰乘机攻毁炮台，登陆屠杀兵民无数。日政府作为侵略的借口，派军舰迫韩政府订立《江华条约》，认“朝鲜为自主之邦”。满政府并不正式对日抗议，仅由李鸿章密劝韩政府“用以敌制敌之策，与泰西各国订约，借以牵制日本”。李鸿章对朝鲜交涉，主张联日拒俄，以为日本“与美人暗结党援，其势日张，其志不小”，可以“与中国高丽并力拒俄”。对同一时候的伊犁交涉，则主张“姑让与俄以取偿于日本”。这似乎是矛盾，但从他的投降主义说来，却是一贯的宗旨。因为“联日”“让俄”是其主张，“拒俄”“取偿”是欺人的辞令。光绪三年，日本内乱，李鸿章私赠日政府后膛枪子十万粒，说是“救灾恤邻，以示敦睦”。中法战争，他拒绝给南洋任何援助，对侵略琉球、台湾、朝鲜的日本，他瞒着清政府接济军火，这样一个排内媚外的外交主持者，朝鲜的前途可想而知了。

日本扶植朝鲜失意官僚，组织所谓“开化党”，反对把持国政的事大党。光绪七年，开化党得势。八年，事大党利用兵变，烧日本公使馆。中日两国各派海陆军到朝鲜，成对立的形势。朝鲜国王接近开化党，企图脱离满清，实行“独立”。一〇年，中法开战，开化党乘机作乱，勾结日兵，入王宫夺取政权。清军得朝鲜人民援助，击败日兵，乱党逃往日本。一一年，中日谈判朝鲜问题，李鸿章要求双方同时撤兵，又允许两国对朝鲜有同等派兵权，事实上承认中日共同保护朝鲜。一一年，中法战争结束，日本军阀主张三年内与中国一战，夺取朝鲜，理由是“中国自战法以后，于海陆各军，力求整顿，若至三年后，我国（日本）势必不敌”。这样粗率的观察，说明日军阀对中国情况完全无知。资产阶级代表伊藤博文反对军阀的速胜论，说：“所云三年后中国必强，此事直可不必虑。虽此时外面于水陆各军，俱以整顿，以我看来，皆是空论。现当法事甫定之后，似乎奋发有为，一二年后，则又因循苟安，诚如西洋人所说，中国又睡觉矣。此时只宜与之和好，我国速节冗费，多建铁路，赶添海军，三五年后，我国官商皆可充裕，彼时看中国情形再行办理。”（中国驻日使馆密探朝比奈报告）。这种观察是深刻的，日政府采用伊藤的建议，专力向朝鲜伸张势力。

引俄制日（光绪一一年至二〇年） 开化党政变失败，日韩间关系恶化，中国因击败日兵，救护韩王，势力一时扩大起来。当时代表满清驻韩的官员，一个是袁世凯，一个是德国人穆麟德。袁世凯在中日撤兵前，经张謇推荐，任驻韩淮军吴长庆部前敌营务处，显出办事的才干。吴军撤回，李鸿章给他“总理”名义，留韩监督政治。他抱着个人建立功名的野心，曾企图灭韩国，废韩王，对韩政府态度傲慢，遇事积极干涉，惹起韩人的反感，暗中谋脱离对满清的宗属关系。穆麟德受李鸿章委任，替朝鲜办外交事务。他抱有另一种野心，诱韩政府与沙俄订割地密约，使沙俄与日英美三国对立，德国乘机助俄分享权利。袁、穆二人，一个逼韩离华，一个引韩投俄，在日本看来是很不利的。它要中俄关系恶化，对俄国说“中国近有废朝鲜为郡县之意，俄国何不先发制人”。对中国说“俄有侵占朝鲜之意，中国宜先下手”。唆使两国相争，以冀从中取利。被争夺的朝鲜，先受沙俄引诱，后受美国煽惑，厌恶满清，称“清素畏洋，我派使结洋，清必畏我”，一心寻求新主人。一一年英占巨文岛起，各国争夺朝鲜愈演愈烈，主要争夺者表面是中日两国。

一一年三月，英俄因争阿富汗将起战争。俄兵船聚泊海参崴，英国派兵船占朝鲜巨文岛，防俄船南侵香港。韩政府提抗议，要求“亟去此岛”。李鸿章认为“英暂据此备俄，与朝鲜中国皆无损”，对英政府表示“敝国亦无抗拒之意”，在伦敦订承认占领的条约。这种擅自盗卖朝鲜领土的行为，当然引起被害国的怨恨。沙俄利用时机，一面向总理衙门声称：“若中国政府承认英国占领巨文岛，则俄国认为有占领其他岛屿或朝鲜王国一部之必要。”一面经穆麟德手，密订割地条约，准备派兵舰据守朝鲜各海口以助声威。朝鲜在俄国援助下，企图“与华平行”，抵制清政府改郡县、派监国的计议及袁世凯的骄横干涉。日本看到朝鲜“引俄拒华”威胁本身既得的利益，向李鸿章要求“择美国之有才者一人，令朝鲜政府委用以代穆麟德”。李鸿章也以为美国人可信任，派一个所谓“宅心公正、爱惜体面声名”的美人德尼（Dwen N. Deng）代穆麟德职务。中日美英各方面压迫韩政府取消密约，俄国势孤，愿订约声明“决不侵占朝鲜领土”。李鸿章主张引俄制日，以为“韩虽可虑，有俄在旁，日断不遽生心。我当一意联络俄人，使不侵占韩地，则日亦必缩手”（《致总理衙门书》）。允许日后朝鲜如有大事变，中俄共同商定办法，实际是承认俄国参加保护权。清政府认为“被俄牵制”，不允订约，俄国口头声明对韩无领土野心。一二年，英俄阿富汗事件和缓，英船退出巨文岛，英俄割地交涉暂告结束。

德尼受中国政府委任，但助美日反清，唆使朝鲜“结洋独立”。一二年，朝鲜私派全权驻美公使，清政府力阻无效，朝鲜使臣有全权名义，地位在清使臣上，表示外交“自主”。德尼及日政府推荐李仙得充税司、借美债二百万元，以海关作担保。李仙得是引日兵攻台湾的著名流氓，清政府虽设法阻止，韩政府却授李仙得二品衔，办理外交，表示政治“自主”。一六年，美兵船调兵五十名驻韩京汉城，同时“日兵先后潜来汉城约有四五千人”。清政府向美抗议，美日兵陆续退出，韩政府亲美、疏俄、仇清、恶日，满清依俄国虚声援助，日本得美国实力支持，中日斗争愈益紧张，韩政府亲美态度也愈益显著。

满清在韩地位陷于孤危，不谋挽救的善策，反增加了政府内部的派别争斗。吴长庆军主要幕僚张謇，著《朝鲜善后六策》，请李鸿章改郡县、置监国、驻重兵，实际上吞灭朝鲜。李鸿章当然不敢听信这种不负责任的狂议，但对年少气盛的袁世凯及一般清议派却有极大影响。光绪帝师傅翁同龢采纳“清议”，有意制造拥帝党，张謇的主张影响到政府方面。李鸿章一向憎恶清议，也一向被清议派斥责。他原来希望“嗣皇亲政”，太后退休，政治上倾向拥帝党。翁同龢接近清议派，与李鸿章对立，李鸿章失望，转向太后党，附和奕譞的私意，移拨海军经费，这又正合满洲统治者削弱汉人兵力的愿望，朝鲜形势危急，李鸿章同意停购船械，原因就在翁李不和，借朝鲜交涉进行内争。

恃俄拒日（光绪二〇年三月至六月） 朝鲜外患交迫，内政腐败，光绪二〇年三月，全罗、忠清两道人民响应东学党起兵，揭“逐灭夷倭，尽灭权贵”旗号，与政府军交战，政府军大败。东学党又称东学道，是民间反政府的秘密结社，日政府阴谋出兵朝鲜，派遣浪人、军人组织所谓“天佑侠团”，助东学党作战。韩政府请求李鸿章派兵援助，日本诱李鸿章出兵干涉朝鲜，表示“贵政府何不速代韩戡乱，我政府必无他意”。李鸿章以为拒韩请求，有失“上国体面”，既得日政府“必无他意”的保证，五月，派叶志超率陆军二千五百人到朝鲜代平内乱。日政府见阴谋得售，立即派兵入韩；李鸿章初意只在保持“上国体面”，绝无备战的决心，日军陆续增至一万二千五百人，华军不敢增援。韩政府见华兵势弱，改变态度，亲日疏华，李鸿章进退失据，完全落入日本预设的陷阱中。

李鸿章专心盼望外国调停，并不备战自救。他“面商英公使电英劝阻日本进兵”，又请俄公使“速电外部转电驻日俄使切劝日与我约期同时撤兵”，以为“英俄夹攻，或易就范”。后来发现“英人意似簸弄生事，外和内谲，殊难信”。但俄公使表示极积援助，自觉有恃无恐。俄公使说“俄韩近邻，断不容日妄行干预”，又称“俄皇已电谕驻日俄使转致日廷，勒令与中国同时撤兵。如日不遵办，恐须用压服之法”。李鸿章获得这些口头援助，对日态度转趋强硬，谕袁世凯坚持华日同时撤兵，“此外如有别项要求，任他多方恫吓，当据理驳辨，勿怖勿馁”。日军陆续增援，袁世凯、叶志超请添拨重兵，李鸿章恃有俄援，令袁、叶“镇静勿妄动”，说“俄在日议正紧，略忍耐必有区处”。日陆军万人，分守汉城四路各要害，海军全部出动，战机成熟。六月初，袁世凯电告“日决无和意，我应妥密筹”。海陆军将领多请先占重要地区，“早立脚步，免为他族先得”。李鸿章仍令切勿多事，说各国正在劝和，或有办法。叶军驻牙山，已居绝地可危，叶志超提出三策：上策增援备战，中策自动撤兵，下策坐守死地。当时俄公使通知：“俄只能以友谊力劝日撤兵，未便用兵力强勒日人。”李鸿章大惊，但仍希望力劝有效，军事上采取下策，等待俄英法德义等国调处。他在训令叶志超电文里说:“两国交涉，全论理之曲直，非恃强所能了事，仍望静守勿动。”反说:“日虽竭力预备战守，我不先开仗，彼谅不动手。此万国公例，谁先开战，即谁理绌，切记勿忘，勿性急。”他始终幻想俄国会武力援助，英俄“必有办法”，日本先开战，“将来各国开衅之罪必问日”。半殖民地国家统治阶级的奴隶思想，李鸿章在朝鲜交涉中，创造了最标本的实例。他的继承者一次又一次地重演这个实例，到一九三一年“九·一八事变”，李鸿章思想发展达最高点，人民所受的灾祸也比甲午战争不知大若干倍，中国人民要争取解放，必需反对李鸿章思想继续支配政治。

第二节　战无不败的海陆军

光绪二〇年六月十八日，李鸿章电令叶志超“切记万国公例”，二十日，又电总理衙门说“英国意谓将来各国议开衅之罪必问日”。他正在说这些梦话，二十一日，日军入王宫，掳朝鲜王，迫令请日兵驱逐牙山华军，战争正式开始。李鸿章奏称沙俄将派兵驱日，中国军可随同“会办”。总理衙门认为“我军会办一节，殊未妥协”，令李鸿章“一意主战，断不可意存畏葸”。这个惯于投降的洋务派首领被情势所迫，不得不勉强应战。他不信自己可能战胜，而坚信外国（主要希望沙俄）一定会出面干涉，始终采取“处处后退”的军事布置，等待外国干涉的到来。整个甲午战争，就在这样可耻的失败主义指导下，海陆军全部被歼灭。

牙山溃败（光绪二〇年六月） 叶志超军驻牙山，孤立无援，中日战争开幕，李鸿章临时派兵二千人渡海往救。他总要带一些外国关系才敢行动，出重价雇英国商轮“高升”等三船运兵，中国兵船“济远”等三艘护送。天津电报生出卖开船消息给日本，日舰集牙山口外，开炮击沉商轮一艘、兵船两艘，溺死千余人。“济远”舰管带方伯谦见敌舰开炮，躲入舱内铁甲最厚处，向旅顺飞逃，自称击毙日海军总统。海军提督丁汝昌报称“济远”大战获捷，赏银二千两，“告谕全军，以为鼓励”。李鸿章明知“中西人传为笑谈”，仍用“竭力拒敌，苦战支持”等语报告清政府。“高升”船沉没，他认为“上挂英旗，日敢无故击沉，英人必不答应”，大有干涉战事的希望。二十六日，电请总理衙门照会各国公使，声明“日先开战，衅非自我开”，发送照会的用意，不是表示坚决应战，而是希望“后来各国调停议结，暗伏其根”。战争刚开始，第一希望因日政府迅速对英认赔谢罪落了空，第二希望因各国宣告中立，调停一时无望，日本方面又“有美国人帮助议事”（朝鲜税司柏卓安致津税司密信），他本来不曾有战意，在这种情况下，除了“畏葸延宕”，再没有其他主张。

叶志超当然不会比李鸿章勇敢一些。日军进攻牙山，聂士成战败，叶志超率军先逃，冒暑向平壤狂奔，兵士饥疫倒毙，沿途都是尸体。从牙山到平壤不过数百里，他怕走近路遭遇日军，专走远路，一个月（七月底）才到达平壤。李鸿章依据叶志超报告，奏称叶军在牙山大捷，沿途迭败倭兵，战功甚大。清政府特发上谕说：“直隶提督叶志超与倭人接仗，击毙倭兵二千余人，实属奋勇可嘉。加恩赏给该军将士银二万两，以示鼓励戎行之至意。”又谕：“该军将弁冒暑苦战，奋勇出力，深堪嘉尚，著准其择优奏保。该提督已抵平壤，与大军相合，即着统率诸将，协力进剿。”逃将败兵受重赏，叶志超并升任平壤各军总统，李鸿章的赏罚调度加速了平壤军的溃败。

平壤溃败（二〇年八月） 主战派首领光绪帝严令李鸿章备战，牙山战前数日，李鸿章派卫汝贵、马玉昆、左宝贵、丰升阿四大军自辽东分起入朝鲜，驻扎旧京平壤城。朝鲜人民夹路欢迎，争送茶浆劳军。这些军阀军队在国内当惯了盗贼，对朝鲜人民自然更残暴，大军过境，毁器物，烧房屋，夺财货，淫妇女，杀平民，捉壮丁，扰害异常。“由义州至平壤数百里间，商民均逃避，竟有官亦匿避。定州烧屋几及半里，沿途锅损碗碎，不但夫、驮难觅，且途中饭铺皆无”（李鸿章:《整饬军纪电》)。作为主力军的卫汝贵“恇怯无能，性情卑鄙，平日克扣军饷，不得军心”（光绪上谕），在四军中纪律尤坏。马左卫丰四军共二十九营，同居平壤城中，将各一心，不相统属。卫汝贵军十三营，人数最多，“兵不服将，惊闹数次，连夕自乱，互相践踏”（李鸿章:《责卫汝贵电》)，又与马玉昆军互相轰击，死伤多人。七月底，叶志超率败兵六营逃来，被任为各军总统。将领各有意见，不服调度，比较能战的聂士成借口招兵，走回天津。

叶志超毫无布置，束手待敌军来攻。八月十五日，日军先锋到城郊，叶志超主张弃城逃走。左宝贵不许，派亲兵监视志超，自率所部六营守北城玄武门山顶。其余各将分守东、西、南三面。十六日，日军集合重兵猛攻玄武门，左宝贵誓必死，立城上指挥，杀伤敌兵无数。日军排炮轰击，左宝贵战死。日军占玄武门，尚不敢入城。当时马玉昆、卫汝贵击退东西两路日军，还可以回兵决战。叶志超下令撤兵速退，各军溃乱，日军击杀溃兵二千余人。叶志超率将领奔逃五百余里，二十二日渡鸭绿江退入中国边境。

守平壤本是必败的下策，李鸿章一向主败不主胜，以为战败讲和，“和款可无大损”，战胜则“兵连祸结，大局不可收拾”。他驻兵牙山绝地，又驻兵平壤孤城，目的就在战败讲和，叶志超一路溃逃，正是执行他的求败方针。

平壤城内驻满清兵三十五营，约二万人，积储军火粮饷极多，凡有大小炮四十尊，毛瑟枪一万余杆，饷银约十万两。又各将领抢得的财物，有金砖六十七块，金锭六十一锭，金沙大小三十包，其他贵重物无数。这些，都是中国和朝鲜人民的膏血，经过他们的手，全部送给日军。叶志超照例谎报战绩，李鸿章又照例替逃将掩饰，清政府依据纸上空文，无视舆论的指责，下谕“叶志超著加恩免议，李鸿章亦一并加恩宽免处分”。平壤大败，就这样不负责任地结束了。

九连城（安东县东境）**溃败**（二〇年九月） 平壤战前，李鸿章派宋庆、刘盛休、依克唐阿等军驻扎九连城，防守边境。九连城是中韩交通孔道，与南岸朝鲜义州隔江相望。当时集中军队七十余营，约四万人，满洲将军依克唐阿十二营自立一军，其余各军归宋庆总统。完全像平壤一样，各军将领不服调度，散漫无纪，同居九连城中，依旧束手待敌军来攻。

九月二十二日，日第一军到义州。二十六日，日兵二三十人渡河，放一排枪，依克唐阿军溃逃，被日军追杀百余人。二十七日，日军大队渡河，各军不战溃散（仅聂士成军接战一二小时）。二十八日，日军入九连、安东二城。

大连旅顺溃败（二〇年十月） 光绪六年，李鸿章开始经营旅顺军港，陆续建筑炮台。一一年，造大船坞，设海军提督衙门，与山东威海卫同为北洋海军根据地。甲午战争时，旅顺军港设海岸炮台十三座，陆路炮台九座，有大炮七八十尊，除本国造四尊，其余全用德克鲁伯厂制品。旅顺港后路大连湾设炮台六座，有克鲁伯最新式大炮二十四尊。旅顺驻张光前、黄仕林、姜桂题、程允和、卫汝成、徐邦道等六军，共三十余营。李鸿章令“贪鄙庸劣”的龚照玙统率六军，实际是各不相统。大连驻赵怀益军六营。九月二十六日，日第二军登陆花园港口（离金县二百八十里），运输炮马辎重上岸凡十二天，中国海陆军坐视不过问。日军到鼻子窝，旅顺震动，徐邦道提议出兵迎战，保护后路，张光前等不听。赵怀益闻日军登陆，派人运大连军米到烟台出卖，准备逃走。部下将士要求出击，怀益斥责说：“我奉中堂（李鸿章）令守炮台，不管后路战事，汝等欲拒敌，须请令（李鸿章命令）方可。”徐邦道率本部兵士往守金县城，与日军大战，死伤极重。十月初九日，向赵怀益请援，他正在码头亲自督兵勇搬运饷银行李什物上船往烟台，不肯援救。金县城破，徐邦道退回旅顺。初十日，日军分三路进攻大连湾炮台，原来赵怀益早一天已逃入旅顺，兵勇溃散。十一日，日海军来攻，炮台上见站立日兵，海陆两军不死一人，太意外地占领了大连湾。

李鸿章经营大连湾凡六年，防务最称巩固。军械库中储藏大小炮一百二十余尊，炮弹二百四十六万颗，德国新枪六百数十杆，子弹三千三百八十一万颗（枪炮数目也许不确）。其他如马匹、行军帐及各式军用品无数。赵怀益不愿毁坏，全部留给日军，因为这都是不便运向别处变卖成钱的器物。日军在大连休息十天，二十一日，向旅顺进兵。各守将准备敌来就逃，统帅龚照玙早已逃归天津。徐邦道率残兵抵御，击退日军，保旅顺后路。各守将不派援兵，又不输送粮食，纷纷从海路逃往烟台，大小官员各取库中贵重物件雇民船逃走，兵士无人统率，抢掠官银号，旅顺大乱。二十四日，日军大队来攻，徐邦道战败退回。二十五日，椅子山炮台失陷，各台守兵相继溃散，日军占领旅顺。

李鸿章经营旅顺军港凡十六年，前后费银数千万两，船坞、炮台、军储号称“北洋精华”，与大连湾同样全部送给日本强盗。

二十一日，日军被徐邦道战败，兽性大发，入旅顺后，惨杀中国军民，引起正义人士的愤慨。英国胡兰德博士在“中日战争之国际公法”里说：“当时日本将卒之行为，实逸出常度之外。四日间残杀非战斗者妇女幼童。从军之欧洲军人及特约通讯员目击此残虐之状况，然无法制止，惟有旁观，不胜叹惜。此时得免杀戮之华人，全市内仅三十六人，然此三十六人为供埋葬其同胞之死尸而被救残留者。”《泰晤士报》载：“日本攻取旅顺时，戕杀百姓四日，非理杀伐，甚为惨伤。”又有“中兵数群，被其执缚，先用洋枪击死，然后用刀肢解”。美国报纸“痛责日本军队之暴行，谓日本国为蒙文明皮肤、具野蛮筋骨之怪兽。”又谓“今脱文明之假面，露野蛮之本体”。日本强盗从惨杀旅顺军民起，五十年来惨杀中国人民何止数千万，这一篇血账必需清算，自然是每一中国人的责任。但是，国内大盗的罪恶并不比外国强盗较少，外盗一定是内盗引进来的。满清政府、李鸿章及其继承者，五十年来篡夺国家统治权，一脉相传，坚持失败主义，招引外国强盗乘机侵入，共同享受掠夺物。中国人民不坚决消除这些篡夺政权的内盗，日本帝国灭亡了，更强大的帝国主义还会继续侵入，人民的灾难还会继续扩大。

北洋海军战败（二二年八月） 光绪六年，李鸿章办北洋海军，在天津设水师学堂。教习、学生多是福建人，福州船政学堂的宗派恶习，再加上淮军的腐烂风纪，构成北洋清军不可救药的症候。北洋历年添购外国船，有战舰九艘，守口蚊船六艘，鱼雷艇六艘，练船三艘，运船一艘，共大小二十五艘，器械吨数与日本海军约略相等，将士素质远不及日本。姚锡光《东方兵事纪略》说："海军之建也，琅威理（英海军军官，任北洋海军总教习）督操极严，军官多闽人，颇恶之。右翼总兵刘步蟾以计逐琅威理。提督丁汝昌本陆将，且淮人，孤寄群闽人之上，遂为闽党所制，威令不行。琅威理去，操练尽弛，自左右总兵以下，争挈眷陆居，军士去船以嬉。每北洋封冻，海军岁例巡南洋，率淫赌于香港上海，识者忧之。"李鸿章所谓"目前海军将材，尚无出其（丁汝昌）右者"，"今日海军力量，以之攻人则不足，以之自守则有余"，全是自欺欺人的空话。他办海军，原为扩大本集团声势，与陆军同样不曾准备对外作战，因之从来不需要整顿。

北洋海军两个根据地，威海卫停泊战舰，旅顺修理船只，各设提督衙门，保卫渤海口。二〇年七月初，丁汝昌执行李鸿章的“保船”计划，堵塞威海卫两海口，密布水雷、木栏、铁链，阻日海军来攻。清政府主战派令丁汝昌出海巡弋，他总报称“未遇倭船”，其实日舰控制了渤海，经常在威海卫口外巡弋。

八月十三日，李鸿章派招商局轮船五艘，运兵十二营援平壤，自鸭绿江口大东沟登岸，丁汝昌率海军全队兵舰十三艘护送。十七日到达大东沟。十八日午前，见西南来黑烟一簇，测望来船悬美国旗。午刻船来渐近，凡十二艘，全改悬日本旗。丁汝昌、刘步蟾、汉纳根（德人）、泰莱（英人）在旗舰“定远”铁甲船（管带刘步蟾）上议定布“分段纵列”阵势，下令起锚应战。刘步蟾违反议定的阵势，发出信号，令舰队横列，主力舰（“定远”、“镇远”两铁甲船）居中。他是卑污的懦夫，企图居中躲避炮火。泰莱见阵势错误，但时机迫切，不便更改，对刘步蟾说：“总兵已发错误之信号，然若更改，纷乱益甚。”两翼弱舰自觉位置危险，故意缓进，舰队成半月形，两主力舰自然突出在前方。日舰似将攻最弱的右翼，泰莱建议全队向右移四度，或可使主力舰先与敌舰接触。丁汝昌立即采纳，令汉纳根到船后传令发信号，各舰遵令移动，刘步蟾停留不动，逃避接触。泰莱大怒，自瞭望塔跳下，奔上飞桥见丁汝昌，因言语不通，等待汉纳根回来。刘步蟾在桥下突发一炮，飞桥年久失修，被震破裂。丁汝昌、泰莱从空中跌落，都受重伤。丁汝昌仍坐甲板上督战，汉纳根出身陆军，海战不能得力，却成为主要指挥者。

日舰专攻左右翼小船，阵脚“致远”、“经远”两艘被划出阵外。“致远”受伤，管带广东人邓世昌恨福建帮将领作战不力，对大副陈金揆说：“倭舰专恃‘吉野’，苟沉此舰，足以夺其气而成事。”“致远”开快车撞“吉野”，中鱼雷炸裂，全船二百五十人同时溺死。“经远”舰受伤，管带林永升也鼓轮撞日舰，中鱼雷沉没，死二百七十人。真正死战的将领只有陆军左宝贵，海军邓世昌、林永升等数人，其余将帅多是儿戏，但得李鸿章信任的却是那些儿戏将帅。

双方接战，中方沉没四艘，逃走两艘，剩下七艘。日方沉没一艘，重伤数舰。日大舰五艘合攻“定远”、“镇远”两主力舰，日旗舰“松岛”受重伤，“定远”也受伤。战争经历五六小时，日舰向南退去，中国舰队退回旅顺。

黄海大战，中国失船较多，但只是小败，也可以说不分胜败，李鸿章故意自认大败，造作惟武器论，说是“凡行军制胜，海战惟恃船炮，陆战惟恃枪炮，稍有优绌，则利钝悬殊”。由此得出结论：“海军快炮太少，仅足守口，实难纵令海战。”平壤挫败“固由众寡之不敌，亦由器械之相悬，并非战阵之不力”。一切腐败溃逃的责任，全部推脱得干净，事实恰恰证明军阀军队根本不愿抵抗外国侵略，所谓武器不良，无非作为借口，实行一贯的失败主义。

黄海战后，翰林院联名奏参李鸿章，列举罪状，其中有“倭米船则放之，倭运开平煤则听之，倭谍被获，非明纵则私放。有海光寺傍居民王姓，经天津县获究，而李鸿章之子、前出使日本大臣某（李经方）为之说情。倭奸石川氏及军械所刘姓被获，供词牵涉李鸿章及军械局员，而某观察述李鸿章之意，勒令天津县李振鹏改供，为李振鹏驳斥而止。台湾拿获倭船，又为之请旨释放。军械所历年所储枪炮，多被监守盗卖。及东事已起，犹检出不合用之前膛枪子，卖与日本，得银十四万两，局员朋分，而李鸿章为之补给领字。外间并有传闻，李鸿章有银数百万，寄存日本茶山煤矿公司，伊子又在日本各岛开设洋行三所”。这种事实决非凭空捏造，虽然不能断定他已经卖身给日本，但处处留议和余地，不敢坚决抗敌，始终缺乏战意，那是无疑的。军阀买办性决定李鸿章在被迫作战时，采取这个一面消极应战、一面力谋投降的卑污方式。

威海卫溃败（二一年正月） 中国船舰入旅顺船坞，照汉纳根说“加工修理，三十五日方可再战”。因为“船上无用弁兵甚多，极为难处”，他要求做海军副提督赏穿黄马褂，有权甄别海军人才，以能战为要，否则“不肯再上船”。这说明海军损失不大，主要病根在弁兵腐败无用。李鸿章拒绝他的提议，令刘步蟾暂代海军提督。九月二十日，各舰修整竣工，出旅顺口回威海卫。十月，旅顺危急，丁汝昌请率海军全力援旅顺，决一死战。李鸿章大骂，说“汝善在威海守汝数只船勿失，余非汝事”。十月，清政府从李鸿章议，严令丁汝昌“守镇定两铁舰毋损伤”。从此北洋舰队困守港内，坐待歼灭。

李鸿章看海陆军是个人私物，黄海一战，大发牢骚，说“以北洋一隅之力，搏倭人全国之师”，决计藏匿不出。他不想十余年来耗费银数千万两，专养北洋一隅，当然应负抵抗侵略的责任。李鸿章要钱时看到全国，出力时只见北洋，军阀所说的国防军队，本质永远是私人军队，这就是丝毫不容诡辩的例证。

李鸿章外交上主张屈服求和，军事上主张避战自保，一个投降主义者应该有这样的思想。他起初自信“就渤海而论，已有深固不摇之势”（光绪一七年《检阅海军奏》）。黄海战后，他自信能守威海卫，奏称：“北洋海军尚有‘定远’、‘镇远’两铁舰，辅以快船蚊雷各艇，与陆路炮台声势尚相倚。各口守台弁勇，均系训练有素。”试看他怎样守威海。十二月二十四日，日海陆大队到成山头，陷荣城县。日船二十五艘，多是木质小船，能战船只不到十艘。威海港内泊战舰十五艘，出口决战，胜败还未可知，丁汝昌受李鸿章命令保船，坚匿不出，日陆军得进攻威海陆路炮台。威海卫炮台分南北两帮。南帮炮台三座，设大炮十三尊。北帮炮台七座，设大炮十四尊。各炮全是德国克鲁伯厂制。守台兵号称绥巩军，凡八营。统领戴宗骞自率绥军驻北帮炮台，分统刘超佩率巩军驻南帮炮台。二一年正月初五日，日军攻破南帮炮台，巩军阵亡二千余人，死伤极惨。刘超佩逃走，北帮绥军望见，同时溃散。初七日，戴宗骞逃往刘公岛。《东方兵事纪略》叙述绥巩军情况说："盖自甲午九月，绥巩两军勇丁即索压饷银两大哗，欲溃者屡矣。压饷者，勇丁初入营，须扣饷三月，存统领粮台，以为军米购价底银，俟勇丁离营日始补给令去。于是将领利勇丁逃亡，其压饷三月可不给，而续补之勇仍可扣压饷也，恒以苦工责勇丁，勇怨刺骨。及军事阽危，南帮巩军给压饷两月，绥军亦噪，宗骞终不给。至是相率嚷溃不返顾。"李鸿章所谓"训练有素"的精兵，就是这样不堪一击的腐败军队。

日陆军占领南北帮炮台，日海军堵塞威海东西两口，海陆发炮攻北洋舰队。十二日，击沉"来远"、"威远"等船。"来远"管带邱宝仁、"威远"管带林颖启正在妓院住宿，没有遭难。十三日，各将领勾结洋员（英人浩威为首），煽动兵勇水手叛变，声称"向丁提督乞生路"。洋员乘机劝丁汝昌"姑许乞降，以安众心"。汝昌说："我必先死，断不能坐睹此事。"洋员及各将领密谋迫胁汝昌投降。十六日，令弁兵围汝昌鼓噪，德员瑞乃尔密告汝昌说："兵心已变，势不可为，不若沉船毁台（刘公岛炮台），徒手降敌，较为得计。"汝昌深思许久，下令各船管带同时沉船，这群懦夫反抗命令，怕空手投降，日本人要发怒。十七日，汝昌召集各将领，令港中余船十艘，猛撞突围，或能逃出数艘。各将领又反抗命令，自动散会，指使弁兵持刀威吓汝昌。汝昌劝退暴徒，服毒药自杀。丁汝昌统带海军，任令腐败，当然应负重要责任，但黄海大战，受伤不退，威海被围，宁死不降，在当时将帅中还算是难能可贵的人物。

十八日，懦夫们会议投降，瑞乃尔提议遵丁提督前令，沉船毁台，再议降事，懦夫们不许。浩威起草降书，请求"不伤中西水陆官弁兵勇民人之命"，托丁汝昌名义，缴出残余舰队十一艘，刘公岛炮台及军资器械，投降日海军。

李鸿章经营十六年的北洋海军，可耻地歼灭了。他自称创办海军是第一等"自强之道"，原来就是这样的一种"自强"。

牛庄、营口、田庄台溃败（二一年二月） 平壤、九连城战败，淮军名声扫地。清政府起用湘军旧将，令魏光焘、陈湜、李光久等募湘勇援辽。十二月，任令湘军首领两江总督刘坤一为钦差大臣，督办东征军务，湖南巡抚吴大澂、淮军总统宋庆为副帅。山海关内外驻湘军、楚军、皖军、淮军、豫军、满军共百余营六万余人。其中刘坤一所部号称八十余营。开战以来，这是最大的一次出兵，也是清政府主战派的最后一试，久受淮军欺压的湘军又被重视了。

日军踞海城县，目的在进占牛庄、营口。宋庆所部五十余营三万人守营口，吴大澂所部魏光焘、李光久等军守牛庄，大部湘军进取海城。光绪二一年二月初四日，海城日军出战，满军依克唐阿败逃，湘军退回牛庄。初八日，日军分三路袭牛庄，将士请李光久出队迎战，光久正吸鸦片烟，不发命令，日军已冲入市内，魏光焘、李光久弃军窜走。湘军十一营被围，据民房苦斗，死伤三千余人，半夜后残兵突围出市。军库存毛瑟枪一千五百余支，枪弹一百五十一万颗，大小炮十九尊，火药一千六百箱，马匹衣粮无数，全被日军掳去。吴大澂驻田庄台，当夜出奔。田庄台是营口后路，东征军粮台所在地。宋庆弃营口，当夜率全军回守田庄台。十一日，日军入营口，获得大炮四十五尊，兵船一艘，小火轮两艘。十三日，日军踏冰渡辽河，守河兵大溃。田庄台守兵不料敌军迅速到来，一时不及逃避，被杀烧二千余人。百余营大军，六天内连失牛庄、营口、田庄台，这一溃败的结果，剥夺了主战派侥胜的希望，同时也增强了主和派求降的理由。

第三节　和战两派的争权及主和派的得势

中日战争与清政府帝后党争有密切关系。帝党主战，要在战争中削弱后党，后党主和，要保存自己的实力。两党借和战争夺权利，随着军事的惨败，后党在政争上反取得胜利。

主战派——帝党（光绪帝、翁同龢、张謇） 西太后立光绪帝，原用作政治傀儡。光绪一二年，光绪帝年十六岁，习惯上称为“成人”了，西太后不便继续“听政”（太后独裁），宣称明年正月“归政于帝”。奕𫍽为首的王公大臣恳请“训政”，所谓“训政”是“一切事件先请懿旨，再于皇帝前奏闻”，实际仍是“听政”。西太后算是俯顺“天下公论”，允许“训政”。一五年，光绪帝年十九岁，西太后觉得“训政”也不便了，宣告“撤帘归政”，令光绪帝“亲政”，实际仍握干涉政令、任免大臣之权。“亲政”与“训政”不同处，只在皇帝光看奏折，看后再请太后懿旨。

光绪帝是满洲皇族中较有头脑的青年皇帝，学习汉文洋文，颇想有所作为。他最亲信的汉文师傅翁同龢是“尊王攘夷”论的旧式学者，任户部尚书，参与军机及各国事务，在政府有相当地位。李鸿章实力最大，自成北洋系统，政治上接近西太后，为翁同龢所深恶。光绪一六年，户部停止南北洋购买外国军火，翁李不和开始表面化。此后朝鲜交涉，翁主张硬，李主张让，翁主自力拒日，李主依赖外力，双方成见愈深。甲午年，张謇得翁同龢赏识，考中状元。张謇著有《朝鲜善后六策》，恨李鸿章不用他的计策，斥为“主和误国”。张謇的主战论，影响翁同龢，同龢又影响光绪帝。

主战派本身缺乏实力，利用皇帝上谕和士大夫清议，督促李鸿章出战。又令维新派徐建寅代丁汝昌（被李鸿章拒绝），令湘系军阀刘坤一为钦差大臣，严责李鸿章，“拔去三眼花翎，褫去黄马褂”。这都是主战派排斥政敌、收回兵权的计划。至于如何战胜日本，他们并无办法（如翁同龢），其他所谓办法，也只有一个“联英伐倭”（如志锐、张之洞），并不比李鸿章“联俄拒日”好一些。李鸿章感到地位危险，对日本求和愈急，对西太后关系也愈密切。

主和派——后党（西太后、李鸿章） 西太后把持政权，当然引起光绪帝及帝党的不平。甲午年正值她六十岁生辰（十月十日），从正月起，提海军经费大修颐和园，准备举行万寿盛典，广收贡献，朝鲜事支持李鸿章的主张，但求从速和解了结，免得耽误做寿。七月，中日战事紧急，户部请“停工作”，暗指修建颐和园事。西太后发怒，翁同龢奏称“查停工一条，指以后寻常工作，其业经兴办之工，毋庸停止”，主战派屈服了。光绪帝示意亲近的朝臣，多上主战条陈，企图借清议压迫西太后。于是南书房、上书房（宫内书塾）两处人员每日轮流上奏折，主战论盛极一时。奏折多请停办点景移作军费。所谓点景，是城内大路及西郊到颐和园，沿路扎彩亭彩棚，种花、奏乐、演剧，每五步一座。这种骇人的浪费，主战派要求停办，完全合理，她更大怒了，对朝臣们说“今日令吾不欢者，吾亦将令彼终身不欢”，这就是说，决心对光绪帝报复。

李鸿章主和是要保全北洋地盘。所谓练海陆军自强，他对伊藤说了真话：“中国素未准备与外国交争。”原来海陆军只是看守地盘的私人工具，从地盘利益出发。他的外交方针，被日本外相陆奥宗光看得很清楚，在所著《蹇蹇录》里说：“清政府自始即采取求欧洲列强干涉，速行终止中日战争之政策。彼（李鸿章）屡恳求外国代表者援助，且电训其驻欧洲各国之使臣，使直接哀求各驻在国之政府。中国政府不顾污辱自国之体面，一味向强国乞哀求怜，自开门户，以迎豺狼。”又说：“李鸿章心中已决定，不论以如何代价，皆不能不购和平。”日本深怕李鸿章“努力诱导外国干涉”的实现，加速军事行动，“在外国干涉未烦难以前，不论占领何地，皆为必要”。日本要迅速战胜，以免干涉，李鸿章要战争失败，引起干涉，这在军事上必然得出日军猛进、华军速溃的结果。李鸿章知道列强不允许日本灭亡中国，败到危急的时候，列强一定出面干涉，事实证明他这可耻的“远见”。威海卫失陷后，“欧洲强国皆不欲日本乘胜使中国陷于土崩瓦解”，“德国希望日本不使现在时局进至极点，竟致爱新觉罗氏之社稷覆灭”，日本为避免列强干涉，不得不放弃“旭日军旗入北京城”的野心。李鸿章的外交公式，到今天还有人奉为秘宝，自夸“远见”，其实这只是殖民地半殖民地奴隶的依赖思想，奴隶的“远见”恰恰说明奴隶的无耻。

李鸿章是甲午战争中满清方面的主角，不论西太后、光绪帝对他支持或反对，都只能起着次要的作用。这个主角的中心工作，不是布置如何作战，而是布置如何诱致外国干涉。

第一期——依英俄为主的求和活动（牙山战前） 日本用武力积极侵入朝鲜，李鸿章以同等的积极程度到处请求外国代压日本，主要依靠沙俄，其次是英国，对德法美也设法试探，自己却拱手观望，不准备作战，活现出“乞哀求怜”的丑相。下面摘录李鸿章致总理衙门电文若干条，“大外交家”的外交就是这样的一套。

求英——五月十七日，“英公使过津，鸿面商电英劝阻日本进兵”。二十八日，“请英公使转电外部，速令水师提督带十余铁甲快舰，径赴横滨，与驻使同赴倭外署，责其重兵压韩无礼，扰乱东方商务，与英大有关系，勒令撤兵，再议善后，谅倭必遵。此好机会勿任俄著先鞭”。他想利用“英俄相忌”，诱英国首先干涉，替英国计划用兵的方法和理由那样具体，真是痴人做梦。他自信此计大妙，一面“属人密告赫德耸恿”，一面请总署“商榷欧（英公使欧格纳）赫”，二十九日，总署复电说“英派兵舰赴倭之说，欧似不以为可，未电本国”。李鸿章做了一天好梦，被这个电文惊破。

求俄——六月二十日“喀使（俄公使喀希尼）遣巴参赞面言接韦贝（俄驻韩公使）电：倭兵在汉城，使馆不安，已电请国家（俄政府）派兵驱逐。喀拟亦电本国酌办。鸿询俄水师提督现有船几只。巴云，有大兵船十只，调往仁川甚便。鸿谓贵国如派船，我海军提督亦可派往会办。巴云，甚好”。李鸿章得到这个口头援救，认为“似俄真动公愤，未必收渔人之利”，请总署共同努力，促成交涉。清政府主战派主张联英，二十一日复电："谓非欲收渔利，其谁信之……不可倚以为助，致事后别生枝节。"这是翁李意见的冲突，背后隐伏英俄两个侵略国。

合求英俄——英俄都不肯放弃对清政府的领导权，商定"同出调处"。英国又约德法意三国同办，"合五国加力责之（日本），俾从公论"。六月二十四日，李鸿章遵照俄喀使通知，电总署"欧在京，请署议，喀在津，与约议"，议题是中日各退兵五百里。这一天正是英轮高升号击沉的后一天，又是日军进攻、清兵在牙山溃败的一天，英俄借退兵为名，在北京、天津参加帝后党争，加强自己的地位。

李鸿章在求俄求英外还向其他侵略者求救。

求法——六月初三日，法外部表示"法颇愿调停，但中国应确有备战之势"。李鸿章得信，急电告法国"如何调停法，愿闻其详"。法答称："出于睦谊。法若出公议，当随英俄后。"

求德——李鸿章电驻德公使，向德外部说："德在东方商务有关，似未便坐视，望力劝倭撤兵。否则将开衅，恐扰大局。"

求美——李鸿章明知“美暗结日本”，但仍希望万一。六月初十日，电驻美公使请美外部“会各国使力劝，共保和局，否则势将决裂”。美外部答称：“当电驻倭使力劝共保和局，但美不愿会同英俄各国，恐各国别怀意见，于事无益。”

李鸿章全力贯注在求外国干涉，叶志超、袁世凯连电求援，他总说“已付各国公论”，“英法现已出场”，严令叶志超“坚贞勿怯”，“静守勿动”，实行不抵抗主义，希望博得“公论”的同情。

第二期——依美国为主的求和活动（威海卫失陷以前） 沙俄对朝鲜抱大野心，牙山战后，喀希尼与李鸿章秘密商定中俄共同保护朝鲜。八月，平壤、大东沟海陆军战败，西太后决定联俄，借俄力讲和，派翁同龢到天津密议。翁同龢是主战派首领，奏称“臣不敢以和局为举世唾骂”。西太后定要主战派参加联俄，仍令前往天津。李鸿章对同龢保证“俄必不占东三省”。同龢回京复命，声明“喀事恐不足恃，以后由北洋奏办，臣不与闻”。帝后两党意见依然对立。同时英使欧格纳也活动和议，主张“由各国共同保护朝鲜，中国赔日本以兵费”。翁同龢反对赔款，李鸿章着重联俄，西太后但求了事，当时主战派尚占优势，和议停顿。

日本方面连战连捷，企图攻陷北京，一举实现大陆政策。一向扶植日本的美国，“鉴于欧洲强国之形势甚为危险”（《蹇蹇录》），就是说，日本甚为危险。十月初九日，美政府通知日政府说：“战斗弥久，若无限制日本军海陆进攻之法，则与东方局面有利害关系之欧洲强国，难免对日本将来之安固幸福，为不利之要求，以促战争之终局。”美国提醒日本前途的危险，又替日本指出获利的方法，说“美国大总统从来对日本怀深笃之好意，若为东方和平，当于不损中日两国名誉之范围内，尽力仲裁”。日政府当然“深为感谢”，照陆奥宗光自述：“予私语美公使谭恩云：日本政府现在公然烦美国政府为中日两国间之仲裁者，或不免其他第三国干涉，故不能不避脱此事，异日若由中国开媾和之端绪时，美国从中交换彼我之意见，则我政府当深依赖美政府厚谊。谭恩十分了解予（陆奥）意，并约将此意报告本国政府。”美国与日本暗中结成谅解，表面装成“公正人”，向清政府提出“友谊”的调停。

主战派反对联俄，主和派反对联英，恰恰给“决不干涉他国利害之美国”一个最好的机会。日本又表示“欲中国自与商办，而不愿西人干涉”，拒绝英俄插手。美国采取“不干预”态度，仅仅替中日传达意见，劝两国派员直接会议。主和派在九连城败后，求和更急，不得不信赖这个惟一的“公正人”。

十月二十五日，驻北京美使田贝电谭恩说：“中国将直接开媾和谈判之事，委托本使，媾和条件为承认朝鲜之独立及赔偿军费二件，乞将此旨递达日本外务大臣。”清政府认美国是“公正人”，很信赖地投入日美的圈套。

半殖民地政府，像小儿不敢离开保姆一样，有所行动，必须依靠外国人。李鸿章说日本“志得气盈，所欲甚奢”，中国官员一定“为彼轻视”，请外国人前往，是最好的办法。十月下旬，清政府派天津海关税务司德璀琳到日本，探问讲和条件。日政府说德璀琳是“西人”，非中国大员，拒绝接见。当中间公正人的田贝“闻此次德璀琳突然奉使命前往日本，颇感不快，特劝告总理衙门速召彼还”（《蹇蹇录》）。德璀琳只好回来，因为他是英国西人，不是美国西人。

清政府被逼派中国大员张荫桓充全权大臣，聘美国前任国务卿科士达助订和约。科士达先到日本，二一年正月，张荫桓续到。日政府借口中国使臣“全权不足”，陆奥宗光面对张荫桓朗读“断绝谈判”的宣言。张荫桓在日本受各种意外、侮辱，最后被日本驱逐出境，退回中国。

日内阁总理伊藤博文公开指定李鸿章充全权大臣理由是“彼此谈判之结果，免为纸上空文，必须有力实行”。日政府侮辱张荫桓，目的在逼迫李鸿章出面，如饥如渴地要求投降的清政府立即派李鸿章为头等全权大臣往日本商订和约。

当时威海卫陷落了，主战派最后一试的吴大澂湘军在山海关外溃败了，在“都城之危即在指顾”的情势下，清政府盼望日本开示条件。日政府通过美使田贝开示赔偿兵费、朝鲜自主、割让土地三条，清政府以“宗社为重，边徼为轻”作理由，授权李鸿章全权办理。二月二十三日，李鸿章带同科士达到马关，与伊藤博文、陆奥宗光开始谈判。

主战派多数是空谈“尊王攘夷”的书生，少数所谓有办法的，如志锐（光绪帝亲信）奏请“连英伐倭，以二三千万两饵之”，张之洞主张“借英款一千五百万，购铁甲三四艘，雇用外兵五千人，由太平洋抄袭日本之后，使之首尾不能相顾”（容闳:《西学东渐记》)。完全是梦中呓语。主和派准备接受一切卖国条件，换取万恶的“宗社”苟延残命，比主战派恶劣更甚。两派主张不同，其同为祸国殃民则一，中国人民被这一群国贼统治着，当然免不了《马关条约》的严重灾祸。

第四节 《马关条约》的缔结

一八九五年四月十七日

日本战胜腐烂的满清，气焰高张，军阀、财阀、政客各提自己所希望的条件，《蹇蹇录》有如下的记述：

海军部——割取台湾全岛。

陆军部——辽东半岛扼朝鲜之背，扼北京之咽喉，国家将来大计上，决不可不归我领有。

财政部——索赔款十万万两。

各政党中有所谓“对外硬派”，主张割盛京省及台湾，赔款至少须二万万元以上。有所谓“改进”及“革新”两派，主张“日本不可不有瓜分四百余州（中国）之觉悟。此时须以山东、江苏、福建、广东四省为日本领土”。又有所谓自由党，主张“割让吉林、盛京、黑龙江三省及台湾。中日两国之通商条约，须订凌驾欧洲各国之条件”。

日政府综合这些贪欲，制成以“朝鲜独立、割让土地、赔偿军费及将来帝国臣民在中国通商航海之便宜等件为主眼”（伊藤奏文）的十条媾和条约，专等李鸿章来签字。李鸿章虽然竭力辩论，甚至作无耻的哀求，都是枉费口舌，毫无效果。谈判举行五次，日本始终恃强逼勒，不准不签字。

伊藤：中堂见我此次节略，但有允、不允两句话而已。

李：难道不准分辩？

伊藤：只管辩论，但不能减少。

这就是五次谈判的总精神。三月二十三日（公历一八九五年四月十七日)，终于签订《马关条约》。主要内容如下:（一）朝鲜完全自主;（二）割让奉天省南边地方（辽东半岛）;（三）割让台湾全岛;（四）割让澎湖列岛;（五）赔偿军费银二万万两;（六）日本臣民得在中国通商口岸城邑，任便从事各项工艺制造，又得将各项机器任便装运进口，只交所定进口税;（七）所有关涉日本军队之中国臣民（汉奸)，不得擅为逮捕。

这是《南京条约》以来划一新时代的卖国条约，中国殖民地化的程度从此更深入一大步。过去割让香港、九龙及藩属国，还说是“偏远地区”（李鸿章称谓“瓯脱”)，现在割及大块设省地区了。过去外国不得在中国设立工厂，现在可以在中国制造、免纳海关进口税了。各国与满清缔约，都享有“利益均沾”的特权，《马关条约》开了端，接着就是割地狂潮和投资竞争，中国瓜分的危机更加迫切了。

李鸿章也感到《马关条约》的严重，回到天津，称病不出，派科士达到总理衙门，叙述“李相之忠”，劝从速批准和约。和约当然批准，李鸿章给科士达酬劳金十五万元。

第五节　台湾的两种抵抗——官绅的虚声抵抗与人民的英勇抵抗

二一年五月至九月

中法战争后，台湾改设行省。全省分台北、台中、台南三部。巡抚驻扎地台北府（淡水），为全台精华所在，经营铁路（基隆至淡水）、商轮、屯垦、开矿，每年收入三百数十万两。台中穷苦，台南不曾开发，穷苦更甚。台湾居民番族占十分之六，住内地，与汉族为仇。汉族多闽粤两省人，住沿海城市，经常发生械斗（主要由于官绅挑拨，从中取利）。第一任巡抚刘铭传带来淮军四十余营，被后任巡抚、非淮系的邵友濂裁撤半数。失业游勇流为盗贼，与在营兵丁结成哥老会，保持淮系势力。台湾孤悬海外，大小官吏从内地来，贪赃枉法，黑暗无比。这样，番与汉、闽与粤、官与民、兵与官都充满着不和，造成不和的总原因是官吏的残暴和贪污。

光绪二〇年十月，邵友濂怕日军攻台湾，运动清政府调任为湖南巡抚，后任是“刚愎自用，自以为是，与僚属动辄龃龉”（清政府上谕）的唐景崧。二一年正月，唐景崧派同乡军官带银二十万两，回广东招募盗匪，作为亲信军队。这种广勇毫无纪律，欺侮其他军队，互相斗殴。景崧自率广勇守台北，令绅士林朝栋守台中，总兵刘永福守台南。林朝栋所部台湾土勇十营，中法战争时击败法军，号称善战；刘永福黑旗军从广东调来（二〇年七月），所部仅两营，到台湾后扩充成八营。林刘都是著名战将，被唐景崧猜忌，命令他们离开富庶的台北。

三月，台北府淮军兵变，唐景崧令叛兵首领充营官，军心愈益离散。

《马关条约》签字前，台湾绅民探知割台势不可免，绅士邱逢甲创议建立民主国，开议院，制蓝地黄虎国旗，用台湾国名义抵抗，免得清政府为难。四月二十六日，清政府决定限期交割，上谕“唐景崧著即开缺，来京升见。其台省大小文武各员，并著唐景崧饬令陆续内渡”。一个政府，当它把持统治权的时候，用各种方法教人民相信官民一体，官是人民的保护者，反对贪官污吏就是乱民；等到出卖领土人民的时候，它把“大小文武各员”撤退，什么都不顾了。人民不愿做亡国奴，设法保护自己，又被看成乱民，说“台湾民如此凶横”（李鸿章给李经方电），请“日本遣派水陆各军，以资弹压，保守平安”（李鸿章致伊藤电）。这不是极明显地指出官与民是对立的两体，如果真是一体的话，为什么要官不要民，还请日本派兵弹压呢？当时邱逢甲为首的一群绅士，不是依靠民众的实力，而是对满清幻想“我皇上何忍弃之”，对外国幻想“各国仗义公断”，对唐景崧幻想“誓死守御”。五月二日，邱逢甲等百余人以台民名义宣布成立台湾民主国，推唐景崧为总统，颁发“台民布告”说：“台湾土地政令，非他人所能干预，设以干戈从事，台民惟集万众御之，愿人人战死而失台，决不愿拱手而让台。”这种爱国词句，似乎代表台民的意志，但他们的行动，远不能代表台民。他们行两跪六叩首礼拜见总统，送上“台湾民主国总统之印”以后，一切依赖唐景崧，所谓民主国总统和议绅（议员），实际上仍是满清的巡抚和绅士。

唐景崧就总统任，出了一个告示说：“民间有假立名号、聚众滋事借端仇杀者，照匪类治罪。”同时给总理衙门电报说：“惟臣先行，民断不容，各官亦无一保全。

只可臣暂留此，先令各官陆续内渡，臣当相机自处（逃走）。”他严禁民间聚众，显然为保全各逃官，这种逃官，无一不是该杀的匪类。这个台湾民主国的叛徒，命令官员兵丁急速内渡，五月初四以前，台北官员几乎全部逃走。三月间，他曾提库银四十万两汇往上海，后来又汇银订购大批军火，这些银两都是一去不知下落，他自己的妻子行李早已送走，只待“相机自处”，何曾想到保护台湾的土地和人民。

唐景崧就任时，藩库还存银四十余万两，火药库存火药四万余磅，毛瑟枪弹二百八十余万颗，各炮台存炮弹数千个，他一手把持，不分给林朝栋、刘永福。五月十日，满清割台特派大臣李经方带同科士达，乘坐日舰到基隆，会见日本台湾总督，出具割让“清单”一纸，内开“台湾全岛、澎湖全岛之各海口，并各府厅县所有堡垒军器工厂及属公物件”，台湾、澎湖两岛人民就在这张卖身契下当亡国奴了。日军登陆攻陷基隆，广勇溃乱。十二日，唐景崧逃回厦门，邱逢甲、林朝栋相继内渡。淡水城中散勇游匪按户劫掠，藩库存银二十四万两，匪勇夺银互杀四百余人。日军不知虚实，不敢前进，得外国商人通知，十五日，派兵八十名进城，台北陷落。

台北沦陷，全省富源被日本占有。林朝栋逃走，台中空虚，溃兵土匪大乱。台南势成孤立，很难坚守。绅民请刘永福任军统，总兵杨泗洪任分统，统率各军统领十八人及义民各军。刘永福登台立誓死守，誓书中说："自问年将六十，万死不辞。惟军民共守，气味最贵相投；淮楚同仇，援助岂容稍异。"他把黑旗军放到最危急的战场上，来团结不同系派、不同地区的各军，与日本海陆军作战四个月，主要是靠团结的力量。

闰五月初三日，日舰两艘窥安平口，刘永福发炮轰击，日舰逃走。台南与日军战争开始。黑旗军会同防海各军，日夜巡防各海口，日军每次登陆，都被守军歼灭。战事限在台中陆路上，这是支持较久的重要原因。中旬，日军攻陷新竹县。新竹是台中入口处，林朝栋走后，刘永福令杨紫云率新楚军会同吴汤兴所率新竹义民军把守，大小二十余战，互有伤亡。相持一月余，日军购买汉奸从僻路抄袭，杨紫云战死。吴彭年率黑旗军赶援不及，退守大甲溪。六月中旬，黑旗军联合徐骧所率义民军进攻新竹，斩获颇多。日海军接连登陆，牵制刘永福兵力，使不得专顾大甲溪。七月初，吴彭年、徐骧大败日军及汉奸军，吴徐军乘胜追击败敌，杀数十百人。后路新楚军大营忽被汉奸袭击，统领李惟义逃遁，大营失陷。前敌各军闻警溃退，营官袁锦清死守大甲溪，掩护各军。锦清率黑旗健兵五十余人冲敌炮兵阵地，全部战死。刘永福令忠满（满清人）率忠靖军四营往援，忠满畏葸不进，大甲溪被日军占领。

大甲溪失守，刘永福令各军择彰化（台中府）境内大溪扼守。七月初五日，徐骧率义军三百人诱日兵深入，义军李邦华、镇海军营官李仕高正面接应，新楚军营官陈尚志、义军吴汤兴、沈仲安由后路左右包抄，大破日军。抗日军进攻大甲溪，敌炮火猛烈，死伤甚重。初七日，又大破日军，败敌逃入深山，吴彭年率队穷追，誓“扫荡此虏，不遗丑类”。败敌得汉奸土匪引导，窜向八卦山，八卦山在台中府城外，山失城不能保。永福急令彭年退守八卦山。彭年令吴汤兴义军为前队，陈尚志新楚军为后队，李仕高镇海军为左队，林鸿贵黑旗军为右队，彭年守山顶。初八日大战八小时，抗日军死千余人，初九日，敌军大队放快枪快炮环攻，汤兴中炮死。鸿贵率七星队（黑旗军中冲锋队）百余人冲入敌战，夺汤兴尸体，又中炮死。军队溃乱。彭年立山顶，率七星队三百余人死守，敌大炮集中轰击，彭年及七星队全部殉难。汉奸开城门迎敌，李仕高、沈仲安、杨春发巷战半日，又全部殉难，台中府陷落。

这一期战争，历时两月余，台中失守，战争是失败了。敌人海陆步马炮全力进攻，抗日义民军只有抬枪土枪，正式军队也只有少数毛瑟枪，双方器械相差太远。台湾境内游勇、溃兵、土匪特别多，被日本收买充汉奸，他们熟悉地势，比正面敌军更难防御。军队派系复杂，行动不能一致，能战的部队太少。不过这些都还不是抗日军的致命伤。强迫抗日失败的主要原因是李鸿章的对台封锁。台南现银极少，刘永福设官银票局，发行一元至五元钞票，因地方贫瘠，钞额有限，不能供军饷。发行官信票（邮票），得洋银五千余元，仍无补于事。他曾派人员回厦门，电求沿海各省督抚助饷，又向各地爱国人士筹款。李鸿章及清政府严令官民“不得丝毫接济台南”，筹款员都空手回来。开战两个月以上，前敌各军迫切请求补助饷械，军械库仅有毛瑟枪数十支，其余土枪土药，都霉烂不中用。永福忧愁无法，搜括得银八千两解前敌，路上又被日登陆兵、汉奸、土匪抢去。永福再派文案罗绮章渡厦门，电求沿海督抚救台民，语极哀痛，仍毫无所得。统治阶级对人民的极度残忍冷酷，这也是许多实例中的一个，值得作为不可忘的教训。台南军民处在这样严格封锁的环境里不屈不挠地战斗着，虽然失陷了台中，英勇的战绩是不可磨灭的。

七月初十日，日军连陷云林、苗栗两县。十一日，进占大莆林。十二日，向嘉义县侵进。正当彰化失守的时候，刘永福赶上前线筹画防务，令王德标率七星营守嘉义城，杨泗洪率镇海军、武毅右军、吉林炮队任野战。又招得著名匪首黄荣邦（原名丑）、林义成（原名苗生）、简成功、简精华（原名大肚）等部助战。这些匪首先受日寇诱惑，准备降敌当汉奸，但是他们到底是中国人，在刘永福及义民军感化下，都改名表示抗敌决心，而且都成了抗敌英雄。李鸿章的路线，必然产生卖国求荣的各式汉奸；台湾人民的路线，可以挽救汉奸变成爱国英雄，黄荣邦等名留青史，证明人民路线的伟大。十一日，杨泗洪率所部星夜进攻大莆林，简精华、林义成等率义军数千助战，日军败走。泗洪追击中被敌炮炸死，营官朱乃昌奋战不退，日军炮弹如雨，精华从侧面猛击，日军大溃。乃昌受重伤，裹创血战，挥军追杀，遥见火光烛天，声动山谷，探知林义成、黄荣邦义军截溃敌逃路，一时军心大振，前后夹攻，杀敌数百人，收复大莆林。乃昌伤重死。永福令萧三发统黑旗军，代杨泗洪指挥前敌各军，令简成功总统义民军。日寇陆路战败，急派兵舰十余艘攻台南各海口，炮击日夜不停，汉奸土匪蠢动响应。永福回台南布置海防，又推行联庄法，检举匪类，地方逐渐安静。

十三日，王德标率七星队及黄荣邦义军二千五百人、林义成义军三千人简精华义军数千人进攻云林县，日军战败弃城逃走。德标收复县城，会同义军追杀，简精华军从小路抄袭，截日军成两部，一部乱窜入山，被林义成军包围，全数歼灭。十四日，进攻苗栗县，杀敌兵二百余人，克复林、栗两县。十五日萧三发督各军前进，日军大败，逃入彰化城。十六日，各军围攻彰化，敌凭借炮火防御，不敢出战。当时联庄法推行到台中，台北乡民秘密组织联庄，等大军到来起兵作内应。台湾全局大有希望，但危机也同时加增，无法克服。

台南饷械早已竭蹶，刘永福再三派人回内地筹饷，这些筹饷员到处受官绅侮辱，回台后不免怨忿，宣告“接济绝望”。因此人心动摇，议绅营弁纷纷逃匿，不可阻止。二十四日，萧三发请求补充饷械，永福括得银二千两，解前敌应急。外国洋行指使大小商人到官银票局兑现银，市面大扰，永福不得已派文案吴桐林内渡求接济，依然毫无所得。日海军为解救彰化被围寇兵，炮击台南，企图登陆，永福筹饷筹防，困苦万状。二十五日，义军连战连捷，杀敌大小军官十三人。二十九日，三发夺敌大炮一尊，生擒敌兵四人，斩首数十级。八月初二日，前敌请发饷械，语极悲痛。永福括得银一千五百两，给前敌暂充军食。初三日，商人持银票索现银更急，卧局中不走，市上拒用银票，交易停止，抗日军在李鸿章、外国银行、奸商压迫下不能支持了。

这一期将近一个月，军事上是胜利的，但李鸿章的封锁和外国洋行、大小奸商的破坏，逼迫抗日军必须失败。

前敌围城军数千人连日饥饿，萧三发与简精华等商议“相持非久计，不如并力前进，夺回彰化，或可驻足”。

这种悲惨的决议，他们知道走上必死的道路了，作战非常勇敢。徐骧率精壮番民七百余人充先锋。八月初五日，全军进攻，敌大放枪炮，不能攻克。初六日，黄荣邦猛攻炮台，中炮死。初七日，林义成攻炮台，又受重伤。十三日，敌军反攻，三发率各军力战，三发受重伤，徐骧、简精华奋死击退敌军。各军死伤惨重，粮食匮竭，哀求永福设法救济。永福无策搜括，长叹道："内地诸公误我！我误台民！"到底筹不出一文钱，只好在饿死前继续战斗。十九日，敌军又反攻，简精华、林义成应战，被围重重，夜间还不能突围，徐骧率敢死队冲入，三更才破围归营，精华、义成、徐骧都受了重伤，战士死伤无数。二十日，又大战，各军战败，死二千余人。二十六日，徐骧率队冲锋，各军继进奋战，敌军退却，不幸徐骧中炮死，敌兵反击，各军溃败，云林、苗栗两县又陷。

陆路正在台中苦战，敌海军攻台南，刘永福驻安平炮台抵御。十七日夜间，敌舰分五路炮击，永福巡视各炮台督战。二十三日，陆路敌炮队攻嘉义县，王德标假败，弃营退入县城。敌踞营房，夜半，地雷爆发，杀敌七百余人。德标出击，败敌被沿路伏兵杀死无数。二十四日，敌军大举攻破县城，七星营、义民军巷战，将士死伤极重。王德标、简精华率残军逃入大山。嘉义县陷落，台南危急不可守。

二十五日，敌舰攻旗后炮台，永福子成良登台拒守，汉奸引敌兵从僻远小路登岸，突破大营，又进击炮台。守台兵困守两日，饥饿不能起立，炮台失陷，成良冲出得不死。二十六日，敌陆军攻凤山县，义民军战败，敌屠凤山城，又进犯台南府城。永福驻安平炮台，策应守城军。各军饿极不能战。二十九日，敌攻炮台，永福亲自发炮，杀敌数十人。九月初一日，城中绝食，守军溃散。初二日，敌军攻炮台，永福登德国商船退回内地。

这是台湾人民可歌可泣的抗日史。唐景崧放弃台北，李鸿章封锁台南，失败早已决定了，刘永福为首的抗日军，在绝望中战斗到最后一寸土地，这种坚强的精神，又决定了胜利终究会回来。现在台湾归还祖国了，李鸿章、唐景崧的继承者俨然又统治着台湾，无疑的，台湾义民军的子孙们决不会忘记五十年前被出卖当亡国奴的悲惨教训。

第六节　三国干涉下满清赎还辽东半岛及大借外债

光绪二一年至二四年

英俄两大侵略势力，争夺对满清政府的领导权，是相持不下的。李鸿章请求列强干涉中日战争，因“英俄相忌”，在战争停止前不能实现。光绪二一年二月下旬，清政府决定割让土地，令李鸿章渡日讲和。俄国决不愿日本占朝鲜、辽东，英国也不愿日本在大陆上获得领土，在这一点上英俄利害暂时一致，因此，英采取局外中立态度，俄得进行对日干涉政策。

俄法同盟，德法世仇，法对日助俄行动是自然的，德企图离间俄法间亲密关系，又谋在远东攫得一个军港，因而也参加行动，俄法德三国结成了团体，但并不坚固。

俄政府对德、法积极组织共同行动，对日本竭力隐蔽自己的真意图，日政府极不安心，屡电驻俄公使密探情况，毫无所得，反预料“俄国大概当不以兵力干涉”。美国国务卿秘密通知驻美日公使，急电日政府说：“俄国希望占领中国北部及满洲，当反对日本占领该地方及为朝鲜之保护者，三万俄兵，已屯驻中国之北部，有渐次增加之形势。”（《蹇蹇录》）三月十七日（《马关条约》签字前七天），李鸿章密电总理衙门，还在探问“未知俄廷意见如何”，日本却在三月十八日（李鸿章到马关后六天）知道俄国的布置。美国自居公正人地位，又保荐科士达当订约顾问，消息通知一方面，未免太“公正”了。同日，李鸿章被凶手狙击受伤，日政府异常狼狈，纷纷表示慰问。这当然由于李鸿章有力量卖国，是日本的理想人物，死去对日本大不利，更主要的原因是“若某强国（指俄国）欲乘此机会干涉，彼固以李之受伤为最好之口实”（《蹇蹇录》）。日政府怕干涉行动突然出现，一面声明“暂时休战”（《蹇蹇录》说“李鸿章半面包有绷带，以绷带外之一眼表示十分欢喜之意，感谢我皇上仁慈圣旨”），一面请李鸿章在病床上开始谈判，用恐吓手段逼勒李鸿章签字。三国干涉快要发作，日本从英国方面获得消息，向李鸿章连提两次哀的美敦书，限三天内承认全部条件，否则运兵数万进攻北京。清政府、李鸿章“欲保京城，不得不尔”，科士达也从旁催促，日本在美英暗助下，达到预期的目的。

日本争得先著，三国落后了。沙俄大受冲动，《马关条约》签字后六天（公历四月二十三日，阴历三月二十九日），俄、德、法驻日公使，同时向日外部“劝告日本政府，应放弃领有辽东半岛”。日政府异常恐慌，军事方面“国内海陆军备，殆已空虚，而去年来继续长期间战斗之我（日本）军队人员军需，固已皆告疲劳缺乏。即单与俄国舰队抗战，亦甚无把握”（《蹇蹇录》）。外交方面向英国求援，英国表示严守中立；向美国求援，美国答称“愿与日本协力，而媾和条约的批准之件，已电训驻北京美国公使劝告中国从速实行”，援助并不强有力。日本被迫不得不对三国屈服，内阁决定“对于俄德法三国虽全然让步，对于中国一步不让”的方针，四月十六日，日皇宣告“容纳友邦（三国）之忠言”，表示全然让步，又说“关于交还半岛让地之一切措置，朕特命政府与清政府商订”，表示一步不让。

日本原想变相的占有辽东，方法是口头上“放弃永远占有辽东半岛，惟作偿金之担保，一时占领该半岛，而大增加金额，使中国永久不能还清”。向俄政府提出这个要求，被俄政府完全拒绝。日政府又向三国提出“交还辽东半岛之赔款数目定为五千万两”，三国减为三千万两，偿款后三个月内实行撤兵，并不许再有其他要求。九月初二日，日本正式承认《三国宣言》。还辽问题算是解决了，问题转化为国际间借债的竞争。

中日战争中，清政府借外债约四千万两。战后骤增赔款二万万两，赎辽款三千万两。第一次（每六个月一次）就要交出八千万两，第二次五千万两，余款三年内付清。清政府每年收入只八千万两，决无偿付能力，除了大借外债再不能有任何办法。过去借外债，多由总税务司英人赫德主持，以海关税收作担保，期限短，利息重（至少八厘），是英国在华银行一宗好买卖。这次清政府急需巨款，赫德建议大借外债。俄国要夺取英国的经济利益，同时排斥法、德两国，秘密通知愿单独借银一万万两。法、德当然力争，清政府不敢开罪法德，谋分别商借，俄国不许。最后俄、法合借一万万两，年息四厘，三十六年还清，以海关为担保。英国丧失大利，又怕俄、法干涉海关；德国被俄、法摈弃，极为愤恨，英、德两国合作，向清政府抗议。美国也想分润利益，法国还想继续出借，俄国主张列强共同借款，闹得总理衙门像个大拍卖场，《翁同龢日记》叙述英、法公使忿争的情形，说英公使“咆哮恣肆，为借款也，此等恶趣，我何以堪”。说法公使“无耻无餍，而日在犬羊虎豹丛中”。到底英、德成功，合借银一万万两，年息五厘，三十六年还清，以海关为担保。三十六年期内，不得改变海关行政。这就是说，英国把持海关行政，不许别国插足。

清政府借到银二万万两，除两次付赔款一万三千万两，偿清赔款余数，还短银六七千万两。经手人的回扣、佣费，官吏的贪污，多至三四千万两，何等残酷的剥削！光绪二三年，清政府准备再借一万万两，引起各国第二次大争闹。

李鸿章亲俄，主借俄款，张荫桓（代表翁同龢等亲英派大臣）主借英款，说：“合肥声名扫地，必无成。”俄国提出借款条件：（一）俄国借款建筑并管理满洲及中国北部之铁路；（二）现任英人海关总税务司去职，改用俄人；（三）借款以海关税收为担保，不足之数，以地税、厘金为抵押。光绪二四年，英国提出类似的借款条件，特加扬子江流域不割让于他国及开放大连湾为商港两条，后一条专对俄国示攻势。俄公使警告李鸿章“大连若开口岸，俄与中国绝交”。清政府亲英派借口“英款利息低而期限长”，与英国商订草约。俄公使坚决反对，亲到总理衙门提警告。《翁同龢日记》述俄公使语：“若中国不借俄而借英，伊国必问罪，致大为难之事。”俄使走后，英使又到，“日记”说：“窦（英使窦纳乐）语亦横，大略谓中国自主，何以不敢以一语诘俄、英何害于俄，而俄必阻止耶？”翁同龢埋怨李鸿章说：“盖合肥专以俄毁英之语激动之，故致此咆哮也。噫，殆矣。”英俄两国争殖民地，帝后两党依靠英俄争政权，结果英国和帝党取得胜利。原因是甲午战后，李鸿章丧失北洋地盘，实力大损，西太后名义上“归政”，不便过度干涉光绪帝；三国自称还辽有功，勒索报酬，惹起某些士大夫的反感。李鸿章提议英、俄各借一半，仍不能通过，后党失败了。借款由英国汇丰、德国德华两银行出借，银数一万万两，八三折扣（骇人的盘剥），年息四厘半，四十五年还清。主要条件是扬子江流域不得割让于他国，借款以海关收入及一部分厘金、盐税为担保，四十五年内不得改变海关行政。

甲午战争的结果，在政治上，瓜分危险逼在眼前，割地狂潮造初步形势。在财政上，满清政府的基础发生大动摇，不依赖外债就不能生存。总之，中国殖民地化比战前更深入一层。

满清政府借外债开始于同治四年，到光绪二〇年（光绪一三年以后不借外债）凡三十年，共借债六次，总数约四千万两，连利息不过五千七百万两，海关抵补有余。政府每年收支相符，财政基础相当稳定，曾、左、李及后起的张之洞办洋务，谈“自强”，主要由于还有钱可供浪费。

从光绪二一年至二五年凡五年，借债七次，共银三万万七千万两，除付日赔款本息二万万五千万两，其余一万万二千万两，都消耗到折扣、佣金、利息、贪污、军费、政费上去。海关税本是政府岁入的大宗，战后抵押无余，政费必须另寻财源，正如李鸿章所说：“国家屈志求和，百姓已引为深耻，如复横征暴敛，贫民岂能相安。”（李鸿章：《致日政府说帖》）满清统治的危机非常显著，因之寻求外国依靠更感到迫切。

第七节　大买办李鸿章游历欧美的卖国活动

光绪二二年正月至八月

三国干涉，日本退还辽东，西太后、李鸿章亲俄派自以为有“远见”，一般反李的洋务派如刘坤一、张之洞也改变态度，主张对俄缔结密约，结强援保护中国。刘坤一希望“稍予以便宜，中俄邦交永固”，使“倭与各国有所顾忌”（二一年闰五月奏）。张之洞希望更大，奏称：“中国海军练成不易，如有俄人之助，将来无论何国寻衅，数旬之后，可以立发兵舰数十艘，游行东方海面，则我得以专备陆路战守之计，而敌人亦不能为深入内犯之谋。”（六月奏）照他那样想法，中国海面有俄人代守，满清真可以高卧无忧了。刘、张是有力的总督，这些谬论，对亲俄派起了支持的作用。

沙俄替满清索还辽东，当然要换取极大酬报。光绪二二年四月，俄皇尼古拉斯二世举行加冕典礼，各国都派专使往贺。光绪帝派非淮系的外交官王之春为致贺专使，被俄政府拒绝，说是王之春“位望太轻，难于接待”，这就是说，非李鸿章亲到不可。光绪帝改派李鸿章为正使，非淮系的外交官邵友濂为副使，李鸿章借口“伤病时发，步履软弱”，不肯奉命。结果光绪帝让步，授李鸿章为“钦差头等出使大臣”，前往俄国贺加冕，又往英、法、德、美四国递国书，取消邵友濂、王之春专使副使名义。让李鸿章单独办事，李鸿章步履不软弱了。

李鸿章带着大批中外随员，二月中旬，从上海出发。临行前曾对黄遵宪说：“连络西洋，牵制东洋，是此行要策。”英、德等国争夺这个大买办，各派大员劝请他先游欧洲，后往俄国。俄皇决不放松，特派亲王一人坐专船到苏彝士运河迎接，把大买办先抢到手，经最短路程送上彼得堡。三月下旬，开始外交谈判，四月中旬，签订《中俄密约》，主要条款是：（一）日本如侵占中国或朝鲜土地，两国派水陆各军互相援助；（二）战时俄国兵舰得驶入中国所有口岸；（三）中国允许俄国在黑龙江、吉林地方接造铁路达海参崴（中东铁路），铁路由华俄道胜银行承办经理。李鸿章非常满意。五月初离俄，游历德、荷、比、法、英、美等国，各国政府竭力招待，但并无所得，李鸿章接触资本主义社会的政治制度经济机构，也毫无所得。他以为《中俄密约》解决了一切问题，不必再留意外国富强的原因。八月，回到中国，对黄遵宪说："二十年无事，总可得也。"

第八节　割地狂潮
光绪二一年至二五年

甲午战争前后，欧洲资本主义正在过渡到帝国主义阶段，对中国要求投资，设工厂、造铁路、各国公使迭次商谈，都被清政府拒绝，政治借款因缺乏机会，不能强迫清政府无故举债，以《马关条约》、三国还辽为契机，帝国主义要求一齐发作起来。投资必需划分势力圈，更必需先夺取根据地，以便进一步实行瓜分，与还辽同时，列强夺取根据地的竞争开始了。

法国　光绪二一年，法国自称还辽有功，提出割让云南省猛马、乌得两地，安南铁路造至龙州（广西省）昆明（云南省城），云南、两广开矿先向法国商办等要求。法公使施阿兰态度凶悍，逼总理衙门承认。二二年，法国要求全部成功。二三年，迫清政府声明不割让海南岛及对岸陆地于他国。二四年，借口俄租旅顺、大连，强租广州湾为军港，期限九十九年。法公使每次提出要求，先替清政府拟就承认文件，不准改动一字，翁同龢称为“犬”、“鬼”，表示深恶痛绝。照施阿兰说，李鸿章亲俄，认法是俄同盟，出力相助，因此交涉顺利。

英国 法国企图划云南、两广为势力圈，英国当然不甘，二一年，提出割让野人山全境、开放西江等要求。英公使态度也异常横蛮，翁同龢说他“贪如狼，狠如羊，其狡猾不下于施贼”。二三年，订立条约，割让野人山一部分，西江开放梧州等三口。云南、两广地区存在着英法势力的对立。二四年，强租威海卫为军港，与旅顺、大连对抗，限期二十五年。又强租九龙半岛（扩大租地），香港附近各岛屿，大鹏、深州二湾，与广州湾对抗，限期九十九年。

德国 二一年，德国要求设立天津、汉口两处租界，作为还辽的报酬。二三年，借口曹州教案，派军舰强占胶州湾。二四年，清政府被迫订立条约，承认：（一）德国租胶州湾为军港，限期九十九年；（二）德国在山东建筑铁路两条（胶济路及津浦路济南以北一段）；（三）铁路附近三十里内开矿权。

俄国　二三年，俄国借口德占胶州湾，派军舰占领旅顺、大连湾。俄公使向李鸿章、张荫桓送重赂，李五十万卢布，张二五万卢布。二十四年，俄国换得极满意的条约。清政府承认旅顺为俄军港，大连为商港，租期二十五年，东省铁路造支路一条，通旅顺、大连。俄财政部大臣说："此为余对中国人办交涉第一次行使贿赂手段。"

列强根据地确定了，"各海口尽被外人所占，此即割裂也"（英公使警告总署语）。从各根据地出发，列强互认势力范围，长城以北属俄，扬子江流域（十省）属英，山东属德，云南、两广属法，一部分属英，福建属日。又各争夺铁路建筑权，英得二千八百英里，俄得一千五百三十英里，德得七百二十英里，比得六百五十英里，法得四百二十英里，美得三百英里。"逐渐瓜分大清帝国"（德皇威廉二世语）的形势虽已经造成，但帝国主义者决不满足于已有的势力范围，利害冲突愈益加剧；中国人民也决不允许瓜分的实现，普遍地，大量地发生着自发的反帝斗争，戊戌变法运动、义和团运动，就是瓜分运动的反应。

第七章　第一次改良主义运动——戊戌变法

一八九五年（光绪二一年）至一九〇〇年（光绪二六年）

第一节　绪言

李鸿章自称“圣之时”的“洋务”，经过甲午战争破产了，洋务派办工业失败，给萌芽状态中的资本主义有机会反对官办、官督商办，要求自己的发展，在政治上产生改良主义的民权运动。

甲午战争，中国海陆军遭受彻底的惨败，外国侵略者不仅在言论上公开主张、而且在行动上积极进行“瓜分大清帝国”，这刺激了一部分满汉统治阶级及染有资本主义思想的知识分子，要求联合起来抵御外侮，在政治上产生改良主义的保种运动。

当时改良运动倡导者，如光绪帝、翁同龢、张謇、康有为、谭嗣同、梁启超等人，虽然思想上各有不同，一般说，都是半封建半资本主义的人物。他们希望中国也走一次“明治维新”的道路，但客观条件绝对不能允许。因为帝国主义通过洋务派与顽固派结合，确立了强大的统治机构，任何改良如果妨碍了它们，必然予以严厉的打击。戊戌变法失败的主要原因在此，戊戌以后各种改良运动无不失败的原因也在此。

第二节　甲午战前改良思想的酝酿

洋务派举办新政，自称求富强，实际是阻遏了民间资本主义的生长。中法战争前后，以上海、香港为中心，进步思想的知识分子已在倡导改良主义的“变法”。例如冯桂芬（林则徐的门生）著《校邠庐抗议》，主张“以中国之伦常名教为原本，辅以诸国富强之术”，所谓富强之术是“人无弃材，地无遗利，君民不隔，名实必符”四端，首先要废除八股，开学校肄习西学，设船炮局制造洋器。实行的方法他看得极容易，说“惟皇上振刷纪纲，一转移间耳”。殖民地半殖民地国度里的资本家主要是从官僚、富商、豪绅、地主蜕变过来，它本身缺乏独立的实力，却和封建势力尤其皇帝有不可分的关系，把希望寄托在上层当权者，这是改良主义的共同信仰，也是它失败的共同原因。比冯桂芬更著名的王韬（太平天国状元），曾游历英国，精通西洋科学，回国后充香港《循环日报》主笔，鼓吹变法。他赞美日本“国中一切制度，概法乎泰西”，中国急需改变“取士、练兵、学校、律例”四种旧制。更为“今日时务之急”的是“首在乎收拾人心，因民之利而导之，顺民之志而通之”。他认为那些洋务派的新政，只“能为民祸而不能为民福，能为民害而不能为民利”（《上当路论时务书》）。王韬著书多种，对变法运动有很大影响。甲午以前，郑观应、何启、胡礼垣、陈虬等提倡变法，态度愈益显明。郑观应著《盛世危言》，何启著《中国亟宜改革政法论》、《新政始基》、《新政变通》、《新政安行》等书（各书多是何启、胡礼垣合著，总称《新政真诠》）。陈虬著《治平通议报国录》（总称《蛰庐丛书》），都主张开议院，行君主立宪制度。郑观应说："君主者权偏于上，民主者权偏于下，君民共主者权得其平，其立法之善，思虑之密，无逾于此。此制既立，实合亿万人为一心矣。"这种君主立宪主义的"主以中学，辅以西学"(《盛世危言·西学篇》)论，是改良主义的基本精神，与洋务派专制主义的"中学为体，西学为用"论性质有别。

变法运动的别一推动力是耶稣教士和在华欧美商人，他们希望满清政治有某些改良，以便大扩商业推广教务。满清禁止中国人办报，当时通商口岸如上海、天津、汉口、香港、广州等处，西商开设报馆，延华人主笔，这些人多是维新名士，在西商庇护下，独占舆论界，变法思想的传播，得力于报馆不小。一八八八年（光绪四年），欧美耶稣教士在上海成立广学会（印度也有广学会），会员林乐知（美）、丁韪良（美）、李佳白（美）、慕维廉（英）、艾约瑟（英）、李提摩太（英）、化之安（德）等能用中文著书，介绍西学，改变了一部分士大夫轻视异教的成见。会中出书范围广泛，外国历史及办学校新法影响尤大。如《泰西新史揽要》（李提摩太译），《列国变通兴盛记》（李提摩太著，记俄国大彼得日本明治事特详),《七国新学备要》(李提摩太著,又名《速兴新学条例》)。《文学兴国策》(林乐知译)、《自西徂东》(化之安著)等书,给中国维新派有根据议论变法。光绪一五年,广学会发行《万国公报》(月报),林乐知主笔,多载时事论文及中外重大政治法令,变法成为一个运动,《万国公报》是有力的推动者。

第三节　甲午战后变法运动高涨

甲午战争中,亲俄派西太后、李鸿章压迫亲英派光绪帝、翁同龢,亲英派失败了。广学会看出亲英派不甘屈服,要在政治上寻出路,正是劝告变法的机会。光绪二一年,派李提摩太驻北京,谒见政府中当权大臣,翁同龢、孙家鼐(光绪帝师傅)、文廷式(光绪帝亲信)等接受劝告,开始阅读时务书,倾向变法。

光绪一四年,广东举人康有为入京会试,写了一篇《上皇帝书》,请求变法维新。书中大意分“变成法、通下情、慎左右”三层,对洋务派的变法表示异议,他说:“今天下非不稍变旧法也,洋差、商局、学堂之设,开矿公司之事，电线、机器、轮船、铁舰之用，不睹其利，反以蔹奸。夫泰西行之而富强，中国行之而奸蠹，何哉？上体太尊而下情不达故也……至于奸蠹丛生，则虽良法美意，反成巨害，不如不变之为愈矣。”这正是中法战后，李鸿章积极扩大洋务的时候，康有为看作“奸蠹”、“巨害”，主张从政治上变起。代表官僚、买办利益的洋务派与代表资本主义的改良派，分歧就在对专制政治的变或不变这一点上。他这篇骇人的议论，得极少数帝党官僚赞成，但无人敢代递。后党大学士徐桐说：“如此狂生，不可中。”抽去他已被录取的考卷。康有为考试受挫，却大得声名，有利于运动的倡导。二一年三月，李鸿章签字《马关条约》，康有为在京会试，号召各省举人一千三百余人联名上万言书，要求“拒和、迁都、变法”，着重尤在变法，说：“使前此而能变法，则可以无今日之祸，使今日而能变法，犹可以免将来之祸。”这是有名的“公车上书”，也是无先例的士人联合大请愿。康有为的变法主张成为全国性的政治运动，在满清严厉禁止士人干政的制度下，这一运动是有重大意义的。虽然万言书仍被拒绝呈递，但顽固派阅卷官不敢再摈斥他的考卷。康有为取中进士，授工部主事。在未到工部前，又上变法万言书，这一次他成功了，光绪帝阅后“极嘉许”。他接着又上皇帝万言书，被工部顽固派大臣阻止。七月帝党文廷式出面组织强学书局（又称强学会），康有为、梁启超加入活动，成会中主要分子。会员有江标、袁世凯、黄遵宪等及英美人士共数十人，每十日集会一次，每次有人演说。又创行公报，康、梁等撰稿，每日印一二千份分送朝官贵人。两江总督张之洞见学会势盛，捐银五千两充公费。八九月间康有为往南京，请张之洞设立上海强学分会，临行前一天，访李提摩太商议合作。李氏称许他的万言书：“余甚惊异，凡余从前所有之建议几尽归纳晶结，若惊奇之小指南焉，吾人之目的相同，宜其亲来访谈。”康有为出京后，梁启超任李提摩太私人书记。强学会的支持者是翁同龢、孙家鼐，提导者是广学会代表李提摩太，借“书局”、“学会”名义，实际组成以英美为背景的拥帝政党。

后党当然不许帝党扩大势力，徐桐公然宣称“宁可亡国，不可变法”，就是说，决不许帝党得势。上海强学分会成立一月余，会务发达，会员张謇、陈三立、岑春煊等多是维新派名士。善看风色的张之洞预见后党定要进攻，借口不同意“孔子改制”学说，停发会费。李鸿章的亲家、御史杨崇伊奏请查封，说是“私立会党，将开处士横议之风”。西太后据奏，强迫光绪帝下令封闭强学会，翁同龢深为失望。帝党御史胡孚辰奏请解禁，翁同龢借此力主恢复，结果改设官书局，每月经费一千两，任务是译书，请李提摩太在官书局任职，他知道后党势大，变法时机不曾到来，出京回上海广学会。

极端顽固恶劣的后党，让强学会获得四个月的活动，惟一原因是《马关条约》太激起全国士民的忿怒了，这一群卖国贼不得不暂时退缩。八月，日本宣言交还辽东，后党依仗沙俄，气焰渐张，解散强学会，正是它恢复权力的初步，也是维新运动第一高潮的结束。“公车上书”后，维新派影响散布全国，顽固势力并不能阻遏这个潮流，维新运动在上海、广东、湖南三个中心地区继续发展起来。

上海　黄遵宪就上海强学分会基础上筹办报馆，光绪二二年七月，《时务报》（旬刊）发刊，梁启超任主笔。他是天才的宣传家。任广学会书记员，又任李提摩太的私人书记，半年内不仅读完了各地译出的西书，还接受李氏的口头指点，虽然还只二十四岁，他的中西学问，在当时已是第一流。《时务报》出世，“一时风靡海内，数月之间销行至万余份，为中国有报以来所未有”（梁启超:《清议报第一百册祝辞》)。二三年十月，他到湖南任时务学堂总教习，《时务报》继续出版。上海及附近地区出版报章杂志不下三十种，舆论界顿呈发皇气象，满清严禁士人干政的堤防又被维新潮流冲破了。

湖南　在湘军产生地的湖南，顽固势力特别强大，新旧斗争也特别激烈。中日战争爆发，湖南维新志士谭嗣同、唐才常提倡变法救亡。谭、唐活动仅在浏阳县，与康有为领导的变法运动并无联系。光绪二三年，湖南巡抚陈宝箴、按察使黄遵宪、督学江标（后任徐仁铸）都是维新派，与谭、唐等合作，创办时务学堂，聘梁启超为总教习，唐才常等为分教。谭嗣同等积极支持，一时筹办新式水陆交通，开矿，设武备学堂，练民团，又设南学会，出版《湘学新报》(自三月始，每月出三册，至四十五册止)、《湘报》(散为日报，合为月报，自二四年二月始，至八月止)，湖南成全国最富朝气的一省。

南学会是湖南新政的最重要部分，“设会之意，将合南部诸省志士，联为一气，相与讲爱国之理，求救亡之策，而先从湖南办起，盖实兼学会与地方议会之规模焉。地方有事，公议而行，此议会之意也。每七日大集众而讲学，演说万国大势及政学原理（演说稿在《湘学报》发表），此学会之意也”（《饮冰室文集·谭嗣同传》）。南学会会员千数百人，省城设总会，各县设分会。谭嗣同说：“即不能与民权，亦当畀绅耆议事之权。夫苟有绅权，即不必有议院之名已有议院之实矣。”在变法初期，这种省县绅耆议院是推行新政的有效机关，因为土豪劣绅反抗南学会，还不曾钻进来。时务学堂学生四十人，多是有志青年，教习批答学生课本，发挥民族、民权主义，如“屠城屠邑，皆后世民贼之所为，读《扬州十日记》，尤令人发指眦裂”，“二十四朝其足当孔子王号者无人焉，间有数霸者生于其间，其余皆民贼也”，这是排满革命思想已超出改良主义范围。又如“春秋大同之学，无不言民权”，“能与民权者，断无可亡之理”，“天下无敌，美国有焉，欧洲不及也，将来大一统者，必由美国以成之”，这是赞美民主政治，已超出君主立宪范围。梁启超、谭嗣同、唐才常、樊锥（邵阳县南学分会首领）、皮锡瑞（今文经学大师）等，借学堂、学会倡导新说，当时正是各国强夺沿海要口、瓜分之说盛行，满清政府卖国罪恶暴露无遗、人心恐慌的时候。南学会准备"屹然自立于天下，即果遇英人葛洪（瓜分论者）之狂喙，尚能有所资藉（创办新政），不沦于腥膻之族"（唐才常:《上欧阳中鹄书》），思想上确有革命倾向。大劣绅王先谦、叶德辉率领顽固派徒党，自称"保卫圣道"，用各种卑污手段，大举向维新派攻击，说时务学堂培养"无父无君之乱党"，南学会提倡"一切平等禽兽之行"，"倡平等"是"堕纲常"，"伸民权"是"无君上"，要求清政府杀康有为、梁启超。说樊锥"欲以我朝列圣乾纲独揽之天下，变为泰西民主之国，真汉奸之尤"，应"脔割寸磔，处以极刑"。结果劣绅们"齐集大成殿，祷告至圣先师孔子，立将乱民樊锥驱逐出境"。皮锡瑞在南学会讲学，力主变法，他的儿子著《醒世歌》，说"若把地球来参详，中国并不在中央"。劣绅们斥皮氏父子"被邪说煽惑"，也用暴力把他们驱逐出境。湖南新旧两派长期猛斗，直到庚子年（光绪二六年）唐才常自立军起义失败后，顽固派屠杀维新派一百余人，才暂时取得了可耻的胜利。

广东 上海强学分会解散，康有为继续宣传变法。二三年，与岑春煊等在广西开圣学会，又回广州开万木草堂，聚徒讲学，广州成为变法运动的发源地。他奔走两广、江浙，结交绅士大夫，劝办学会报馆，据梁启超《戊戌政变记》说，三年内全国设立学会，学堂，报馆凡五十一所，其中学会二十四，学堂十九，报馆八。就地区说，湖南十六，江苏十一，广东八，北京三，广西二，陕西、湖北、浙江、福建各一，实际数目或更多，康有为倡导的功绩是巨大的。

全国维新运动的高涨，引起顽固派的惊骇，洋务派首领张之洞著《劝学篇》，代表顽固势力反抗新潮流。洋务派是改头换面的顽固派，它也口称必须变法，但绝对反对民权，不许丝毫触动专制制度。《劝学篇》自序："中国学术精微，纲常名教以及经世大法，无不毕具；但取西人制造之长补我不逮足矣。其（西人）礼教政俗已不免于夷狄之陋，学术义理之微，则非彼所能梦见者矣。"所谓"中学为体，西学为用"，这就是洋务派的变法宗旨。书中有薄赋、宽民、救灾、惠工等十五篇，竭力宣扬满清的“深仁厚泽”，全是无耻谎话；根据这些谎话，武断的证明君主专制是尽善尽美的制度。他的基本主张在“明纲”，说“三纲相传数千年，更无异议，圣人所以为圣人，中国所以为中国，实在于此。故知君臣之纲，则民权之说不可行也；知父子之纲，则父子同罪，免丧废祀之说不可行也；知夫妇之纲，则男女平权之说不可行也”（《明纲篇》）。他的攻击目标在民权，说“民权之说，无一益而有百害。若人皆自主，不尽灭人类不止”（《正权篇》）。一八九八年（戊戌）《劝学篇》出版，“挟朝廷之力以行之，不胫而遍于海内”，对维新运动阻力极大。梁启超评《劝学篇》说：“不三十年将化为灰烬为尘埃，其灰其尘，偶因风扬起，闻者犹将掩鼻而过之。”戊戌以来将近五十年，因为中国还不曾改变半封建半殖民地的国情，变相的张之洞和《劝学篇》尽有活动余地。不过，人民政治觉悟逐步提高了，即使“挟朝廷之力”，九个月“印刷至二百余版”，无非增加一些惹人掩鼻的灰尘，总不能阻止社会进步的大潮流。

甲午至戊戌，维新运动的成就：第一，冲破了满清禁例，争得某程度出版结社的民主权利。第二，民间资本主义工业获得法律上承认。甲午以后，新工业从洋务派“官办”、“官督商办”的桎梏下解放出来，中国开始倾向资本主义的道路，洋务派把持新工业的时代暂时没落了。

光绪二一年，维新派首领之一胡燏棻上《变法自强条陈疏》，要求“开民厂以制造机器”，揭出官厂的弊病说：“中国各省设立制造、船厂、枪炮、子药等局，不下十余处；向外洋购置机器物件不下千百万金，而于制造本原，并未领略。推厥病源，厥有三故：各厂之设，类以洋人成事，其病一。厂系官办，一切工料资本，每岁均有定额，事事依样葫芦，一成不变，其病二。各局总办提调人员，或且九九之数未谙，但求不至偷工减料，已属难得；器械利钝，悉听工匠指挥，茫无分晓，其病三。”结论是“中国欲借官厂制造器械，虽百年亦终无起色”。这个结论完全正确。他主张：“必须准各省广开民厂，令民间自为讲求，如国家欲购炮枪、船械、机器，均托民厂包办。则人人有争利之心，亏本致惧，自然专心致意，实力讲求，以期驾乎西制之上。”康有为

《上皇帝书》也说:“机器厂可兴作业，今各省皆为厉禁，致吾艺技不能日新，制作不能日富，机器不能日精，用器兵器，皆多窳败；而禁吾民制造，是自蹙其国也。官中作厂，率多减偷，敷衍欺饰，难望致精。宜纵民为之，并加保护，凡作机器厂者，出费领牌，听其创造。”胡、康二人的意见，代表社会进步势力，清政府不得不放弃奕䜣、李鸿章所设禁止民间使用机器的惯例，谕令各省“招商多设织布纺绸等局，广为制造”。按照二三年张之洞奏折所说:“数年以来，江浙湖北等省，陆续添设纺纱、缫丝、烘茧各厂约三十家。此外械造之货，苏沪江宁等处，有购机器制造洋酒、洋蜡、火柴、碾米、自来火者。江西亦有用西法养蚕缫丝之请。陕西亦集股开设机器纺织局。四川已购械创设煤油并议立洋烛公司。山西亦集股兴办煤铁，开设商务公司。至于广东，十年以前即有土丝、洋纸等机器制造之货。湖北湖南两省已均有购械造火柴及榨棉油者。湖北现已学得机器造塞门德土之法，劝谕华商兴办。湖南诸绅现已设立宝善公司，筹议各种机器制造土货之法。自此各省气象日新，必且愈推愈广。”这确是甲午战后发生的新气象，满清政府第一次明令承认民间资本主义生产的合法，可以说是维新运动的重要收获。二四年，清政府设农工商局，奖励机器制造，又特定章程，凡“有能独力创建学堂，开辟地利，兴办枪炮各厂，有裨于兴国殖民之计者，并照军功之例给予特赏”。枪炮厂也允许民间经营，说明光绪帝全部接受维新派建议，有高度的变法决心。

第四节　参加维新运动的派别

维新派与顽固派人数比较，“不过千与一之比，其数极小”（严复:《论中国分党》）。顽固派反对变法，决心“宁可亡国”。这些人结合在西太后、李鸿章、张之洞三首领脚下，构成强大的反动势力。维新人数既少，共同拥戴的光绪帝又并无实权。顽固派有沙俄实力支持，维新派只有英、美、日限于友谊的同情。维新运动是资产阶级要求民权的运动，而当时资产阶级还不曾成为一个独立的阶级，因之内部派别纷歧，力量脆弱，显然不能战胜顽固派。

维新派内翁同龢系、严复系、假维新系、康有为门下的麦孟华系都属右派；康梁系、容闳系属中派；谭嗣同系属左派这些派别代表的利益不同，对维新运动各采不同的态度。

翁同龢系 这一系是拥帝的官僚集团，翁同龢为首，孙家鼐、长麟、志锐、文廷式等为中坚。“太后既已归政于皇上，则一切政权不宜干预，免掣皇上之肘”（御史安维俊甲午年奏疏）。这是翁系的宗旨。他们也赞成变法，谋富国强兵，但对康有为“民权平等说”表示憎恶。孙家鼐奏称：“孔子改制考将蛊惑民心，导乱天下。”请旨将“改制考”毁版。《翁同龢日记》称：“近见其所著《孔子改制考》，知此人居心叵测。”翁系的变法主张是在皇帝“独断”下，改革某些弊政；引进康有为，目的在加强帝党，反抗后党；对“民权平等说”，不得不暂时容忍。翁同龢最得光绪帝的亲信，西太后陆续斥逐安维俊、文廷式、汪鸣銮、长麟、志锐，削弱帝党。戊戌四月，光绪帝召见康有为，决定变法，西太后迫令光绪帝革翁同龢职，即日驱逐回籍，翁系在政府中失势，维新运动遭受严重的打击。

假维新系 这一系是投机官僚，本质仍属顽固派。

严复说有三类假维新人："其一、以谈新法为一极时髦之妆，随声附和，不出于心。其一、见西人之船坚炮利，欲从而效之。其一、则极守旧之人，及见西法，不欲有一事为彼所不知不能，于毛举糠粃，附会经训，天下之人，翕然宗之。维新之种将为所绝。此三者，有维新之貌，无维新之心者也。"（《论中国分党》）例如李盛铎原是保国会发起人之一，后来顽固派群起反对，他也连奏三本攻击保国会；托报馆登载全部会员名单，抽出自己的名字不登，求得顽固派的信任。又如孙家鼐原是帝党中坚，翁同龢被逐，他暗中转向顽固派，排挤康有为。维新派中层分子中，这一系人占大多数，一遇风色不顺，就散走或反噬。

严复系 严复是福建学堂第一期学生，光绪二年，游学英国海军大学。六年，任天津水师学堂总教习，前后二十年，拥有多量的学生。二三年，在天津出版《国闻报》（旬刊），译载外国重要政事及名著，赫胥黎《天演论》的译文，就在报上按期发表。甲午战后，紧接着各国强夺海口，对中国人的刺激是太深了，《天演论》阐发"弱肉强食，适者生存"，"保种保群自强进化之公理”，给失望悲观的人士指示新希望。《天演论》风行全国，被称为“中译之善本无有过于此书者”，在维新运动中起了极大的作用。当时上海《时务报》，天津《国闻报》分掌南北舆论界领导地位，严复思想的影响不下于梁启超。严复代表不愿亡国但缺乏勇气的保守派士人。他译书多种，文字古奥，自称“吾译非以饷学僮，正以待多读中国古书之人”，羞效“报馆之文章”（与《梁启超论所译〈原富〉书》），这正是保守思想的表现。因为不愿亡国，主张“设议院于京师，而令天下郡县各公举其守宰”（《原强篇》）。因为缺乏勇气，他一面痛恨专制政治，一面又崇拜专制皇帝。《辟韩（韩愈）篇》说：“秦以来之为君，正所谓大盗窃国者耳。国谁窃？转相窃之于民而已。既已窃之矣，惴惴然恐其主之或觉而复之也，于是其法与令，猬毛而起。质而论之，其什八九，皆所以坏民之才，散民之力，漓民之德者也。斯民也，固斯天下之真主也；必弱而愚之，使其常不觉，常不足以有为，而后吾可以长保所窃而永世。”这样完全正确的论据，却得出“君与民共治”的结论，对大盗妥协。在上皇帝万言书里，不敢提示民权，只请“结百姓之心”，方法是皇帝“亲至沿海各省，巡守省方，纵民聚观嵩呼，瞻识其主”。说百姓见皇帝一面，就“欢忭感泣，人人有戴主死敌，奋不自顾之心”。把大盗描写成神圣，百姓是大盗崇拜者。他所说的维新，实际是开明专制。康梁失败后，严复并不被顽固派追究，这不是偶然的。

麦孟华系 麦孟华是康有为大门徒之一，与梁启超有同等地位。他代表康门中最顽固的一派，主张“尊君权，抑民权”，说：“中国非民权不立之为患，而君权不立之为患。”他把中国社会一切腐败落后现象，都看作民太自由，君太无权。他所谓变法，要变出一个有绝对权力的皇帝。

以上右派各系，都不是民权主义者，变法的目的在变无权的光绪帝为有权的光绪帝。

康梁系 康梁系代表开明的地主富商要求转化为资本家，要在政治上取得必需的保障，就是说要取得有限度的民主权利。西报称“甲午以后，中国有三党：守旧党（后党）主联俄，意在保现存之局面；中立党（维新派）主联日，意在保国以变法；维新党（兴中会）主联英，以作乱为自振之机”（严复：《论中国分党》）。中立党是介在顽固派与革命派中间的半封建半资本主义的政治团体。康梁系应该被认为中立党的主干。

康有为，广东南海县人，出身豪绅家庭，幼年受严格的程朱学教育，开口便称“圣人圣人”。青年时期，博通今文经学、中国史学及佛学，弃程朱学转崇陆王学，以为“直捷明诚，活泼有用”。今文经学派自巽自珍，魏源以来，借公羊傅所谓“微言大义”，议论时政，有维新变法的倾向。它的反对派古文经学派与程朱道学派，桐城古文派勾结（鸦片战后，以会国藩为有力代表，所谓合义理考据词章为一），成学术界的顽固派。康有为尊信今文经学、阶王学、说明他在旧学范围内属于求新方面。中年到北京应考，路过香港、上海，“见西人殖民政治之完整，属地如此，本国之更进可知，因思其所以致此者，必有道德学问以为之本原”（梁启超：《南海康先生传》）。光绪一七年，在广州万木草堂开始聚徒讲学。他的讲学宗旨是“以孔学佛学、宋明学（阶王心学）为体，以史学，西学为用。每论一学，论一事必上下古今，以究其沿革得失，又引欧美以比较证明之”（同上）。原来今文学学风长于附会，虽然西书不多，也尽够他附会了。

康有为讲学凡四年，培植维新派的基础，陈千秋、梁启超称大弟子，助师著《大同学》、《新学伪经考》、《孔子改制考》，完成了维新运动的理论根据。《新学伪经考》在学术意义上推翻古文经学的“述而不作”，在政治意义上打击顽固派的“恪守祖训”。《孔子改制考》尊孔子为教主，用孔教名义，提出变法维新的主张，大意在“通三统”，“张三世”。三统是说夏商周三代不同，当随时因革。三世是说据乱世、升平世、太平世，愈改愈进步。这两部著作影响很大，“改制考”尤使守旧者惊骇，孙家鼐、陈宝箴奏请毁版，张之洞著《劝学篇》来对抗，说明它的学说获得不小的成功。

康有为“秘不以示人”的重要著作是《大同书》，混合公羊家三世说、《礼运篇》小康大同说、佛教慈悲平等说、卢骚天赋人权说、耶教博爱平等自由说，还耳食一些欧洲社会主义学说，幻想出一个“大同之世”。全书分十部，共数十万言。大意说封建社会是据乱世，资本主义社会是升平（小康）世，公产主义社会是太平（大同）世。他描述“大同之世，天下为公，无有阶级，一切平等”的“极乐世界”，表现出丰富的想象力。他说：“今欲致大同，必去人之私产而后可。凡农工商之业皆归之公。举天下之田地皆为公有，人无得私有而私买卖之。(《公农论》)“凡百工大小之制造厂铁道轮船，不许有独人之私业。”(《公工篇》)“大同世之商业，不得有私产之商，举全地之商业，皆归公政府统之。”(《公商篇》)至于如何去私产，说是从“去人之家始”。自称“此事甚易”，实际是毫无办法。康有为著《大同书》当然不是好奇炫博，而是给中国资产阶级指示出路。那时候欧洲资本主义正在进入帝国主义阶段，在工业上他看到“近年工人联党之事，挟制业主，腾跃于欧美，今不过萌蘖耳。又工党之结联，后此必愈甚，恐或酿铁血之祸，其争不在强弱之国，而在贫富之群矣”(《工不行大同则工党业主争将别成国乱篇》)。在农业上他也看到“故以今之治法，虽使械器日出精奇，人民更加才智，政治更有精密，而不行大同之法，终无致生民之食安乐，农人之得均养也。或亦能创共产之法，而有家有国，自私方甚，而欲行共产之说，犹往南而北其辙也”(《农不行大同则不能均产而有饥民篇》)。欧洲的工农斗争，使中国刚开始的资产阶级感到自己可怕的前途，《大同书》企图解决这个难题，妄构中国特殊说，肯定“全中国绝无阶级，以视印度欧洲辨族分级之苦，其平等自由之乐，有若天堂之视地狱焉”（《阶级之苦篇》）。照他的说法，中国并无阶级存在，自然不会有阶级斗争，用改良方法可以消除未来的铁血之祸。《大同书》被中国资产阶级奉为经典，口头高叫“天下为公”，实际是抹煞阶级存在，幻想资产阶级的永久繁盛。

梁启超发挥康有为的理论，提出“以群为体，以变为用”的“治天下之道”（《说群自序》）。群的目的在保国保种，方法提倡联合黄种，君民同治，以孔教为国教，反对专制独裁、外国侵略者及买办洋务派。变的目的在变政体，方法是废科举，开学校，改官制，地方自治，反对变枝节。戊戌以前，梁启超宣传整套的变法理论和政论，对维新运动的推进，起了重大的作用。

康梁系政策的大宗旨是“满汉不分，君民同治”（《论变法必自平满汉之界始》）。从“满汉不分”出发，康梁系不谈民族，而谈保种，主张联合黄种各族，反抗白种人的侵略。对外信赖日本，梁启超述师说，说是地球有一种“运”已到日本，“当渡黄海渤海兴中国，而北有高丽，南有台湾，以为之过脉，今运将及矣……十年以后，中国之强盛，将甲于天下”(《论中国之将强》)。高丽、台湾正是日本侵略中的南北两通路，康梁反认为是兴中国之“运”的过脉。用神秘的“运”来掩饰违反人民心理的联日政策，是他们的真意。对内企图“满汉合种”，说是“平满汉之界，诚支那自强之第一阶梯也”，他举出“散籍贯、通婚姻、并官缺、广生计”四条办法，替满洲的“圣皇”保持“宰治支那之光荣”(《论变法必自平满汉之界始》)。康梁的保种主义是反动的。从“君民同治”出发，梁启超严格区别民权与民主的含义“绝异”，中国只能行民权不能行民主。他说：“政府压制民权，政府之罪也；民不求自伸其权，亦民之罪也。”

对民主革命，认为“我国民智未开，明白自由真理者少，若倡革命，则必不能如美国之成就，故革命者最险之着而亦最下之策也”(《论变法必自平满汉之界始》)。康、梁的民权主义也是反动的。不过，他和右派的严复有区别，严复以为“专行君政之国，虽演之亿万年，不能由君主而入民主”；梁启超相信民主政治将得最后胜利，以为“不及百年，将举五洲而悉惟民之从，中国亦未必能独立而不变”（《论君政民政相嬗之理》）。康梁系属于维新运动的中派，比右派进步，因为他们承认从民权可以转到民主。

容闳系　容闳是中国改良主义的创始人。幼年在香港马礼逊学校受美国式教育，一八四七年（道光二七年）游学美国著名的耶鲁大学。他笃信耶教，娶美国妻，入美国籍，是美国化的中国人。大学毕业后，抱着“以西方之学术，灌输于中国，使中国日趋于富强之境”的志愿。一八五五年（咸丰五年）归国，想“识中国达官，庶几得行余志”。他曾同情太平革命，向洪仁玕提出富强策七条，未被采纳。又向曾国藩、李鸿章建议办机器制造厂、轮船招商局，派幼童赴美游学，都得到实现。洋务派创办新政，多与容闳有关。留美学生一百二十人回国，“列身显要，名重一时”，容闳在这一派人中有威信。中日开战，激动了他的爱国心，又回中国，结识翁同龢、康有为、梁启超等人，筹画维新事业，“寓所变为维党领袖的会议场”（容闳:《西学东渐记》）。庚子年，唐才常等组织自立会，推容闳为会长。自立军起义失败，退回美国。

以上中派两系，代表萌芽状态的资产阶级。它的软弱性使它采用改良主义方法，希望从满清政府手中用和平方法取得一部分政权。当封建压迫使它不能忍受的时候，它也会表现出些许革命的倾向；但当它获得有利可图的机会，又立即坚持改良主义或堕落到反革命，康有为就是这一派人的典型。光绪二一年正月初，孙中山准备起义，同陈少白去见康有为，想招他同办大事，刚好万木草堂放假，没有见着。正月中，康有为率梁启超等一群学生往北京会试，路过上海，陈少白到旅馆找他，密谈革命。陈少白《兴中会革命史要》记载当时谈话："我说现在中国的情形，已很危急，满清政府实在太不行了，非革命一下不可。他也说，很对的。然后他就问我长江一带的情形如何，人才多少。我就大概的把局面说了一下，他也点头称是。"兴中会第一次广州起义，康有为派弟子"陈千秋、林奎往密与通情"（章太炎：《驳康有为论革命书》）。戊戌政变，康有为逃到日本，也还想利用兴中会联合起兵，后来夺得兴中会华侨群众，才坚决保皇，专图个人私利，从此不再是进步政党首领而成为反动集团的渠魁了。

谭嗣同系　谭嗣同出身湖南浏阳县大绅士家庭，受王夫之《船山遗书》的影响，早年就有强烈的民族意识，甲午战争更刺激他发愤提倡新学。当江南制造局译出的自然科学书，广学会译出的外国历史、政治及耶稣神学书，供给他新知识，加上旧的儒学、老庄学、佛学，构成变法的理论体系，成为维新运动时期第一流思想家。光绪二二年，他在南京著仁学，每成一篇，与梁启超相商榷；康梁思想给他影响当然不小，但并不能改变他独特的面貌。在汉满问题上，康有为不敢表示反满，谭嗣同严斥“奇渥温（元）爱亲觉罗（清）诸贱种异类，凭陵乎蛮野凶杀之性气，以窃中国”（《仁学》上）。《马关条约》割让台湾，他悲愤异常，说：“满汉之见，至今未化，故视为傥来之物，图自全而已，他非所恤，岂二百五十年之竭力供上，遂无一点好处耶。宜乎台湾之民，闻见弃之信，腐心切齿，以为恩断义绝。开辟以来无忍心如此者。”（《上欧阳中鹄书》）。在君民关系上，康有为主君民同治，谭嗣同主民治，说：“生民之初，本无所谓君臣，则皆民也。民不能相治，亦不暇治，于是共举一民为君。夫曰共举之，则必可共废之；君也者，为民办事者也；赋税之取于民，所以为办事之资也。如此而事犹不办，事不办易其人，亦天下之通义也。”（《仁学》下）在思想根源上，康有为从陆王心学出发，以为变法是由于“不忍之心”。谭嗣同据王船山“无其器则无其道”说为变法宗旨，以为“道必依于器而后有实用，非空漠无物之中有所谓道”（《上欧阳中鹄书》）。就是说，依社会的变化而变法。在对旧派态度上，康有为主妥协调和，谭嗣同主斗争。他说：“平日互相劝勉者，全在杀身灭族四字。今日中国能斗到新旧两党流血遍地，方有复兴之望。今日但观谁勇猛耳。”唐才常也说：“若夫地球全局，则非发明重民恶战平等平权之大义，断断不能挽此浩劫。受棻宁能杀身以成仁，不能曲学而阿世。”（《上欧阳中鹄书》）这些，都是谭嗣同、唐才常高出康有为处，在湖南自成维新运动中偏左的一派。不过，他们并不能超出改良主义的范围，谭嗣同同情光绪帝，怕西太后借口伤害“始事主战之人”（光绪帝），希望“天祚我国，使和议速就，日月朗悬如初”（《上欧阳中鹄书》)。他虽然憎恨满洲统治，反满决心是缺乏的。唐才常听到光绪帝变法，说是“皇帝神圣天纵，远迈唐虞，合地球全局观之，变之自上者顺而易，变之自下者逆而难，今适得其易者，诚我四万万人无疆之幸也”(《上欧阳中鹄书》)。他相信“皇上天亶聪明，暨我朝德泽之厚”，变法一定成功，筹些钱去捐道员，准备做维新大官。改良主义派不论他如何激进，到底总是软弱的。

维新派内部右派势力最大，中左两派较小，表现在光绪任用专办新政的军机四卿。杨锐（张之洞、陈宝箴保荐），刘光第（陈宝箴保荐）代表右派，林旭（康有为门徒）代表中派，谭嗣同代表左派。四卿中谭、林“尤盛意气，毅然独断”(《光绪大事汇鉴》)。实际只有谭嗣同一人尽力新政。杨锐是圆滑官僚、张之洞最亲信的门徒，代表假维新系。他广收贿赂，“今日一袍料，明日一马褂料，今日一狐桶，明日一草上霜桶”（章太炎：《革命道德说》)，明知“今上与太后不协，变法事大，祸亦不测，吾属处枢要，死无日矣”，还是贪恋利禄，舍不得军机处地位。刘光第是积极的拥帝官僚，仇恨后党，不通往来，代表翁同龢系。林旭浮薄少年（三十五岁、沈葆桢孙婿），与后党首要之一北洋大臣荣禄有交情，康有为想利用他谋帝后两党妥协。被捕前一天，“知有变，哭于教士李佳白之堂”，斩首时还“呼监斩吏问罪名，吏不顾而去”。左派谭嗣同独能忠于自己的变法事业，拒绝日本人的劝告，不肯逃亡，说“各国变法，无不从流血而成，今中国未闻有因变法而流血者，此国之不昌也。有之，请自嗣同始”（梁启超:《戊戌六君子传》）。办理新政的四卿，反映维新运动的分歧和无力，袁世凯敢于出卖，就因为看穿了维新势力远不敌顽固派。

第五节　百日维新

洋务派的变法“皆务增其新，而未尝一言变旧。夫国家岁入之度支有限，而新政日增无穷，新旧并存，理自竭蹶”（严复:《上皇帝万言书》）。梁启超攻击尤力，说:“前此之所谓改革者，所谓温和主义者，其成效固已可睹矣。三十年来名臣曾国藩、文祥、沈葆桢、李鸿章、张之洞之徒，所始力而竭成之者也。不见李鸿章训练海军之洋操，所设之水师学堂，医学堂乎。不见张之洞所设之实学馆，自强学堂，铁政局，自强军乎。李以三十年所变者若此，张以十五年所变者若此，然则再假以十五年，使如李张者出其温和之手段以从容布置，到光绪四〇年亦不过多得此等学堂洋操数个而已。一旦有事，则亦不过如甲午之役，望风而溃，于国之亡能稍有救乎。"(《政变原因答客难》)。维新派反对洋务派的议论，符合社会的公意，因之"守旧不可，必当变法，缓变不可，必当速变。小变不可，必当全变"。又"变事而不变法，变法而不变人，则与不变同耳"(康有为:《上皇帝书》)，也是符合社会公意的正确方针。但维新派被"变之自上者顺而易"的思想所迷惑，看光绪帝是"天亶聪明"的"圣上"，根本不认识他不可能变法，维新运动全部落空，正是认识错误的应有结果。

在国内政治方面，西太后、光绪帝的关系，是满清机构极度腐烂的表现。光绪帝作为西太后的一个傀儡，才有他存在的意义，不愿当傀儡，就是不能当皇帝。虽然光绪帝确有变法决心，对西太后表示"不能为亡国之君，若不予我以人君实权，毋宁逊位"，对孙家鼐表示

“朕但愿救中国耳，若能有益于国民，则无权何害”（康有为:《戊戌奏稿》），但傀儡地位并不因此改变。在外国关系方面，西太后、李鸿章订《中俄密约》，出卖东三省换得武力保障后党政权的巩固。英美并未得同类利益，不愿意积极支持帝党。维新派变法，超出帝国主义能允许的范围。梁启超引李提摩太所著《西铎》说:“西官之为中国谋者，实以保护本国之权利耳，余于光绪一〇年回英，拟谒见英法德等国学部大臣，请示振兴新学之道，以储异日传播中华之用。某国大臣变色曰:‘汝教华人尽明西学，其如我国何！’其如我各与国何！”又说:“西人之见华官，每以谀词献媚曰，贵国学问实为各国之首，以骄其自以为是之心，而坚其藐视新学之志，必使无以自强而后已。”李提摩太目的在传教，不妨说出一些政治侵略者的秘密。这使一般维新派觉悟到:“西人之政事可以行于中国者，若练兵也，置械也，铁路也，轮船也，开矿也。西官之在中国者，内焉聒之于吾政府，外焉聒之于吾有司，非一日也。若变科举也，兴学校也，改官制也，兴工艺开械器厂也，奖农事也，招商务也，吾未见西人之为我一言也。”（《续论变法不知本原之害》）维新派对西人态度，谭嗣同可为代表。他在强学会封禁以后，认为“事理失平，转思出而独逢其祸。拟暂将孔子搁起，略假耶稣之名，推英国驻汉领事贾礼士充会首，结为湖南强学分会”。与贾领事“订立密约，极费推敲，既欲假耶稣之名，复欲行孔子之实，图目前之庇护，杜日后之隐忧。不图西人丝毫之利，亦不授西人以丝毫之权，语语蹈虚，字字从活。此约一定，学会随意可兴，谁敢正目视者”（《上欧阳中鹄书》）。维新派标榜保种保教，戒备西人的乘机侵略。同样侵略的日本，却看作同文同种，主张中日联盟，共御西人。变法期中，伊藤博文借口游历到北京，光绪帝破例亲自接见，请他指导“改革顺序方法”。甚至有人奏请留为中国宰相。伊藤与李提摩太同住一处，策动变法，这当然引起英美的疑忌。随着“中日亲善”的发展，英美采取监视态度，防保种主义的实现。日本极大野心被英美牵制，不敢出力支持光绪帝。无论在内政上外交上，光绪帝都没有变法的条件，维新派异想“顺而易”，失败是必不可免的。

光绪二三年十月，德国强占胶州湾。康有为入京上书，请光绪帝“及时发愤、革旧图新，以少存国祚”。书中列举上中下三策，上策主旨是“采德俄日以定其国是。愿皇上以俄国大彼得之心为心法，以日本明治之政为政法”。又请阅读《泰西新史揽要》、《列国变通兴盛记》，及自著的《日本变政志》、《大彼得变政考》等书。经顽固派多方阻挠，直到二四年正月，光绪帝才看到他的上书，大受感动。翁同龢也密荐“有为之才过臣百倍”（梁启超如此说，可能夸大，密荐是事实）。光绪帝谕总署，自后康有为如有条陈，即日呈递，不许阻格。有为奉旨专折统筹全局，大旨仿日本维新要政：（一）大誓群臣以定国是；（二）设“上书所”以广言路；（三）开“制度局”以定新制；（四）各道设“民政局”以举行地方自治。维新运动开始与光绪帝结合。

以胶州湾事变为发端，外患极度紧张，瓜分大祸迫在目前，维新派人士纷纷组织学会。京外如湖南南学会，京中如闽学会、陕学会、蜀学会、粤学会；又有保浙、保滇等会，意在团结志士，亡国后保卫本省。三月，康有为等发起保国会，议定章程三十条，标保国、保种、保教为宗旨，北京、上海设两总会，各省府县设分会，略具政党的规模。康有为在成立大会上讲演亡国惨祸，说:“香港隶英人，至今尚无科第，人以买办为荣。英人之窭贫者，皆可为大班，吾华人百万之富，道府之衔，红蓝之顶，乃多为其一洋行之买办，立侍其侧，仰视颜色，呜呼哀哉。及今不自强，恐我四万万人他日之至荣者不过如此也。”这样的意见本是替统治阶层设想，顽固派却群起攻击，组织所谓“攻保国会”，散布恶谣，又连续上奏弹劾，故意造成混乱状况，使保国会会员畏祸退出。满人文悌诬奏康有为开保国会，声明“保中国不保大清”。顽固派当作有力证据，准备查究。光绪帝说“会能保国，岂不大善”，革文悌御史职。保国会召集三次，会员二百余人减至百人左右，以后不再开会，事实上被顽固派破坏了。

这是新旧两派首次冲突，各有损失，不分胜败。

四月二十三日，光绪帝颁布“明定国是上谕”，表示变法决心。召见康有为，详谈变法步骤，康有为开始参与政权。顽固派也开始筹备政变，颁布“定国是上谕”后四天，西太后令光绪帝下谕革翁同龢职，驱逐出京。又谕二品以上大臣授新职，到皇太后前谢恩。又任命荣禄为直隶总督，统率董福祥（甘军）、聂士成（武毅军）、袁世凯（新建军）三军。

这是新旧两派决斗的准备，新派得起草上谕权，旧派有军政实权，握着屠刀待机而动。

从四月二十三日（公历一八九八年六月十二日）到八月初六日（九月二十一日）共一百零四天，维新派实行“除旧布新”的初步理想，发出数十条改革命令。这些命令大都含有妥协性，替顽固派留有出路，因为缺少推行命令的实际力量，顽固派拒绝接受这个妥协。

关于除旧的命令 （一）废八股，改试策论。全国数百万八股士人痛恨入骨。（二）各省书院、祠庙改设学堂。书院山长多是地方上有力绅士，祠庙有落后民众拥护，与“严饬地方官保护教士，教民”命令对照，激起广大士民的愤怒。（三）裁减绿营。近百万将弁兵卒发生失业恐慌。（四）裁撤京内外大批衙门冗员。腐朽官僚大震动，公开反抗命令。（五）准满人自谋生计。二百五十年来久惯寄生生活的五百万满人，突然丧失特权，陷入死亡的危境。维新派纸上除旧，引起各种旧势力强烈的反抗，光绪帝愈益孤立，西太后愈益坚强。

关于布新的命令 （一）办学堂，首先筹办京师大学堂。（二）设中国银行、矿务铁路总局、农工商总局，提倡各种实业，直到允许私人办兵工厂。（三）奖励新著作，新发明。（四）设立译局，编译书籍，报纸一律免税。（五）准许自由开设报馆，学会。（六）编国家预算，公布岁出岁入，按月发表。（七）广开言路，不论官民一律得上书言事，严禁官吏抑阻。（八）办农会，商会。短期内给予人民相当充分的民权自由，是维新派运动最大的成绩。这个成绩继续发展起来，可以摧毁顽固势力，但顽固派决不允许维新派获得时间，在湖南，聚众哄散南学会，殴打《湘报》主笔，谋毁时务学堂；在北京，八月初发动政变。

这是新旧两派全面冲突，新势力来不及发展，被旧势力用暴力摧毁。

四月间，光绪帝开始变法，西太后同时布置军队，令荣禄统率董、聂、袁三军。董福祥是甘肃匪魁，左宗棠收买他屠杀回民起义军，被称为猛将，最得荣禄的重视。聂士成是淮系著名战将，绝对服从李鸿章的命令，在三军中兵力最强。袁世凯善于运用两面手段，取得相反各派的信任。甲午战前，他是张謇的得意门徒，主张吞并朝鲜、强硬对日。张謇属翁同龢主战派，反对李鸿章，但李鸿章却认袁世凯是惟一可用的人才，他给总署信里说："朝鲜之事，最难处置，刚柔操纵，势在两难。袁世凯精明刚躁，鸿章每切谕以镇静勿扰。"这就是说，如果袁世凯学得镇静一些，那便成"不易得"的"通品"，能处置最难之事。甲午战后，主战派称"袁世凯深悉倭情，屡腾密报，若是倭、韩形势早达朝廷，则先事图维，必不至如后来之仓卒。闻朝旨召询袁世凯，而李鸿章展转禁锢，不使至京"(《翰林院联名参李鸿章折》)。据《翁同龢日记》，袁世凯曾派密使求他设法准令入京，他并奏请"派袁世凯带数营"，似乎袁世凯是主战派方面的人。马关谈判，伊藤"问袁世凯何在"，李鸿章答称"现回河南乡里"。伊藤追问："是否尚在营务处？"李被迫承认"小差使无足重轻"。袁世凯经这一追问，声望更高，清政府选为北方洋式军队创办人，得力于翁同龢的有意扶植。帝党开强学会，他入会赞助。翁同龢被逐回籍，路过天津，他派专人持函献厚礼，表示同情帝党。在维新派看来，他应该拥护光绪帝变法。但在荣禄部下，他仍是亲信将领之一，领精兵七千人。翁同龢第一次接见，就判定“此人开展而欠诚”。老官僚的人事经验，有时是精确的。果然，光绪帝及维新派首领都成了“此人”的出卖品。

七月下旬，怀塔布（西太后亲信）、杨崇伊（李鸿章亲信）等往天津，与荣禄密谋，预定九月初帝后同到天津阅兵，举行政变。形势非常紧急。康有为先曾派亲信人徐仁录探问袁世凯意见，袁表示拥帝。康有为、谭嗣同信以为真，向光绪帝保荐，准备给他参谋部长职务，保护新政。七月底，形势更急，光绪帝密谕康有为等说:“朕位且不保，尔等可有何良策，妥速筹商。”康、谭等商定召袁世凯入京。八月初一日，光绪帝召见袁世凯，擢升侍郎，令专办练兵事宜。次日又召见。初三日，谭嗣同密访袁世凯，请他阅兵时救光绪帝出险，诛戮后党，恢复帝权。袁世凯许诺，“正色厉声”说:“诛荣禄如杀一狗耳。”初五日，袁世凯请训回天津，向荣禄告密。荣禄即日入京见西太后，半夜后，西太后囚禁光绪帝，宣称皇帝再三恳请训政，初六日起，坐殿办事，百日维新宣告结束。袁世凯的血腥叛卖手段，换得顽固派的信任，从此变成政治舞台上颇为重要的人物。

政变后，维新派议定李提摩太见英使、梁启超见日使、容闳见美使，请设法救光绪帝，都被拒绝。荣禄、杨崇伊大捕维新派，康、梁得英日舰保护，康逃香港，梁逃东京。杨深秀、康有溥及军机四卿被捕惨死，罪状之一是“该乱党私立保国会，言保中国不保大清”。当时维新派纷纷逃避，北京形势混乱，各国借口护侨，调兵入京，顽固派才开始畏惧，谕称“朝廷政存宽大，概不深究株连，以示明慎用刑至意”，被捕官员革职充军，得免屠杀。顽固派在一个月内禁止全部新政，恢复全部旧制。新政中被奖励推行的只有保甲法，西太后说“认真办理，自堪弭盗”，实际是利用地方顽固分子，普遍查禁维新运动。因为光绪帝广开言路，不少乡村士人上书谈论政事，攻击官吏，顽固派需要保甲来摧毁民权的萌芽。

第六节　康梁维新派堕落成反动集团

《新民主主义论》一书指出中国资产阶级的两面性时说：“一方面——革命性，又一方面——妥协性，这就是中国资产阶级‘一身而二任焉’的两面性。”改良主义的康梁维新派（死心保皇以前）当然也受这个原则的支配，不过比当时的革命派——兴中会，革命性更少些，妥协性更多些。

变法失败，康梁等逃到日本，维新派开始分化为三部分。一部分是湖南维新派，如毕永年、秦力山、唐才常等倾向革命，毕、秦等先后参加兴中会，与康梁绝交。唐利用保皇名义起兵勤王（排满），算是半革命。一部分是康、梁等，公开号召保皇，但仍与兴中会保持微弱的连系，梁主张合作，革命倾向比较显著。一部分是麦孟华、徐勤等，坚决保皇，反对革命。己亥（光绪二五年）以后康、梁与麦、徐混为一体，成兴中会的顽敌。

康、梁初到日本，经宫崎寅藏、平山周居间劝告，由梁启超代表康有为，约陈少白代表孙中山，在犬养毅家里首次商议两派合作。第二次陈少白直接和康有为谈判。兴中会要排除满清整个统治，康有为要保存光绪帝，说“无论如何，不能忘记今上的”。就是说只反对西太后的顽固政府。康有为的想法，以为西太后年龄比光绪帝大三十岁，西太后死后，自己无疑是立宪政府的首领。

他宁愿等待时机，当满清主子的奴仆，不愿在革命团体里当第二三位的首领。谈判不得结果，保皇会公然设立起来，兴中会会员被夺去大半。当时日本政府扶植中国反满团体，命令康有为出境。他离开日本，向美洲及南洋华侨宣传保皇。

梁启超留住日本，在湖南维新派及大部分康氏门徒推动下，决议发动“勤王兵”，与孙中山商定，孙、康两派联合计划，孙中山任正会长，梁启超任副会长。徐勤、麦孟华竭力破坏，不肯订立联合章程，向康有为告急，说“梁启超渐入行者圈套，非速设法解放不可”。梁启超原想双方投机，总是说“我们虽然用保皇的名，实际还是革命”。杨衢云看出“此种人非真爱国者，与之合作实为有害无利”。孙中山却热望合作，因为中国留日本学生不过七八十人，多数属康梁派，兴中会不得一人；合作成功，可以因之接近学生，对兴中会是有利的，但不曾警惕梁启超别有诡谋。光绪二五年，康有为命令梁启超到檀香山办保皇会，临走时还欺骗孙中山，立誓“合作到底，至死不渝”，请介绍檀岛兴中会重要会员，孙中山受骗了。他利用孙中山关系，宣传“名为保皇，实则革命”，诱惑侨商加入保皇会，兴中会发源地的檀香山，像横滨一样，会员又被保皇会夺去大半。

康、梁堕落了，但留在日本的多数门徒们还要求与革命派合作。康有为到加拿大宣传保皇，进行很顺利，骗得不少金钱，写信回来，痛责那倡言合作的学生，说他们太无志气，不识潮流，要附人骥尾，实属可耻，今日有了加拿大这样的成绩，更要痛改前非，自己争气。这一番教训，把那些心想活动的门徒，骂得哑口无言，只好死心塌地，跟着他一路走。海外各埠兴中会会员，受他们的迷惑，许多人变节，革命运动遭受极大的打击，几至无法进行。兴中会本身犯了错误，迁就康梁派“名为保皇”的荒谬主张，使革命旗帜在群众中混乱不清，进行丧失原则的合作，正如杨衢云所说“有害无利”。

第七节　自立军起义

湖南维新派多与兴中会接近。光绪二五年，梁启超、唐才常、林圭、秦力山、吴禄祯等决议在长江沿岸各省起兵，运动会党与防军，先袭取武汉为根据地。兴中会员毕永年联络两湖龙头杨鸿钧、李云彪等数十人归附兴中会，杨、李所开山堂，势力最大。梁启超谈合作，目的在借用兴中会的会党群众。唐才常约林圭等回国筹备起事，梁启超开会欢送，兴中会主要会员也有许多人到会，彼此互约合作；兴中会在长江的会员及会党都介绍给唐才常、林圭。

唐、林到上海，发起“正气会”。唐才常订定会章，序文有“低首膻腥，自甘奴隶”，“非我种类，其心必异”一类反满词句，又有“日月所照，莫不尊亲，君臣之义，如何能废”那种拥帝论，陷入不可解的矛盾中。革命分子毕永年、章太炎严厉反对，毕劝唐断绝康有为关系，辩论一日夜，不得要领。兴中会影响下的会党龙头弃毕投唐，毕愤极，削发为僧。康有为暗中勾结英帝国主义，在华侨中募集军费六十万元，全部私吞，不肯接济。唐才常并非真心拥帝，以为兼顾革命、保皇，可得两派的助力，不料两派都失望离开，反而孤立起来。

唐才常受康有为指示，改正气会为自立会，军称自立军。庚子年六月，借反对西太后指示义和团排外、亟需挽救时局为名，邀请上海维新人士在英租界张园开中国国会，公推容闳为会长，严复为副会长，唐才常为总干事，林圭等为干事。国会宣布宗旨三点：（一）保全中国自立之权，创造新自立国；（二）决定不认满洲政府有统治清国之权；（三）请光绪帝复辟。否认满洲政府就不该保存清国和光绪帝，保存清国和光绪帝就不能创造新自立国，章太炎再三劝告唐才常勿为保皇党利用，唐才常还在希望海外汇款，拒绝劝告，章太炎当场自剪辫发，表示决裂。所谓自立运动，实际是戊戌维新派的勤王运动，从右派翁同龢系（文廷式为代表）到左派谭嗣同系都参加了这个运动。

唐才常失败的原因，由于康有为私吞军费，但更重要的原因是在国际形势的变化。当时正是义和团极盛、北方混乱时期，英帝国主义阴谋瓜分中国，通过康有为指使自立会拥护两湖总督张之洞割据长江上游（两江总督刘坤一另有张謇等人拥护），通过何启指使兴中会拥护两广总督李鸿章割据两广。张之洞、李鸿章却有自己的打算，他们观望形势，如果帝后同亡或帝存后亡，可以接受拥护，组织傀儡政府；如果帝亡后存或帝后同存，他们深信沙俄势大，满清统治决不崩溃，则拒绝拥护并屠杀拥护者。自立会、兴中会领导人简单地在帝后同存或帝存后亡一方面着想，希望与洋务派首领合作。维新派的自立会固然宗旨混沌，又自立又保皇；革命派的兴中会同样也是态度暗昧，似民主又似君主立宪。七月下旬，八国联军入北京，西太后挟光绪帝同逃，国际形势不允英国独占南中国，张之洞的计算决定了，得英领事同意，屠杀唐才常及自立军。

康有为与英帝国主义的秘密勾结，在向华侨募款公函中流露出来，他说："新党已于上海设立国会，预开新政府，为南国立国基础。"又说："我南方勤王义勇已分布数路，不日将起……一面分兵北上勤王，助外人攻团匪以救上，英既相助，则我可立不败之地。"张之洞破获汉口自立军机关，奏报《严办两湖会党折》里说："其伪札有曰：指定东南各行省为新造自立之国。其华洋文规条，内有曰：不认满洲为国家。"这证明所谓"自立之国"是按照英国的计划来行动的。不过容闳、唐才常等人未必预闻这些机密，只是间接受康有为的指使。因为容闳起草的《对外宣言》八条，与兴中会《上香港总督书》六条比较，自立会确在"自立"的意义上发言，并无依赖英国的思想表现。唐才常信任日本人，与英人少有往来；他和张之洞交涉，似乎并不预知英国对自立运动的关系。当时自立会推容闳驻上海，黎科驻汉口，办理一般的外交事务；康有为派门徒龙泽厚代唐才常办外交，这也许是承受英国指示的密使。容闳、唐才常及其他自立军首领被康有为欺骗是事实，但却无直接勾结英帝国主义的嫌疑。

唐才常、林圭组织自立军为七军，秦力山统前军，驻大通；田邦璿统后军，驻安庆；陈犹龙统左军，驻常德；沈荩统右军，驻新堤；林圭统中军，驻汉口。另置总会亲军及先锋军。唐才常任诸军督办，驻汉口。日人田野橘次在上海发刊《同文日报》，替自立军鼓吹革命，不遗余力。唐才常托日人劝告张之洞接受自立军的拥护，宣布两湖独立。张之洞观望形势，不表示态度，也不出面干涉。两湖、江西、安徽等省哥老会员及水师营兵纷纷参加，有众数十营，定期七月十五日各路同时大举。唐才常屡电海外，催康有为、梁启超汇款接济，再三展时，等待汇款。七月底，龙泽厚招文廷式来汉口，向张之洞告发，经英领事签字，派巡捕协同地方官吏捕获唐才常、林圭、田邦璿、黎科等二十余人。张之洞要对西太后表示忠诚，大杀湖北维新人士百余人。湖南劣绅王先谦、叶德辉乘机报复，向巡抚告密，又大杀湖南人士百余人。被杀的二百余人都是两湖进步的知识分子，他们有高度的爱国热忱，主观上要求除旧布新，挽救中国，这样的死不失为勇敢的死。唐才常等被捕，群呼“速杀”，张之洞不敢白日行刑，二更后押到僻静处加害。受刑人伸直头颈叫“杀”，毫不畏惧，确保持了谭嗣同的牺牲精神。可婉惜的是他们错走了改良主义那条死路，不能断绝保皇会的可耻关系，希望得些军费，结果被保皇会出卖。二百余人的流血，只有一种作用，就是给“改良主义无前途”这一事实作证明，其他作用是没有的。

自立军的失败，使改良与革命两派发生变化。“秦力山、陈犹龙等至日本，即向梁启超大开交涉，要求算账，梁愤而有披发入山之宣言。保皇会自此信用渐失，不复谈起兵勤王事，未几易名帝国宪政会”（《开国前革命史》）。这是说康梁一群无耻的政客向西太后的假维新投降，更彻底的堕落了。“力山以才常起兵用勤王号，名义不顺，欲力振刷之，遂与启超绝。时香山孙公方客横滨，中外多识其名者；而游学生疑孙公骁桀难近，不与通。力山独先往谒之，相与语，欢甚，知其非才常辈人也。诸生闻孙公无他犷状，亦渐与亲，种族大义始震播横舍间”（章太炎:《秦力山传》）。这是说知识分子开始从康梁影响下解放出来，投到孙中山的革命方面。

第八章　对抗瓜分运动的义和团运动
一八九五（光绪二一年）至一九〇一年（光绪二七年）

第一节　绪言

如果鸦片战后，国际贸易中心从广州转移到上海，南中国经济秩序的骤然变化，成为促起太平革命的一个主因。那么，甲午战后，北中国经济也起了骤然的变化，如开海港、造铁路、办邮电、废漕运等等，这也成为促起义和团运动的一个主因。但它们却有一个根本的差别，太平革命反对的是满族的封建压迫；义和团运动则是中国人民自发的反帝国主义的侵略。

义和团在形式上是以落后的宗教迷信表现出来，实际上却代表着广大中国人民反帝的运动。当时人民在满清愚民政策与宗教麻醉的欺骗影响下，只能由这种落后形式表现他们的义愤，不应该做过高的要求。运动的范围在北中国特别广泛，人民狂热的参加了反侵略活动。比之平英团、升平社学、天津教案是有更大规模的发展。中国人民中蕴藏着不可限量的反抗力，历史上无数次农民起义证明它有触必发。触发义和团运动的原因，无疑是甲午战后的外国侵略和满清暴政，侵略和暴政，使农民更容易感触到的是外国教士的内地传教。

关于外国侵略对北方人民的迫害：

领土掠夺　光绪二一年，山东大刀会开始有排外活动，显然是甲午战后的反应。二二年，德国向总理衙门指明索借胶州湾。二三年，大刀会杀巨野县德教士二人，德国乘机派兵强占胶州湾。清政府说“德国图占海口，蓄谋已久，此时特借巨野教案而起”，倒确是实情。继德国强盗之后，俄占领旅顺、大连，英强占威海卫、九龙，法强占广州湾。“四十日之间，失地失权之事已二十见，来日方长，何以卒岁。”（康有为：《保国会演说辞》）。要挽救这样严重的瓜分局面，维新派知识分子提倡保种、保国、保教的变法方案。感受威胁最大的山东人民，实行朴素的武力反抗方案。二四年三月初，大名府考试童生时在城内发现多数布告："各省爱国志士，睹西人无法无天之行为，已决于四月十五日集合，屠戮西人，焚毁其居。其不与我同心一致者，男盗女娼。闻此告示，而不为传播者亦如之，完了。"散发布告的是大刀会，证明它在努力宣传武力反抗的方案，这个方案，迅速获得北方广大民众的赞同。

经济掠夺 光绪二四年，中德签订《胶澳租界条约》允许德国造胶济铁路，并开掘铁路两旁三十里内各矿。山东人民曾受侵略者无数次暴戾的欺压行为：例如胶济路局员随意钉路桩，与高密县农民口角互殴，德军借口保路，枪杀农民二十余人，还勒令巡抚毓贤赔偿桩价兵费三千四百余两。又如铁路阻碍水路，不肯造桥放水，引起农民"暴动"。袁世凯明知"其（德人）恃强逞凶，动因细故称兵压胁，久已成为惯技，而愚民仇外益甚"，但仍派兵替德人镇压。山东人民激动义愤，责任全在侵略者方面。胶济铁路以外，清政府借英款，用英工程师筑成津榆铁路（二一年完工）、京津铁路（二二年完工）、京奉铁路榆锦段（二五年完工），又借俄款（比国出面）

筑卢（卢沟桥）汉铁路，二四年成卢保（保定）段，二六年成保正（正定）段。凡铁路所到地区，旧式的交通运输被弃置，路线上田地房屋坟墓被毁坏。直隶义和团运动在京津保三角地区特别炽烈，造铁路时对人民非法压迫是重要原因之一。

上海、天津间中外轮船畅通，运河逐年失去作用。光绪二六年起，各省漕米不论海运河运，一律改征折色，运河竟成废物，沿河城市衰落；元明以来南北主要水旱大交通线从此荒弃，对两岸居民的生计是严重的打击。

洋货进口在光绪一三年（中法战后）开始超过一万万两，二二年（甲午战后）开始超过二万万两，二八年（庚子战后）开始超过三万万两，三一年（办假维新）开始超过四万万两。土货出口至光绪一七年才超过一万万两，二八年才超过二万万两，宣统三年才超过三万万两。大抵中国战败一次，输入发展一次，输出远追不上输入。从甲午到庚子凡七年，平均每年入超约五千万两，而且输入各货，洋药（鸦片）逐年减少（因土药大量生产，售价较低），洋布棉纱及其他洋货逐年增加，加速中国手工业生产的瓦解，北方修筑铁路，更有利于洋货的深入内地。

光绪二二年，创办邮政局。二五年，改电报局为官办，增添资本二百二十万元（以前官督商办，资本八十万元）。对驿站和民营信局，这种新事业，威胁着旧式通信人员的生计。

汉口到北京旱路及沿运河水旱两路是中国南北交通的两大路线，甲午以后都起大变化；再加洋货流行，铁路、邮电通达等原因，农民、手工业者、商人、交通运输工人、驿站夫、镖客，下至响马、娼妓，失业破产者至少数百万人。政府和地方官吏只顾搜括，谁也不曾顾及大批人的生活。

关于满清暴政对北方人民的迫害：

无情的搜括 甲午战败，满清政府滥借巨额外债，除付交日本二万万五千万两（连利息在内），余款一万万二千万两用途不明，全被回扣、浪费、私吞消蚀尽净。政府负债既多，财政愈益困难，只好尽量增加捐税；因之甲午以后的剥削繁重，官吏贪污比以前更大进一步。光绪二一年，户部竭力筹款，有扣廉俸，增厘金，折漕米，土药、茶叶、糖、盐、烟、酒加税，田房税契设法整顿，典当各商强令捐输等各种苛杂办法。以山西为例，二二年七月开办烟酒税，每酒一斤征钱三文，每烟一斤征钱五文，绵烟十文，至二三年六月，共征银五万余两。二六年，增税为酒五文、烟八文、绵烟十六文。按照一般收税通例，官吏舞弊中饱，比报解数加三倍。山西人民单就烟酒一项，光绪二六年前每年负担二十余万两，再加其他捐税，负担的严重可想。山西如此，别省自然也毫无例外。二五年，户部奏称："近年大费有三，曰军饷，曰洋务，曰息债。息债岁约需两千余万，洋务亦约需两千余万，军饷约三千余万，此三项已七千余万矣。此外，国用常经、京饷、旗兵饷需及内务府经费；又各直省地方经费，亦几二千万。收入约八千万，短少一千数百万两。"全国人民饥寒交迫，政府还要加索一千数百万两，捐税名目繁多到无法再添设。西太后召集大学士、军机大臣、六部、九卿大会议，结果议得"裁革陋规，剔除中饱，认真整顿，化私为公"十六字。这是什么意义呢？就是政府夺取各衙门已有的陋规，让官吏另立名目收规费。这在道光二三年，耆英已经说出了"化私为公"的秘密。他说："其粤（海关）例外浮费，原不难彻底查明，全行禁革；但射利之徒（官吏），营私玩法，一经查出疑目，必将视为例所应得之款，其势必至费上加费而后已；从来清厘积弊，另定新章，大抵如此，不独关税一事如然。”西太后采纳大臣的建议，以“严提中饱，力杜虚糜”名义，令各省督抚“凡取诸商民者，一并和盘托出”。北方省份，例如直隶总督裕禄即交出三十七万两。这当然不能满足清政府的贪欲，竟以“虽非陋规中饱，而利不在国亦不在商”为理由，提取招商局、电报局、开平矿务局、清河金矿局“余利归公”。当然，这还是不够的，以“江南地大物博”为理由，特派刚毅“前往将关税、厘金、盐课等项实力整顿”，括得二百余万两。照样又说“广东地大物博”，派刚毅“驰往妥筹巨款”，又括得“常年军饷银一百六十万两”。刚毅在南方共括得一千万两。北方各省比较贫瘠，虽然捐税额不及江南、广东那样多，人民痛苦却并不比较少。满清政府劫掠大量金钱，各地物价立即腾涨，就广东物价作例，洋银一元不够籴三斗米，银四钱只够买百斤柴。但满清政府还说是“并无丝毫加取于民”，更继续向人民勒索。

广泛的水旱灾　由于吏治的败坏，官吏肆无忌惮的吞蚀款项。咸丰五年，黄河自河南铜瓦厢改道流入山东。从此经常泛滥成灾，治河经费大部被官吏侵吞，堤工草率，溃决后以抢险堵塞等名义，领得额外经费饱入私囊，水灾成治河官吏的利源。光绪二二年山东巡抚李秉衡奏称："近来几于无岁不决，无岁不数决；除额拨经费不计外，其另案之款，十年通算不下八百万两，而河工败坏日甚一日。"河旁居民连年受害，与其说是天灾，不如说是治河官吏制造的人祸。二四、二五年，黄河大溃决，直隶的东南部、山东沿运河的西部都被决毁，灾区极广，淹死人口十六七万，损失田地房屋不可数计。同时北方各省连年大旱，农民吃树皮草根，甚至吃观音土以代粮食。例如灾情较轻的江苏北部，穷人出卖子女，女孩按容貌年龄，高价至多一千文，低价仅五十文。这种不忍想象的灾难，身当其境的农民该是多么惨痛！庚子年（光绪二六年）春间，某些外国报纸已经说到"今年顺直一带雨水极少，麦田尽槁，民气颇为不靖。而山西自去年冬初迄今，更涓滴无之。抚心时事，曷胜杞忧（《拳匪纪事》引西报）。但满清政府及地方官吏不肯承认有灾，依然加紧搜括。

农民最忿恨的人——享特权的教士和教民 咸丰一〇年，即英法联军占据北京后二年，英法与满清政府增订条约数条。法约第六条原议“仍准教士传教”，当时充翻译的法教士私添“法国传教士在各省租买田地，建造自便”一句。清政府昏聩糊涂，签字承认。英美耶稣教士也就同享利益，到内地置产。这种卑鄙可耻的手段，是自称“待人如己，劝人行善”的教士干出来的。中国人民完全有理由驱逐这一群骗子出境。

法国对华商业极微，着重传布天主教作侵略工具。各国在华天主教士，为要享受特权，都服从法国公使，因此法公使获得天主教保护权。光绪一三年，德相俾斯麦感到“布教事业，于领得殖民地有大功”，扶持德教士在山东传教；法国专有的保护权被破坏一部分。二三年，大刀会杀德天主教士二人，德政府不再经由法驻北京公使交涉，直接出面强占胶澳，满足了十年来夺取殖民地的野心。中国人民完全有理由憎恨这种伪善地用传布基督教之名以掩护掠夺政策的教士。

宗教侵略，在北方主要是天主教，在南方主要是耶稣教。大抵天主教的面貌暴露得更显明，耶稣教比较温和些。历来教案多数由天主教发动。当然，耶稣教也不放松每一便于侵略的机会。第二次鸦片战争以后，传教士所谓“待人如己，劝人行善”的工作如下：

教士设立教堂，必需召集多数信徒。但中国人受儒、佛、道三教影响，杂拜鬼神，要他毁祖先神主及五祀神位，专拜一个外国上帝，却是极困难的事。因此教士招徒的方法，第一，是张扬外国势力，吸引那种不堪官吏压榨或被别村别族侵侮的人“投教”。这一类投教者，往往全村全族投靠教堂，依外力自卫或报仇，思想上似乎自认为外国顺民，与中国脱离关系。第二，是出钱收买穷极无聊的人“吃教”，买价不一，有的说“白银四两”（《中西纪事》引吴德芝说），有的说“给银一百三十两”（魏源：《海国图志》），有的说“教士们袋子里藏着大批的金钱，收买中国人民中间的无赖分子，来者不拒，总是临时的或经常的发给金钱”（罗得克夫：《义和团记》）。这一类吃教者，把“教民”当作一种头衔（义和团起义后，山东主教允许“以后教民构讼不准写教民字样，是非曲直一听地方官秉公询办”）；依外力讹诈善良，包揽辞讼，力量比旧绅士更大。第三，是宣传教义，得某些人的信仰；这一类人是真正“信教者”，在教民中占极少数。事实上教堂是外国教士和投教者、吃教者共同组成的侵略团体。

教民由教士包庇，教士由公使包庇，动辄向总理衙门提出交涉，不满足要求不止。另方面，总理衙门饬各督抚“妥善办理”，督抚饬各州县“妥善办理”，强迫人民吃亏了事。依据一些简单的材料，足够证实教士教民“无法无天”的暴行。

教士——同治九年，天津教案屈辱结束，满清政府拟出八条章程，向各国公使妥筹善后，以保“中外永远和好”。它不敢过度揭发教士罪恶，但所举例证，教士实是外国侵略者与中国劣绅、土霸、讼棍、强盗、骗子的混合体。总署“与各国驻京公使再三商议，均以原约未有之条，不能照允”。足见教士一切暴行得各国政府的同意。章程里说：“教士自立门户，违抗中国法令，僭越权柄，犹之一国之中，有无数敌国而自专自主者。”外国在各地方设立教堂等于占领土地，招收教民等于募集侵略兵，这对中国是何等的威胁。教堂既是自专自主的敌国，自然要对外侵略。下列各种行为与强国压迫弱国无异：（一）出头干涉诉讼。教民犯罪，被官管押，外国教士硬请释放。例如，“四川教民妇女骗赖平民租项，反戳伤平民。主教者居然行文说情，教民妇女竟不抵罪”。（二）霸占财产。“洋人爱某处房宅，其人不卖，则寻一无业奸民指为己物，卖与洋人，并串通书吏窃印文约，洋人即据为己有，驱逐业主。”（光绪二二年总理衙门奏）。“绅民有高华巨室，硬指为当年教堂，勒逼民间让还。且于县制有关之地，以及会馆、公所、庵堂为阖境绅民所最尊重者，皆任情需索，抵作教堂。”（三）侵犯主权。以一省最高官自居，如山东传教士自称巡抚，命令各官服从教堂的指示。媚外污贱的官员有奖，如贵州主教胡缚理向总理衙门“保举前任道员多文等，请予优奖”。不顺从的官员有罚，如“四川、贵州教士因教案请撤地方官”；又如“山东邹县西南乡教堂教士，向商贾收税，苛虐异常。福建主教发卖执照，每张洋二十四元，良民有此，始免教士凌虐，奸民有此即可乡里横行”。侵略中国主权直到连媚外的总理衙门也说：“似此无理已极，情实难容。”（四）逞凶惨杀。如“四川殴毙教士李国一案，实由教民逼人退婚肇祸。李鸿章将正凶何彩正法，刘福拟绞；而教民杀死平民及历年奸掳焚杀，首恶教民虽已议罪，终不到案。其司铎覃辅臣纠众杀毙团民赵永林等二百余名；梅教士声称已赴外洋，不能查办”。（五）勒索赔款。如“四川殴毙教士冯弼乐一案，业已拿获冉老五正法。有梅教士硬指绅士主使，逼勒赔银八万两”。以上多是天主教士干的事。但号称较为善良的耶稣教士，又有另一套传教方法。联军统帅瓦德西所著《拳乱笔记》说：“关于英美教会事业，余实不能详细批评，但余却深信……美国方面，常有一种巨大错误，即所委任之牧师，往往其人德性方面既不相称，职务方面亦未经训练。此辈常以服务教会为纯粹面包问题。凡认为赚钱的事业，无不兼营并进。余更熟知许多牧师，兼作他项营业（如买卖土地，投机事业），实与所任职务全不相称。”不论天主教、耶稣教，他在外国侵略政策下传入中国；即使有安分教士，总不能改变传教的侵略性。何怪“百姓始而抱怨，继而成恨，终且为仇，各处人民不问天主耶稣有无区别，而皆指为天主教也。”（总理衙门与各国大臣商办《传教章程》八条。）

教民——“入教华民大率败类，一经入教，鱼肉乡民。教士每依为心腹，恃作爪牙，一遇斗殴，必相袒护。数十年来总理衙门办理教案，从未见教士责罚教民之事”（光绪二〇——二二年总署《遵议教案章程奏》）。教民本来多是“以教中为逋逃薮的莠民、罪犯、讼棍、地痞之流，得教士之包庇，更使胆大妄为，作奸犯科，无所不至。或乡愚被其讹诈，或孤弱受其欺凌，或强占人妻，或横侵人产，或租项应交业主延不清偿，或钱粮应交公廷违抗不完纳，或因公事而借端推诿，或因小忿而殴毙平民，种种妄为，几难尽述”（李东沅：《传教论》）。地方官不敢得罪教民，势必“扶教抑民”，狱讼勒令平民受屈，公费强迫平民添派（各项公费如差徭及公益事项，教民往往拒绝摊派）。平民忍气吞声，受教民压迫。光绪二二年，总理衙门因“年来教案迭出，每议赔偿，累万盈千，公家受累无穷”，特定新章，凡“教案赔偿之款，由该督抚臬道及府厅州县分年按成偿还归公”。这就是教案赔款要地方官负担。从此平民又增加两重灾难：第一、代官吏赔款；第二、地方官“规避赔偿，讳民教斗殴，妄称民变”（御史潘庆润奏），调兵屠杀平民，使教民满意以减轻赔偿额。如砀山县教民抢麦，激起械斗；江苏、山东两省，借口“大刀会匪滋扰”，派兵“会同剿办”，杀平民三十余人，一面赔教士七千余吊完案。“教案之变端，皆酿成于牧令之庸鄙，必由有司抑民而袒教”（徐赓陛:《民心宜顺禀》)。这只是说出了一部分的实情，因为抑民袒教，应负主要责任的是充当外国奴隶的满清政府。

一般平民受教堂极野蛮残忍的压迫，不反抗不能生活。义和团宣传“杀了洋鬼头，猛雨往下流”，“不下雨，地发干，全是教堂止住天”，在农村中成为发动广大群众的有力口号。

民教大冲突终究要爆发，这是无疑的。如果官吏与教堂完全一致，协力镇压民众，爆发可能迟延一些。但政府和官吏事实上对教堂存在着深刻的猜疑，这种猜疑跟随教堂势力的日益扩大而增强起来。太平天国灭亡后，不少反满分子藏身教堂，待机起义。如浙江教民施鸿鳌、潘阿士等本侍王李世贤部下，在乡间打做军器，结集义军，被劣绅告发，搜获“妖书符印，语多悖逆”（温处道《上总署禀》)。当时革命群众数千“情势汹汹”，官绅骇惧，急杀施、潘二人。贵州冉石保、宋玉山、唐神仙、谭元帅等“先曾从贼（石达开军）受伪职，嗣入教中”（总署《商办传教章程》）。安徽“白莲教混入天主教”，专剪教外人辫发，激起教案。尤其是戊戌变法，耶教士李提摩太等居指导地位。在顽固派看来，教士包庇莠民，是可忍的忿怒；包庇“叛逆”，是不可忍的仇恨。义和团提出“扶清灭洋”的口号，正好是诱导顽固派与义和团合作的基础。

第二节　从义和拳到义和团

义和拳是旧式农民起义的许多秘密结社的一种，它是白莲教的一个派别。

起源　历史上有两个宗教，在农民起义中常起领导作用。一个是道教，一个是摩尼教，两教又混合成各种秘密宗教团体。

东汉末，张角创太平道教，张陵创五斗米教。道教开始是农民起义军的宗教，后来一部分为统治阶级收买而驯伏，一部分仍在农民中秘密活动。东晋末，五斗米教主孙恩曾起长生军颠覆了东晋的统治。旧史书上所说“左道惑众”、“妖贼创乱”，大抵是指道教徒准备或发动起义。道教徒自称有奇术、能预知，在迷信落后的社会里，这常是号召群众的有效方法。

公历第三世纪，波斯人摩尼创摩尼教，周、隋间传入中国。第八世纪，回纥（中唐时住新疆吐鲁番一带）奉为国教。回纥助唐平内乱有功，摩尼教得在长安、洛阳、太原、江陵、南昌、绍兴等地建立大云光明寺传教。摩尼教的主要教义说：有善恶二神对立，一个代表光明，一个代表黑暗，教人崇拜光明，与黑暗斗争，因此又称光明教。教徒白衣白冠，死后裸葬。唐武宗禁止各宗教，后来各教解禁，摩尼教独被永远禁止。以后民间秘密结社的魔教（教徒称事魔吃菜人），白莲社（又称白莲会）、白云宗、明尊教，都是摩尼教的支派。北宋末，魔教主方腊起义。这时候的魔教还保持浓厚的摩尼教色彩。教徒不饮酒食荤，不宴会宾客，不拜神佛祖先，只拜日月（日月合成明）。人死裸葬，不用棺椁衣衾。同教互通财物，称为一家人。但另方面，却和天师道（五斗米教）结合，教徒认张角为祖师，被官吏捕获，备受任何毒刑，终不肯说“角”字。元末，白莲会首领刘福通奉教主韩山童的儿子韩林儿起义。林儿称小明王，起义军首领之一朱元璋建立明朝。白莲会与佛教结合，专拜弥勒佛，旗色崇尚红色（刘福通、朱元璋等军称红军，别部有白军、青军），与魔教不同。明末白莲会蔓延山东、直隶、山西、河南、陕西、四川等省，教主王森（河北蓟县人）死后，其子王好贤及教徒徐鸿儒有众二百万，起义反明。满清嘉庆元年，白莲教首领刘之协等提出“反清复明”、“官逼民反”口号，发动大起义，旗帜衣服用白色。嘉庆一七年，白莲教的一个支派——天理会（八卦教）起义，震卦教首李文成、坎卦教首林清联合攻袭北京皇宫，谋夺取直隶、山东、河南三省。起义口号是“反清复明”（李文成自称大明天顺李真主），允许成事后公众每人得分地一顷。白莲教、天理会都奉“真空家乡，无生父母”八字真诀，杂拜佛道两教众神，不专拜弥勒。

宋元明清都定重刑禁止摩尼教，因之支派极纷杂，传授极秘密。南方有魔教、斋教、吃菜教，北方有白莲、天理等教，名目更多。嘉庆时严捕白莲教，两江总督百龄捕得教首方荣升等，百龄“令从其教者，但跨十字架又吞豕肉一块，即可免死；而方荣升及女尼朱二姑娘但求速死，俾生西方乐土，终不肯跨食”（夏燮:《中西纪事》）。照夏燮所说，“白莲教即末尼（摩尼）之支派，传其教者谓之七七教，以同财同色为其教法之纲领”。教徒“持斋诵经咒，不跨十字架，不食豕肉”。魔教徒互通财物，天理教号召分田地，这就是统治阶级害怕的所谓“同财”。魔教中魔公魔母并称，白莲教起义首领有齐王氏，李文成妻张氏，都能领兵作战，违反妇女雌伏的旧例。这就是统治阶级喧哗的所谓“同色”。摩尼教演化为魔教，又演化为白莲教，原有教义愈演愈少，道教色彩愈演愈浓。白莲教在农村中流行，因为他是魔、道、佛三教的混合物，杂拜各种鬼神。

天理教起义失败，满清政府大捕白莲教，那彦成查出直隶滦县石佛口王姓一族，世代到各省传授大乘教清茶门，方荣升就是王姓门徒（白莲教主王森蓟县人，石佛口王姓很可能是王森后裔）。那彦成破获的教门有大乘教、清茶教、金丹八卦教、义和门、如意教、好话教、一炷香离卦教、佛门教、白阳教、红阳教，搜出的经卷有《九莲如意皇极宝卷真经》、《元亨利贞钥匙经》、《递背十王经》、《高老祖经》，不曾发觉的教门及经卷一定还不少。满清政府残酷镇压这些教门，按“叛逆”治罪，传教人被处凌迟、斩、绞、充军等刑。经卷被称为“邪悖”，特派官吏“严密搜查，务令尽绝根株”。满清政府对“邪教”的防禁是毫不松懈的。义和门是白莲教别派八卦教的一个小派，它的特点是练习拳棒。那彦成早已“讯明义和门拳棒，系离卦教之徒党”。“义和团有一秘密之符号，交战时佩于身上。其符用黄纸一张，用硃砂画一像，非人非鬼，非神非妖，有头无足，面尖削，但有眉眼，顶上有四圆光。心下书秘字一行，其意若曰，我为冷云之佛，火佛在予之前，太上老君在予之后。此外又有菩萨龙虎等字。上面左端书请天兵天将，其右端书请瘟疫之神”（《景善日记》）。这个怪像很可能是魔教秘密崇拜的鬼神，所谓“冷云”、“火佛”、“圆光”，与摩尼教的“大云光明”或有渊源。满清严禁“邪教”（《大清律》特别规定禁摩尼教），义和团无论在那彦成奏折里，在景善日记中，都有“邪教”形迹，然而它终于造成伟大运动，原因之一，就在满清害怕义和团的勇敢战斗，从严禁转为利用。

义和拳在战斗中扩大起来 天主教传入中国，它被大多数人看作“奸诱妇女，诳骗病人眼睛，取婴儿脑髓，室女红丸”的邪教（《海国图志》可为代表）。外国兵枪炮猛烈，但也被看作“其腿足缠束紧密，屈伸皆所不便”，跌倒不能起身的直脚人（林则徐可为代表）。这种怪说传到农村，有奇术又有棒拳的义和拳很自信能与外国人对敌。天津义和团揭帖里说：“男无伦，女鲜节，鬼子不是人所生。兵法易，助学拳，要摈鬼子不费难。”第二句说兵法容易，就是神仙助人学拳，足见义和拳在群众中取得信仰，主要由于他有“神拳”。

山东、江北一带，大刀会势力极大，被称为“刀痞”或“会匪”，与义和拳等教门被称为“邪教”或“教匪”显有不同。光绪二一年，大刀会已作仇教活动。后来义和拳在山东取得合法地位，多数大刀会员加入，义和团与大刀会实际上合成一个“灭洋”团体。

义和团从“行踪诡秘畏人知”转到合法公开，是经过战斗才得到的。山东义和拳首领曹州人朱红灯自称明朝后裔，开始是揭“反清复明”的起义团体。官吏祖教抑民，受教堂指使，不论是非曲直，教民必胜，平民必败。义和拳适应群众的义愤，“聚众抗官，传单一出，千人立聚，兵刀森立，俨同敌国，动言焚杀，官吏莫敢谁何”。在拳民武力监视下，官吏只得“噤不敢问”或“出资设席，和解拳教”（劳乃宣:《义和拳教门源流考》书后）。义和拳不但保护拳民，对平民也一律保护，“路遇不平，不惜躯命代为伸理”；平民受教民欺压，纷纷参加，抵制官吏和教堂的横暴，公称义合拳为“义民会”。这种民众自卫方法完全合理，官吏却认为“纪纲法度，荡然无存”。山东巡抚李秉衡、张汝梅派兵镇压拳民，毫无效果。例如平原县拳民集合千人，开放大炮，抗拒清兵，清兵大败逃走。光绪二五年二月，清政府撤张汝梅职，改派著名屠户毓贤为巡抚。毓贤前曾做曹州知府，一年中杀所谓“匪盗”二千余人，政府认为“声名卓著”，升他当按察使，他见西太后，自夸功绩，说“匪已肃清，永无后患”。这时候任命这个屠户做巡抚，目的显然在大杀山东拳民。毓贤派济南府知府带兵“查办”，列阵战斗，被拳民杀死数十人。他不敢向政府请援，因为说过“匪已肃清”；又不敢向拳民攻击，因为每战必败。朱红灯要吸引反教群众加入义和团，改提“扶清灭洋”口号，势力愈益扩张。毓贤正在为难，恰巧戊戌政变后，西太后提倡办保甲团练，毓贤出告示改义和拳为“义和团”，表示承认为民间团练。义和团立“扶清灭洋”及“毓”字大旗，可以公开活动。各县遍设拳厂，茌平县八百六十余庄，拳厂多至八百余处。运河以西地区（水灾严重地区）尤其发达，全省农民大体被拳厂组织起来。当时义和拳运动“仅仅想强迫教士退出中国，教徒脱离教会”，所采方法普通是“恐吓”，最严重的不过近乎“虐待”，并无伤害人命、毁坏教堂的行动。传教士却认定拳众运动是一种“叛逆”，鼓励教民准备武装冲突，常常无缘无故的侵犯义和拳；一面夸张形势，首先是美国教士向驻京美使发电报告说：“抢劫纵火及暗杀之事，有增无已，若非四公使馆联合要求停止此种情事，则在庞庄、临清与济南府之美人，其形式极为险恶。”其实事情并不如此。庞庄传教部周年报告明白指出：“虽时有可怖之恐惧，然丝毫无生命之伤害。”临清传教部报告也说：“约三分之一的基督教徒，蒙有损失，总计亦不过四百三十余元。个人之伤害未见发生。居临清之某基督徒，有一子暨一妹夫均为拳众所掳，两人之耳皆为拳众割去。”割耳自然是强暴行为，但证明拳众并无杀死教民的意图。美国教士有意扩大事态，美公使康哲根据夸张的报告，也就压迫清政府撤换毓贤。十一月，清政府尊命撤换毓贤，使用更大的屠户袁世凯做山东巡抚，要他来完成大杀义和团的血腥任务。毓贤是绝对排外的顽固派，在军事镇压失败后，可以在“扶清灭洋”的共同点上被迫承认义和团为合法团体。袁世凯是绝对媚外的洋务派，他拥有强大的私人军队，杀人是他的长技，他到山东，义和团陷入血海之中了。

袁世凯刚到山东，肥城县偶然发生英国牧师伯鲁克被杀案。在山东拳众整个的运动中，外人为拳众所伤害的只有他一人。在一九〇〇年（庚子）五月三十一日以前，外人在中国为拳众所杀害的也只有他一人。这说明义和团行动不曾超过“恐吓和虐待”的范围。牧师博特在他的报告中，曾说这次的事变实有偶然的成分。英使馆派领事甘伯乐到山东观审，在他的报告里也说：“伯鲁克的被掳与被害，是六个人（据袁世凯奏报仅五人）所做的事情。因为他的兄弟和家中其他的人，在最近拳众与官军冲突时，都丢失了性命。在伯鲁克被捕后，他们曾携此俘虏游行了几个钟头，丝毫没有想到如何作第二步的处置。最后，伯鲁克断其束缚，企图逃脱，在追赶中他被杀害了。”这不是也承认是偶然事件么？袁世凯却当作媚外资本，奏称“平阴肥城两县匪徒聚众滋事”，故意把案情扩大。被捕诸人中两人处死刑，一人终身监禁，一人监禁十年（在狱中死去），一人徒刑二年，地保四人革役，永远不准复充。中国人民的生命就这样不值钱地作为伯鲁克的抵偿品了。他觉得还不够，罚出事地方居民银五百两，竖立一座纪念碑，又给教堂赔偿银九千两、地五百亩。可是英国公使对这种严重的科罚，还不满意，他认为邻近的两个村保，也应该受罚。其实肇事人与伯鲁克并未经过这些地方，却要负“不竭力救阻”的责任，除了帝国主义者蛮横自大，把中国人民看作奴隶，再没有其他理由可说。

有帝国主义无限的贪暴，就有袁世凯疯狂的屠杀来迎合外国主人。他定出《严禁拳匪暂行章程》八条，重刑督促官绅、吏役、保甲长、家长查拿拳民；又提倡告密，提被告人家产一半或全部充赏。无论军民人等，凡有练拳或赞成拳厂者杀无赦。他这种极端残忍的压迫，激起义和团普遍的武装反抗。袁世凯当作主要力量的新建陆军，在拳众反抗的浪潮中变成渺小不堪。

他又奏准扩充新军马步炮队二十营（每年饷银九十八万两）。又联合青岛德国军队、各地教堂武装，协力攻击义和团。地方官捕获拳民，"当堂用刀杀之"，连伪装的审判也用不着，说是"不忠也不孝，不义又不仁，干犯十大恶，剿灭何足论"。到底干犯了谁呢？原来反对帝国主义乃其走狗叫做"干犯十大恶"！在战斗中，朱红灯战死，义和团被消灭十余部。以东光县为例，方圆十里地面，没有一株树上不挂人头，没有一个人头上不包红布。他的军令是"见匪枪毙之"，又一军令是"如匪至即放炮，必不汝咎，若匪至不痛击，则将领以下概正法"。军队屠洗乡村，毁平拳厂，都是军令及"严禁拳匪章程"规定的"合法"行为，无数拳民与非拳民冤屈丧命。青岛附近即墨、高密、胶州的义和团与德军多次接战，德军虐杀乡村居民，称为"严办示儆"。袁世凯给青岛总督电报说："凡乱匪阻挠矿工之事，我必设法以永除之，所谓保全二国太平之局者，我二人实有同心也。”他和刚在三四年前强占青岛的德国强盗“实有同心，”自然看中国人民是仇敌。《拳匪纪事》有一段“山东友函汇录”，其中一函说：“东抚袁慰帅不助拳匪，严惩土匪（大刀会），为东民所恨，皆有欲杀之势。民间谣云：‘杀了袁鼋蛋，我们好吃饭。’并在抚署照墙画红顶花翎之大龟，伏于洋人臀后，以示痛恨。故慰帅防范甚严，有于卧室外密护铁网之说。”这样万恶的民贼，虽然德国直接给他武力援助，还替他宣传所谓“袁世凯神话”，把极残酷的屠杀手段描写为“刚勇的武官所造成的奇迹”，但并不能阻却民众的愤怒，一部分义和团联合大刀会继续在山东战斗。庚子年初春，乾字团、坎字团从山东北部入直隶境，向天津方面谋发展。

直隶东南部以大名府为中心，义和团势力与山东同时高涨。光绪二五年，一个官员叙述景州拳民情形说：“卑州三月以内，即有教案两起，虽皆未及决裂而了，实皆权宜处之。像拳党众多，一呼百诺，动辄集众千百，汹汹而来。无论欲拿不得，且实拿不胜拿。倘或冒昧从事，彼谓官长袒护教民，激成众怒，必至不可收拾。即使立刻请兵，亦属缓不济急。州县限于权力，故不得不暂顾目前，以无事为福。”这是一般地方官率直的自供。在民众威力面前，官吏不敢袒护教民，颠倒是非，所谓“权宜处之”，实际是比较公平的处置。教士当然不肯退让，压迫地方官“非将拳匪立拿正法，驱逐净尽不可”。丧尽民族意识的“教民气焰弥甚，谓教士已调洋兵即可来此，与义和拳打仗”。另方面“拳党闻之愈激其怒”。“景州境内，拳场亦有数十处，实防不胜防”。地方官处在“境内有教堂教民之村共百余处”与“拳场亦已有数十处”的两个势力的中间，只好借口病重要求撤任。这说明直隶义和团与山东一样，也只是御侮自卫，强横逞凶的是教士教民，不是义和团。

山东义和团入直隶境，立即与多数民众结合起来，天津、保定、通州（运河终点，漕米仓所在地）成为义和团的中心地区。直隶总督裕禄的态度很强硬，庚子年正月，他出了告示说：“近日无知愚民，惑于外来匪徒持符念咒，降神附体能御枪炮之说，辄私立义和拳会，练习拳棒，蔓延各处，以仇教为名，滋事扰害。迨兵役捕拿，犹敢恃众抗拒，更属目无法纪。”他提出严厉办法，对“设立拳厂煽惑滋事首要匪犯，务必获拿惩办，绝不能幸逃法网”。对“被诱入会习拳者，倘犹不知悛改，即由地方官会营捕拿，决不稍从宽贷”。直隶布政使廷杰也出“严禁邪教”告示说：“近来义和拳匪假托邪术惑众滋事，并拒敌官军，不服弹压，实属罪不容诛。各州县已将拿获之匪首，禀请督宪批示，就地正法。该匪首等甘心为乱，目无法纪，死有余辜。”足见裕禄等人认义和团是“邪教乱民”，毫无同情的倾向。义和团对这个残酷压迫，一面宣传“扶清灭洋”，号召广大群众入会。到三月初，“直隶北境几于随处皆有，应募入会者亦实繁有徒。若辈均系一八八九年时与天主教为难之会匪（即著名的天津教案）；因经法国使臣逼令华官将其首领杀戮，致怀恨在心，时思报复”（上海《字林西报》载北京专电）。到四月下旬，“直隶各处其势甚炽，较前更为猖獗”（北京专电）。一面武力攻击教堂，并抵抗“官军”的“剿办”。三月任邱县义和团与“官兵开仗，官兵为其所败，统带官受伤甚重，知府亦受刀伤”。四月，裕禄派兵救涞水县教堂，与拳民开战，义和团击杀督队官副将杨某。涿州拳民二三万人占领县城。丰台车站出卖废票，讹诈旅客，义和团烧毁站房，连西太后的“龙车”一并烧掉。裕禄无力控制直隶省的政权，各地西人相率逃来天津，他的军队削弱到只能“沿途护送”，不敢出发攻打义和团。天津是义和团中心之一，二月下旬“天津通城，贴有匿名揭帖，内中字样各有不同，大致煽惑人民杀害洋人，并定三月初一日起事，攻打外国租界”。三月“津郡城厢内外，时有幼童演练义和拳，又有幼女演练红灯照”，乞丐组织“沙锅照”，寡妇组织“青灯照”，兵士不少参加义和团。裕禄在群众大运动中，控制不住天津城。例如“丰台毁路之役当场捕获八人，解系津狱。又自津西杨柳青捉获传法首领三人，亦置之狱；陡有一人赴县署，自称为义和团，奉大师兄之令，馈问狱中诸师弟，握刀携筐，昂然诣狱，县吏竟听其自由来去不稍阻诘”（《六十年来中国与日本》）。同时外国不断施行压力，要他消灭义和团，他只好像毓贤那样被迫承认“扶清灭洋”的义和团为合法团体，借以保持本身的安全。五月，裕禄“以敌体礼”迎“静（海）津一带义和团”首领张德成、曹福田入天津城。义和团在直隶取得合法地位，势力更大进一步，津城“旬日之间，神坛林立；业冶铁者，家家铸刃，丁丁之声，日夜相续。

官不敢禁挟械，但禁冶铁；示甫下，匪纷集县署，露刃逼官弛禁，不得已从之；冶炉遍衢巷矣”（《拳变余闻》）。一般记载都斥责裕禄“纵拳酿祸”，其实裕禄何尝不想杀灭义和团，但形势不许他不向群众屈服；毓贤、裕禄、西太后都不能反抗这个形势。

组成义和团的群众　义和团运动是广泛的群众反帝运动，领导这一运动的是迷信团体义和拳，因之形式上表现极浓厚的宗教色彩；参加运动的群众，惟一目的在“灭洋”；如果领导者不是义和拳而是其他非迷信团体，也同样会发动起来。

农民——义和团群众极大多数是农民。《拳匪纪事说》：“入坛之人，初惟乡村愚民。平时受人欺压，无可伸理；一闻匪说，冀借神道以凌人，一泄积愤，乃相率弃其农业纷纷入城，甘为匪类。”除去那些诬蔑的词句，基本上这种观察是合于事实的。农民受尽各种欺压、剥削、灾祸，看出自己的仇敌第一是洋人。凡是洋人所在的地方，从内地教堂到租界，义和团都决心要消灭他，对城市取进攻的姿势，不停留在乡村里。一个知县官叙述义和团向涿州集中的情状说：“余于四月二十日（庚子年）到景州，即闻往北州县皆有义和团匪与奉教人为难，并不伤害行客。二十九日到雄县，则沿途皆有，或三五人，或十人八人、四五十人不等。皆腰束红带，首帕用红里，亦有束黄带用黄里者。旗书‘义和团替天行道，扶清灭洋’字样。领队之旗有坎（☵）字、乾（☰）字之分，中皆用刀矛。水行、陆行皆向北进发。其中三十岁以上甚少，二十岁以下十二三岁居多。途中相遇，秋毫无犯。初二日由新城前进，见义和团纷纷往北。申刻到涿州，城上皆红巾、黄巾，刀矛林立，屯聚如蚁，城厢内外几二万人，余见之不免心悸。”这样有自觉纪律的出于志愿的生气蓬勃的青年农民队伍，虽然在思想上，一方面是迷信落后；但另方面自我牺牲，纯洁无私，不畏强暴，民族自尊的伟大精神，实在是值得尊敬。他们在整个运动中，始终保持着这种精神，就是反义和团的记载也不能不承认：“拳匪肇衅时，皆面多菜色，有黄团红团之分，皆用巾带为识别。手用长矛或径用竹竿，年长者约廿岁，最幼者只十二三龄，前被官军联军击死者皆是辈也。”（《拳匪纪事》）“面多菜色”，说明义和团在城市中不曾腐化，“手用长矛”，说明义和团勇敢不畏死，因为农民是义和团最主要的组成部分，运动才表现出特殊的坚韧性。

城市小手工业者及水陆交通运输工人——运河漕米的停运，津沪轮船的畅通，京津、津榆、卢保铁路的告成，大量洋货布匹的输入，破坏了旧式的工艺和交通运输，失业工人至少在百万人以上。他们多数是天津、通州、保定、北京城内或附近的居民，熟悉都市中情况，义和团能进入都市，并能迅速发展，压迫裕禄、西太后一类当权人向义和团屈服，工人响应农民起了决定的作用。

兵士——破产失业的农民、工人及会党、亡命者流，在社会上生路断绝，往往投营当兵。参加军队后，沾染军营恶习，多数养成破坏性。因为他们原来是被压迫的，所以同情义和团，尤其是董福祥军，满清把它当作灭洋的主力军，军官士兵很多加入义和团。又因为他们现在是专事破坏的职业兵，所以纪律毫无，烧房屋，抢财物，凡义和团运动中被人借口指为暴乱的事件，大抵出于军队（包括反义和团军队）所为。虽然如此，军队有枪炮武器，对外作战即使远不及农工那样勇敢，到底不失为农工的重要支援者。

妇女——义和团组织妇女团体，说明运动带着广泛的群众性。幼女团称为红灯照，老妇团称黑灯照，妇人团称蓝灯照，孀妇团称为青灯照。不入团的妇女也得遵照“法”令，七日不梳头，不缠足。团里唱着一首歌：“妇女不梳头，砍去洋人头，妇女不裹足，杀尽洋人笑呵呵。”用意在动员每一妇女参加运动。红灯照最盛行，企图飞到外洋烧毁外国城市。天津妇女首头有黄莲圣母、董二姑、刘三姑。所谓董二姑、刘三姑，说是董福祥、刘永福的妹子。董福祥“立誓灭洋”，被称为董大师兄，在义和团中极有声望；刘永福是越南抗法、台南抗日的英雄，为南北民众所尊敬。义和团假托董、刘名义，借以号召。当时幼女纷纷练习法术，“父母不能禁”。太平天国以来，妇女再一次表现了政治斗争的热情。反动记载，造作卑污谣言，恶意诬蔑，全不可信。

以上都是构成义和团的主要群众，主体自然是农民。此外还有不少另一部分人加入义和团，这种人多是别有企图，乘机谋私人利益。

乞丐——天津城内外乞丐，组成“沙锅照”，借募饷名义，沿门强索，招人厌恶。

流氓——流氓比乞丐更恶劣，纷纷设立神坛，聚集同类，自称义和团。欺诈强夺，多属这一类人所为。

满人——北京满人，不分男女老少，大都加入或同情义和团。“宫中内侍及年老宫女等亦不时操练拳棒”。满人积极练拳，并不作战，为了保护自己的寄生特权，希望义和团替他们“扶清灭洋”。

义和团有乞丐、流氓、满人加入，在城市中声势更大，但不良行为也被这些人带来。

义和团领导者 义和团分八卦，“其蒙首围腰之布，分红（坎字团）黄（乾字团）黑白四色，然互相猜忌，并不联络”。它原是教门纷歧的秘密团体，不可能有实际的首领及统一的行动。各派对“灭洋”意见一致。对“扶清”却有不同的主张，大体可分反清、扶清、保清三类。

反清类：白莲教——义和团白色一派是白莲教正传，首领不知姓名，在运动中仍保持半秘密状态。当义和团围攻北京公使馆形势紧张的时候，白莲教准备推翻满清统治。《长崎报》载日公使西德二郎密信说：“城之内外有白莲教匪，居永定门附近饭店之内，近增至二千，以弑君杀官篡位为主义。其名簿为官搜获，杀其七十名。此匪闻拟九月举事！人心更觉惶惶，该匪胆敢以纸扎成天子及显要肖像至菜市杀之。”白色义和团人数不多，破坏后不见再起活动。

扶清类：朱红灯派——朱红灯首创“扶清灭洋”口号。红灯死后，义和团在直隶大发展，最著名首领有李来中、张德成、曹福田三人。李来中被称为义和团总首领，他原是陕西义和拳总首领。关于他的事迹，传说不一，或说“该团匪目李来中，为直隶团匪中最著名之头目，即董福祥手下之武弁也”；或说“团匪头目名李来中，系陕西人，闻未滋事前，曾由董军门引至内廷，经召见两次”；或说“匪首李来中自北仓失守（七月十一日）后即已逃避，不知所往”（以上据《拳匪纪事》）；或说“拳匪既云集京师，更有董福祥义弟陕人李来中者从中指挥，由是兵匪遂合而为一，作为与发匪直无二致”（《西巡回銮始末记》）。义和团与董军合攻使馆，直到联军入京时为止，攻击始终不懈，李来中逃避说不可信，他是最引人注目的人物则是事实。东南各督抚刘坤一等联名电奏说：“拳匪若真系直隶义民，何以陕西李来中为首。”董福祥败退到陕西，上书斥责荣禄说：“去年拳民之事，累奉钧谕，嘱抚李来中，中堂欲抚拳民，则祥荐李来中。”足见李来中的总首领地位，为众所共认。董军兵士全是陕甘人，又多参加义和团，李来中以义和团首领地位，影响董军兵士，使成为运动的支持者。董福祥是荣禄的亲信走狗，荣禄后来竭力反对攻使馆，董军自动攻击，不肯停止。荣禄不能控制董福祥，董福祥不能控制士兵，可以推想李来中所起的作用。天津方面首领张德成，出身船夫；又一首领曹福田，出身“游勇”。曹代表城市中群众，自称“署理（本任属张德成），静津一带义和神团”。张代表农村中群众，自称“天下第一坛”。曹态度较强硬，张态度较温和。直隶境内沿运河一带团众统归二人管理。义和团宣称扶清，行动上也确表示出以对等独立的地位来扶助满清，不受政府的约束。李来中所部“西直隶及陕西来之团匪，与端王（载漪）兵士自相攻打两次”，反抗载漪的干涉。裕禄召张德成来天津，德成怒骂：“我非官吏，何得以总督威严凌我。”裕禄自认错误，“以敌体礼相见”。曹福田私室供“圣上杨老师”木主。那桐、许景澄奉命往天津求和，阻洋兵入京，被丰台团民捕获，二人再三哀求，团民答称："吾团民知有祖师之命，不必问朝廷之命。"刚毅、赵舒翘到涿州，团民勒令对祖师跪香并承诺撤革直隶提督聂士成。这都说明义和团崇奉本教祖师，不认自己是满清的奴仆。西太后逃亡出京，杀义和团向联军献媚，景廷宾提出"扫清灭洋"口号，成立反清义和团。从"扶"转到"扫"，实际是恢复义和团的旧面目。

保清类：满洲贵族——载漪、刚毅、徐桐（汉军旗人）等顽固派首领，妄想利用义和团排除公使馆中外国人。清政府特令载勋、刚毅统率北京、天津一带义和团，又屡令载勋等查明"伪义和团，照土匪之例即行严办"，力图约束"义和团真心向善"（六月上谕），但并不生效。满洲贵族能领导的团众，只是一群北京旗人，他们与清政府利害一致，保清就是保自己的特权。

上述三类以外，还有不少投机者，设坛聚众，混入义和团。例如天津土棍王某在城内三义庙设坛，自称坛师，招集流氓地痞，勒捐富户四千余两，挟银潜逃，被外县团拿获，腰斩两段。直隶候补道谭文焕自称义和团军师，藩司廷雍委文焕为统领官，带兵抢劫，得银数十万两，后被联军捕获，临刑愿献五万两赎命。文焕的儿子谭三，立坛自充头目，强占妇女数十人，逃到沧州藏匿。这一类人并无政治目的，只是图个人私利。

第三节　义和团的志愿与纪律

义和团降神念咒，盲目排斥洋人、洋教、洋货、洋书、洋务人员，凡带洋气的人和物，一见“怒不可遏，必毁杀而后快”，这是愚昧甚至反动的一面。但从义和团的志愿与纪律说来（材料全取《拳匪纪事》），它是旧式组织的反帝运动，在当时起着一定的积极作用。把义和团描写成“暴徒乱民”，那是帝国主义者及其殖民地奴仆们的有意诬蔑。

义和团的志愿　义和团第一志愿是废除和约（不平等条约）。庚子年四月初，北京拳民传言，温泉山煤洞中掘出前明刘青田预言石碑一块，内称“最恨和约，误国殃民，上行下效，民冤不伸”，指示和约是民冤的根源。又称那些上行下效的官吏，“羽翼洋人，趋炎附势，肆虐同群”，指示大小官吏帮助洋人共同虐害人民。义和团第二个志愿是驱逐外来宗教。天津各处贴着匿名揭帖，说："神助拳，义和团，只因鬼子闹中原。劝奉教，乃霸天，不敬神佛忘祖先。"为要实现两个愿望，号召九月九日起义，"挑铁路，把线砍，旋再毁坏大轮船……一概鬼子全杀尽。"他们以为这会使"大法国，心胆寒，英吉俄罗势萧然"。这自然是可笑的思想，但三个主要侵略国却不曾认错。对新起的侵略国日本，义和团要用红灯照"远赴东洋，索还让地并二万万之款"。天津、北京大书院附近贴有义和团警告《国闻报》的揭帖，明白表示反对洋人的原因说："只因四十余年内，中国洋人到处行，三月之中都杀尽，中原不准有洋人，余者逐回外国去，免被割据逞奇能。"事实上在五月二十一日各国海军攻陷大沽炮台以前，与其说义和团想杀尽外国人，不如说想逐回外国去。天津义和团对教堂揭示这样的警告："着尔耶稣教各教堂知悉。今限尔一礼拜内，教堂内之人，悉行离开。各教堂均由本会神人居住。如敢不遵，即须用术，将尔各教堂房屋悉行拆毁，纵火焚烧，彼时悔之晚矣。"这种恐吓性语句，不过拆烧房屋为止，并无杀人之意图。上海《字林西报》也承认这个事实，它说：“北省人心骚动，日甚一日，其华人中之下等者尤甚。一见洋人即行詈骂，然此尚无关紧要，惟于六月十七号一闻大沽炮台被洋人攻取之信，更恨洋刺骨。”帝国主义所谓“下等者”的人民，实际是高等的爱国者。义和团自此以后，才实行杀戮洋人，表示对武力侵略的报复。它虽然战斗惨败，废除和约及反抗宗教侵略的志愿是光明正大的。

义和团的纪律　纯正的义和团有严格的纪律。“立坛之始，有愿投坛者须有切实的保人，且须向坛跪香立誓。有不愿意者亦不强。”“向神牌稽首，誓无改悔”以后，老师口授戒条：“毋贪财，毋好色，毋违父母命，毋犯朝廷法。灭洋人，杀赃官。行于市必俯首，不可左右顾。遇同道则合十。”团员绝对不敢破坏戒条，因为犯戒就“符咒不灵，神不附体，不能避枪炮”。上战场的团员都是纯洁的农工幼童，再加迷信的约束，戒条完全生效。某次曹福田领队出发，沿路掷钱，队众以为老师作法，急拾取收藏。离战场一二里，福田停队问有人拾钱么？队众各出所拾，证明留心学法。福田说：“吾道最戒者贪财，今尔众见钱即拾，神心不附，临阵必覆亡。”义和团始终重视纪律，就是屠杀义和团的西太后也不能否认。十二月光绪帝“罪己诏”里自供：“涞涿拳匪既焚堂毁路，急派直隶军弹压。乃练军所至，漫无纪律，戕虐良民，而拳匪专恃仇教之法，不扰乡里，以致百姓皆畏兵爱匪，匪势由此大炽，匪党亦愈聚愈多。”“百姓皆畏兵而爱匪”，究竟谁是匪，不是很清楚了么？

义和团严守纪律，生活极苦，天津团民每日两餐，“令有力者施送米面，又向富户勒捐银米”。战阵上食粮也只有面饼、绿豆汤。北京国民生活，由坛主供给，贵族、大官、富户捐资设坛，自充坛主；耗费一些粮米，求得团民保护，往往一街多至五六坛、十余坛。凡义和团所在地方，首先设立神坛，组织团民和民众。每一坛至少二十五人称为一团，每团推举一人为团首，指挥全团。各团划定管辖地区，住户必须听从号令。团民白昼巡街，夜间巡更。盘查奸细及形迹可疑的人，凡真团民面有“菜色”，每日所得只够不致饿死的食物。五月对各国宣战后，《奖励义和团上谕》承认：“义民竭力相助，以血肉之躯，与枪炮相薄。所有助战之义和团人民，不用国家一兵，不糜国家一饷，甚至髫龄童子，亦复执干戈以卫社稷。”这样英勇刻苦的义民，出死力反抗侵略军，但仅仅发给粳米二万石，供义和团食用。据《宣战上谕》说：“近畿及山东等省义兵，同日不期而集者，不下数十万人。”二万石平均分配，每人所得不过几升米。

义和团认出第一敌人是洋人，第二敌人是官吏，戒条规定要“灭洋人，杀赃官”。天津方面，义和团入地方官衙门示威，“开狱放囚，在总督、道、府、县大堂设坛。途遇道、府、县，皆叱令下与免冠，司、道、府、县出门皆不敢冠带，不敢摆仪仗”。凡官必赃，就是凡官皆可杀；义和团表示欲杀的姿势，但并不真杀以免破裂。这些赃官自裕禄以下顺从“法”令，捐送粮米，请求保护；义和团也派人护卫，防止意外事件。各城门各官署，都归团民看守，严查出入。不得允许，任何官员不准送眷属、物件离津。北京方面，义和团有董福祥军支援，威力更大。宣称要杀“一龙二虎三百羊”。龙指光绪帝，虎指贵族，羊指京官，“谓京官可勿杀者只十八人，余皆可杀”。西太后不在可杀之例，因为她是顽固派首领，与义和团思想上有共同点，不过义和团并不因此服从她的命令。西太后将出逃时，光绪帝对王公大臣埋怨说："义和团亦不是好百姓。"西太后立即阻止说："皇帝与你们讲的话，你们不准说出去，如有走漏以致变生意外，将惟尔等是问。"她知道自己不能控制义和团。五月底，载漪等领义和团六十人入宫，大声呼噪，要"杀洋鬼子徒弟"（光绪帝）。西太后是久经历练的反动头子，闻声出来大骂载漪，又杀义和团首一人，居然保全了光绪帝。不过，皇宫以外她无力操纵。六月，义和团杀副都统庆恒家属，清政府杀义和团五人，义和团杀庆恒报复。他想教董福祥压服所部兵士，福祥答称："如斩甘军一人，定然生变。"当时北京与天津一样，各城门，各街路以及多数贵族、官僚住宅都归义和团保护监守，西太后不敢积极反对义和团，怕义和团"生变"。灭洋人转变为大规模的杀赃官。

义和团的勇敢精神　志愿和纪律产生无比的勇敢。义和团员手执刀、矛、木棍、竹竿、石块与帝国主义军队正式对敌，一方面显示迷信愚昧，同时也显示伟大的自我牺牲精神。这种精神的来源，主要是对外国侵略者的仇恨，迷信只能起辅助作用，因为战场上尸骸如麻，任何愚人也会逐渐体验到神咒不灵。如果没有极深厚的民族仇恨作基础，义和团首领岂能一次又一次的鼓动团员们上战场。说义和团运动仅仅是一种无意识的迷信行为，那是不合事实的毁谤。义和团勇敢表现的实例，举不胜举；依据下列两个电报，可以推见一般："拳匪遇有战事，竞冲头阵，联军御以洋枪，死者如风驱草。乃后队存区区之数，尚不畏死，倏忽间亦皆中弹而倒。西人皆深悯（?）其愚。"（六月初九日威海卫电）在战场上有进无退，有死无生，还不够说明义和团的勇敢，它还有源源不绝从各地方奔赴战场的坚韧气魄。"天津接到探报云，官兵闻各国大兵前来，颇为震动，潜逃者不少。惟团匪则日见其多，大约俱少年无知之辈也。"（七月初二日德国报载烟台电）"日见其多"，正说明义和团运动是反帝人民战争，而不是所谓"邪教作乱"。

第四节　西太后政府对义和团的态度

如果满清政府（后党独占的政府）对帝国主义及一部分统治阶级当时没有深刻的矛盾，义和团不可能发展成一大运动。从利用矛盾这一点说来，“扶清”是有策略意义的口号；只有“扶清”才能进入天津、北京，对“洋人”直接作战。

帝后对立是后党政府对外对内各种矛盾的总根源，戊戌政变后，强烈的发展起来。

戊戌变法失败，中央政权完全被顽固派占夺，光绪帝禁闭在宫中，只存皇帝空名，但对顽固派还是一个大威胁。因为西太后死后，政权当然归还光绪帝，顽固派按叛逆治罪，是无可免的。要预防这个危险，除了从速谋害或废弃光绪帝，另立帝位继承人，再不能有其他生路；这在顽固派看来，确是生死存亡问题，必须求得解决办法。

顽固派起初采取谋害法，宣称“帝病重”，驻京各公使到总署警告，并派法医生入宫验看。谋害法不得行，改取废立法，宣称“帝久病，不能君天下”，密电南省各督抚，征取同意。善观风色的张之洞首先赞成，刘坤一、岑春煊表示反对。刘电有“君臣之分已定，中外之口宜防”二句，发生颇大的效力。他是湘系军阀首领，幕中有维新派张謇等人代为策划，事实上等于帝党联合军阀，对后党提出抗议，顽固派不得不予以重视。康有为在海外鼓动美洲、日本、南洋群岛保皇党华侨，纷纷发电“请皇帝圣安”并要求归政。梁启超在日本办《清议报》，揭发后党丑恶又不遗余力，又不断的替光绪帝歌颂“圣德”。刚毅到广东搜括财物，得《清议报》进呈西太后，顽固派感到光绪帝并非孤立。这些，都阻碍了废立计划的实现，但最重大的阻力还在各国公使馆方面。

废立计划受阻，激成顽固派烈火般的仇恨。己亥年（光绪二五年）十一月，荣禄向西太后献密计，请“立大阿哥（帝位继承人），徐篡大统”，这在顽固派确已认为让无可让的最后办法了。西太后立端王载漪的儿子溥儁为大阿哥，预定明年（庚子）元旦光绪帝行让位礼；令李鸿章运动各公使入宫庆贺，不料又遭各公使拒绝。上海绅商经元善等号称三千余人，维新志士蔡元培、黄炎培等及海外保皇党华侨号称数十万人，纷电反对。清政府捕经元善，元善得英教士李提摩太保护逃往澳门。顽固派的极度愤怒，从下列事实可以推见。

戊戌年十月，清政府派特务刘学询、庆宽托名“游历外洋，考察商务”，实际是指使刺客，谋暗杀康、梁。一年以后，清政府派出大特务李鸿章为两广总督，专任镇压保皇党。这个大特务到了广东，铲毁康有为祖墓，悬赏十万两捕拿康、梁，严禁保皇党报纸，惩办阅读者，电驻外国公使查禁保皇党。尤其残忍的，凡保皇党徒的家属，一体治罪。一个姓梁的党徒，有祖母年九十余岁，也被捕入狱，受虐待身死。从满洲奴才李鸿章的疯狂行为里，可以看出他的主人如何仇视保皇党，也可以看出如何仇视更有力的保皇者——驻京各公使。

义和拳在山东提出“扶清灭洋”口号，正是顽固派恨极外国人计穷力竭的时候。毓贤对义和团让步（虽然是被迫的），清政府上谕（二五年十二月）承认人民有权“习技艺以自卫身家，联村众以保闾里”，却都含有利用义和拳泄忿的意图。

清政府对义和团有四派：（一）反对派；（二）赞成派；（三）反复派；（四）动摇派。

反对派——袁昶、许景澄等　这一派人坚持半殖民地统治阶级的顽固立场，对内严厉镇压，对外屈辱退让，丝毫不许动摇这个传统方针。京官以袁昶、许景澄为首；外官以李鸿章、刘坤一、张之洞、袁世凯为首；这些都是满洲的也是帝国主义的精干奴才，在反义和团运动中，充分表现他们的残忍性。袁昶是个维新派叛徒，西太后说："袁昶在戊戌年曾以康有为之阴谋奏予知之，此人甚好。"（《景善日记》）许景澄是淮系洋务人员，帮助李鸿章秘密出卖东三省。这两个阴险小人，联名上了三次奏折，肯定"拳匪"确是"叛逆"，比"咸丰年间之发匪、捻匪，嘉庆年间之川陕教（白莲教）匪"危险更大。他们斥责"扶清"口号说："若能扶之，即能倾之，其心不可问，其言尤可诛。"切实写出统治阶级猜忌人民的卑劣心理。他们要求西太后调董福祥军出城，派荣禄组织枪手、刀斧手十余队，关闭城门，分路搜捕"匪徒"；"凡遇头扎红布身系红带之匪，准其格杀勿论。并悬重赏之格，传献匪首所谓老祖师大师兄者赏银二万两，擒斩该匪团长赏银五百两，余匪计首一级赏银百两"。西太后如果采用，不是北京变成血海，便是义和团推倒满清，她到底不敢轻试，在义和团压力下，把袁、许二人斩首。袁、许是京官，虽有凶心，并无实力，想杀人却杀了自己。外官李、刘、张、袁等拥有军队，情势便不同了。他们奏称："拳匪目无法纪，是为乱民，即不与各国开衅，亦应痛剿。"一面致电驻京公使，请求各国不开衅端，中国乃能专力剿匪。若一旦决裂，则长江一带匪徒必致乘机响应，中国亦难于兼顾。这就是说，希望洋兵不要攻击满清，屠杀义和团是可以的。袁世凯正是这样联合德兵大杀山东的义和团。

反对派残酷镇压义和团及其响应者，获得帝国主义的褒奖。杀人最多的袁世凯被选为李鸿章的继承人，以至是满清的继承人。

赞成派——载漪、刚毅、徐桐等 大阿哥溥儁，准备庚子年登位，被驻京公使拒绝；这使载漪仇恨外人超过其他顽固派，不惜寻求任何助力来反对外人。刚毅是西太后宠信之一，荣禄献密计立大阿哥，刚毅不曾与闻，因此竭力奉迎载漪，与荣禄争拥戴第一功。荣禄反义和团，刚毅乘机反荣。董福祥本是荣禄部下，"平日对满人感情甚恶，刚毅深恨之"（《景善日记》）。现在为反荣，把董福祥拉到载漪方面来，合作排外。徐桐年八十岁，号称道学大师，每见西人，用扇掩面；西太后极尊敬他的道学，教他做溥儁的师傅。自然，他是渴望溥儁立即登位的。这三个政府中有力人物，一致求武力解决废立问题，对“扶清灭洋”的义和团认为是可以利用的武力。义和团得进北京城并得到政府的奖励，在义和团实力扩大以前，主要是这三人的力量。义和团入京后声势大张，载漪曾两次反抗，都被义和团制止。清政府任命载勋、刚毅统率义和团，企图干涉团民行动，但重要事件载勋等“不能作主，仍请坛中大师兄焚表烧香，载勋等不能干预”(《拳匪纪事》)。载漪等志在灭洋，不得不对义和团取退让态度。

反复派——荣禄、奕劻等 荣禄善于阴谋，得西太后宠信；戊戌政变，他是主要策动人之一，立大阿哥又是他一人的密计。他对西太后、载漪关系极密，对光绪帝则称“已亏臣道，永不望邀帝之恩”。这样，除了发动“灭洋”战争不能有自己的生路。他是武卫军总统，主张开战，首先歼灭公使馆，在给董福祥信里说：“各夷欺凌我国甚矣，近来尤多干预挟制，令吾办内事（废立）不便，尤可愤恨。义和团法术神奇，不畏刀枪，极热心嫉恶洋人，真天助也。”后来看出“屠灭诸夷”不是那么容易，立即反对围攻公使馆，竭力劝西太后压制义和团，与刚毅尖锐对立。《景善日记》说：“荣禄一日不赞成，则端王、刚毅不能望太后以全力助义和团也。”荣、刚二人交互影响西太后，使她动摇不定。董福祥原是凶恶匪魁，也受荣禄影响，令“义和团为先锋，董军为接应”，因此义和团遭受严重的死伤。

奕劻是另一形式的反复派，他对赞成派表示同意“灭洋”，对反对派表示痛恨义和团。联军入京后，反对派得势，奕劻被派为议和全权大臣，协助李鸿章订《辛丑条约》，从此提升为首席军机大臣。袁世凯从荣禄门下转到奕劻门下，得奕劻庇护，发展了北洋军阀的实力。

动摇派——西太后等　西太后是统治阶级老练的首领，在她手里，几千万起义人民被屠杀了。她绝对禁止人民有“聚众滋事”的行动。义和团反抗军队，杀戮官吏，远超过“滋事”的范围，然而她终于允许义和团进北京，这不是“扶清”口号迷惑了她，而是公使馆洋人逼得她无路可走，幻想真有神佛来拯救她。她每天讽诵义和团秘咒数遍，“每诵一遍，则李莲英（最亲近的太监）在旁高呼曰：‘那里又有一洋鬼子！’”（《景善日记》）。这种穷急求救的丑态，是她容纳义和团的一面。

五月上谕称："拳匪滋扰禁城，竟敢明目张胆，沿途喊杀，持械寻仇，任意杀害情事。官兵任其猖獗，城门由其出入，若再不严行惩办，为祸不堪设想。着各军会同弹压，加意逡巡，遇有持械喊杀之犯，立即拿获，送交提督衙门，即行正法。勒限将首要各犯迅即严拿，不准再事姑息。其城内设立坛棚应尽行拆毁。"这种阶级仇视的本性，是她排斥义和团的另一面。载漪与荣禄两派各在一面力争，载漪派人数众多，宫内有李莲英"时以义和团之神奇述于太后之前"。又告刚毅，"不可称赞义和团过甚，致启太后之疑"。这是载漪派的有利条件。载漪派坚主迅速开战，西太后终是"迟疑不决"。五月二十四日，裕禄奏"洋人索大沽炮台，请朝廷即与宣战"。西太后大怒。载漪伪造一个公使团照会，要求"皇太后归政"，这才激发她的愤怒达最高点。她召集御前会议，宣称"外国人无理至此，予誓必报之"；又说"拚死一战，强于受他们的欺侮"。又拒绝荣禄的力谏，说"我不能再压制义和团了"。二十五日正式宣布开战。载漪、刚毅压倒荣禄，争得西太后偏向赞成派。二十九日，载漪率团民入宫捕拿光绪帝，她感到危险，下谕停止围攻使馆，命荣禄赴各公使馆商议和局。此后忽攻忽停，忽送西瓜、酒蔬、果冰等礼物给使馆，并命奕劻前往慰问，忽密谕各省“凡洋人，无论男妇老幼皆杀之无赦”。对义和团屡次设法压制，对外国预定战败后的办法，说：“他们（外国）虽向着皇帝，不喜欢我，我有手段教他们意思转过来。”（《景善日记》）这就是准备出卖大量权利来换取外国的喜欢。天津失陷后，她非常恐慌。六月二十日，荣禄揭发载漪伪造公使团照会的阴谋，她大骂载漪。除了董军，荣禄所说各军都在等待停攻命令。显然，她偏向到荣禄方面来了。

五月二十四日，西太后宣称“我始终压制义和团，不欲开衅，直至昨日看了外交团致总理衙门的照会，竟敢要我归政，始知此事不能和平解决”（《景善日记》）。二十九日，她“心怒端王及义和团之故，下谕停止围攻使馆”，再开始压制。她诵义和团神咒仅在开战后五天以内，义和团不受压制，也只有在这五天内。但是压制不曾发展为屠杀，这不是由于她不想屠杀，而是义和团的反压制，使她不敢屠杀。五月三十日上谕：“此次义和团民之起，数月之间，京城蔓延已遍，其众不下十数万。自民兵以至王公府第，处处皆是，同声与洋教为仇，势不两立。剿之则立刻祸起肘腋，生灵涂炭，只合徐图挽救。奏称（李鸿章、刘坤一等请剿拳匪奏）信其邪术以保国，似不谅朝廷万不得已之苦衷。”又谕李鸿章等：“此种团军，京津一带已不下十余万人，宫禁前后，所在多有。剿之转恐患生不测，不若因而用之，尚可转危为安。此乃天时人事相迫而成。”六月初三日上谕：“朝廷非不欲将此种乱民下令痛剿，而肘腋之间，操之太蹙，深恐激成大祸，亦恐直、东两省同时举事。”五月二十六日荣禄复刘坤一等密电也说：“两宫诸左右，半系拳会中人，满汉各营卒中亦居大半。都中数万，来去如蝗，万难收拾。虽两宫圣明在上，亦难狃众。”这些都是当时实际情形。袁昶、许景澄称“拳匪为腹心之疾”，在满洲奴才看来，并不是过虑，因为义和团造成控制政府的形势。西太后出宫门时，不能不请“拳民护卫圣驾”。荣禄自称“过后门时拳民竟敢大声骂予为汉奸”。义和团的群众力量压倒了满清的统治力量，这就是西太后不敢公开反对义和团的真实原因。

第五节　外国的压迫与义和团的反抗

义和团是中国人民反抗外国侵略的运动，在各种原因的促迫下，爆发了庚子年战祸。促成战祸最主要的原因是外国侵略者抱着这样的一种信念："以为在华的外人——传教士、商人、外交官——其解决纠纷之惟一的方法，只有多用武力，并惩罚所有关连的官员。"所谓惩罚官员，实际是督促官员服从侵略者的意志，竭尽全力去镇压人民。这种信念与客观事实发生矛盾时，就是说满清政府因废立问题对侵略者暂时表示不全部服从，这中外联合镇压露出空隙，庚子战祸就从这个空隙中爆发起来。下列事实完全证明外人的"多用武力"在先，义和团的破击自卫在后，祸首是外人不是义和团。

大沽炮台失陷以前（庚子年五月二十一日以前）帝国主义欺压中国，激发义和团运动的事实是举不胜举的。这里只从己亥年（光绪二五年）冬季美公使康哲要求撤换毓贤交涉说起。

己亥年十月，美使馆接到山东美教士的报告，说德州附近发生暴动。康哲照会总理衙门，要求保护山东境内美人的生命财产。接着，又要求“凡肇事之人，应立即拘捕，并予以科罚”。一星期后，又送照会，要求“电示地方官吏，当用强有力的方法，消灭这些恐吓的暴徒（义和团），并保护外人之生命财产”。接着又要求“立即宣布将用何种方法，保护美国人民”。十一月，康哲又要求“立即再发一电至山东省，保护外人应有的方法，应立即施行”。总理衙门接到连珠式的要求，当然严饬毓贤镇压义和团。但事实上，美教士的生命财产从没有发生过危险；只有一次，当义和团经过庞庄时，基督教徒竟无故开枪，并追逐捕捉，团民被迫反攻，焚毁教堂一所。总理衙门根据毓贤的报告答复康哲，康哲不顾事实，提出警告式的照会，要求撤换毓贤。两天后，满清政府果然撤回毓贤，选择最大屠户袁世凯继任山东巡抚。毓贤被任为山西巡抚，对那些造谣生事的耶稣教士格外怨恨，庚子年他在山西不分天主、耶稣一概屠杀，他的野蛮性与康哲的骄横性结合，造成山西大惨案。

英公使麦唐纳自伯鲁克被杀案以后，表示强烈的态度，并不因清政府袁世凯残杀凶手、赔款、赠地而满意。十二月，各公使在英使馆开会议决，要求“中国政府颁布谕旨一道，声明完全禁止并取消义和拳及大刀会。又声明凡任何会团或藏匿会众者，均系违反中国之法律”。这就是要求清政府采取袁世凯的《严禁拳匪暂行章程》，当作一般性法律通行到反教各省（主要是直隶省）。如果当时没有庆贺大阿哥继位交涉，清政府当然会服从公使馆的要求。可是废立问题激怒了西太后，因此颁布的上谕（己亥年十二月庚子年正月上谕），都不能完全符合公使团的指示，交涉愈趋紧张。庚子年二月，公使团提出警告说如果不能实践全部要求，他们将各请本国政府采取必要的手段，保护在华侨民的生命财产。三月，公使团不等总理衙门答复，英兵舰两艘首先开到大沽口，美舰接着开来，德、意、法、俄各舰随后陆续到达。公使团觉得海军联合示威还不够严厉，四月，又提出使馆驻扎卫兵的要求。康哲说：“人人皆知海军示威能使中国易于顺从。但设此举失败，而各国集兵至京，声言保护使馆，则中国政府亦必然承诺要求之事。盖中国政府对京畿之秩序与安全常努力维护，最不愿受人指摘。彼等宁愿作他种牺牲而不欲京师秩序不靖也。”这种经验原来是屡试屡效的，这一次却发生了相反的结果。顽固派误认公使团要用武力恢复光绪帝的政权，仇外心理提高到准备反对的程度。西太后下谕褒扬办团练的官绅，这些人死了多年，忽而明谕褒扬，显然是准备反抗的暗示。同时，西太后任命毓贤为山西巡抚，在任命前一星期，康哲曾要求“毓贤将来的任用，不得在有传教部的地方”，恰恰是山西，耶稣教事业超过天主教，这又显然是拒绝要求的一种表示。不过，这不是说清政府对公使团不再让步了。它承认公使团的要求，对义和团的镇压并不放松，迭次谕令地方长官使用兵力，“剿灭乱民”。中国人民受外国压迫，激起反抗的义愤，特别在直隶，义和团得群众响应，迅速发展起来。在“扶清”口号下，与裕禄进行多次的武装冲突，屡获胜利，逼迫裕禄逐渐屈服。在“灭洋”口号下，用匿名揭帖、谣传等方法，鼓动民众。康哲给美国务院报告（四月初十日），也承认“现在尚未闻拳众攻击美国教会之事，亦无侵犯美教士所住村镇财产之事”。四月下旬以前，义和团行动主要是对满清作战，不曾武装进攻外国教堂。

四月二十六日，公使团提出照会约有六点：（一）严禁拳民练团纠党，传布揭帖；（二）团民聚会之处，无论寺庙民居，将其住持屋主一并收监；（三）将拘办拳民不力之员概行惩处；（四）将为首焚杀之拳众一并正法；（五）将纵拳助拳之人尽行诛戮；（六）直隶与邻省有拳团之处，地方官出示严禁。逼勒清政府承认，否则各国将自行调兵办理。总署接受要求，允即“剿办”并“严禁该会”。公使团的野蛮要求与清政府的完全屈服更激起民众的愤怒，北京城内禁止义和拳的告示，被民众撕去，并且斥责政府媚外。二十九日起，义和团继续进攻长辛店、丰台等车站，驱逐洋工程师，卢保、京津铁路被阻不能畅通，各地洋人和教民开始被杀戮。清政府派兵攻击，直隶提督聂士成军尤其凶暴，在卢沟桥附近见人便杀，见屋便烧，见器物便毁，共焚毁村庄四处，杀人四百八十名，器物损坏无数。在落垡，炮毁村庄五处，杀六百余人。聂军疯狂烧杀，主要是受李鸿章的指使。他给聂士成电称：“宜即痛剿，保全大局为嘱。”聂士成派兵沿京津铁路，专杀义和团，京津一带秩序愈益紊乱。公使团方面接连表示武装干涉，五月初四日，英、法、美、意、日、俄、德派兵三百数十名进京，七国兵船十六艘泊大沽口外示威。初十日，大沽口洋兵登陆到天津租界，形势非常紧张。载漪、刚毅等害怕公使团用兵力扶助光绪帝，急于寻求助己的力量，“扶清灭洋”的被注视了。刚毅以“查看”名义到涿州城接洽，初五日回京，次日奏请太后“信任义和团，用为军队，以敌洋人”。他深信“这一回一定把洋人赶走了，一点也不用疑虑”（《景善日记》）。西太后在洋兵威胁下，态度“迟疑不决”，初十日令“荣禄分饬董福祥、宋庆、马玉昆等各率所部实力剿捕”义和团。各大臣密议，载漪、刚毅、弈劻等力主“不可剿办团匪”，决议“该团实皆忠心于国之人，如予以上等军械，好为操演，即可成为有用劲旅，以之抵御洋人，颇为有用”。从此义和团被认为合法团体。北京城内汉满人到处公开练拳，甚至溥儁也穿拳民衣服，在颐和园练习拳术，北京顿成义和团世界。西太后在斥责聂士成上谕里说：“倘因此（烧杀）激成变政，惟该提督是问。”说明她被群众运动压倒了。十二日，英提督西摩尔率联军准备向北京出发。十三日，调董福祥军入城。十五日董军杀死日使馆书记官杉山彬，局势愈不可收拾。她不得已于十七日默许京外义和团入城，但并不信任，要他（义和团）“莫乱动”。

京内外拳民结合以后，搜杀教民，焚毁洋货店，延烧市房数千间（二十一日），剥夺贵族、官吏的威权，神坛成为政权机关。她感到“京城内外，扰乱已极”的新威胁，十九日谕“步军统领衙门严拿滋事拳匪，交刑部正法，城内坛棚尽行拆毁”。同日谕“李鸿章迅速来京，袁世凯着酌带所部迅速来京”，企图用洋务派的助力来对外投降，对内镇压。二十一日，联军攻陷大沽口炮台。二十二日，任李鸿章为直隶总督，“着迅速北上，毋稍迟延”。二十四日，败报到北京，她还是“迟疑不决”，载漪伪造公使团照会，勒令“太后归政”，这才狂怒起来，宣称“我不能再压制义和团了”。二十五日颁发宣战上谕，令义和团充先锋进攻使馆。从上述经过看来，清政府与义和团结合，主要是公使团促成的。它惯用威吓方法命令清政府镇压人民，这一次却因废立问题发生误会，不完全服从命令，给义和团号召群众的机会，大沽炮台失陷，完成了这种结合，而这种结合又是极勉强的。

天津失陷以前（六月十八日以前） 五月中旬，义和团入天津城。在此以前，义和团已与洋兵发生战斗：

初六日，独流镇团民与俄国著名的哥萨克马队格斗，团民死二三十人；初十日，团民与俄、法、日登陆水兵在天津城外开仗，团民死二十余人。裕禄在民众及外兵双重压迫下，异常惊骇，迭次奏请罢免又不得允准，只好礼请张德成、曹福田入城，求暂时安宁。十四日，西摩尔率联军二千余人，携带大炮、机关枪向北京进发。团民破坏铁路，随处拦击，联军第一天走了三十英里，第二天只走了十英里。在廊坊地方“突有团匪等蜂拥而至，胆量甚壮，其中尤以小孩居多”。英美兵开炮夹攻，团民死六十余人。第三天只走了三英里，第四天，团民开始总攻击，死伤极大，但联军已不能向前进展。铁轨的前后两端都被拆毁，与天津交通完全阻绝。二十二日，联军军官们认为除逃退以外，别无他法了。他们几乎粮食断绝，又受伤病兵的拖累与继续不断的激战，且拒且退；二十六日，退至西沽，又被团民围攻，势极危急；直到五月三十日，得大队援兵，才解围回天津。联军兵士阵亡六十二名，受伤三百十二人。义和团用刀矛杀伤外兵数百人，可见这次战斗异常激烈。联军将铁路旁村庄纵火焚烧，“所有华人可以埋伏及藏躲所在，均经西兵收拾一空”。团民方面死伤损失是无法计算的，但始终阻击，死不退却。西摩尔也不得不承认他们的勇敢，说：“义和团所用设为西式枪炮，则所率联军必全体覆没。”

五月十七日，义和团前往天津火车站。俄兵开放大炮十五门，团民死三四百人，这当然激起团民的愤怒，即时出动大队进攻租界，天津攻租界战斗从此开始。二十一日，大沽炮台失陷，团民及一般民众愈益激昂，天津武备学堂学生向租界开炮，英德兵回击，学堂起火，团民死伤颇多。二十四日，清政府颁发宣战上谕，聂士成军奉命攻击租界。聂军是当时惟一能战的新式军队，与租界守军恶战十余次，前后相持凡八日。甲午战争中，聂军勇敢善战，这一次又表现了聂军的勇敢，“西人谓自与中国交战以来，从未遇此勇悍之兵”。天津城得暂时保存，聂士成军是有功绩的，但是，天津城的过早失陷，聂士成也应负责任。他和义和团结成深仇，团民自动给聂军冲先锋，聂军却在后面枪杀团民。团民见势不佳，不敢出战，聂军强令上阵送死。例如某次夜战，“华兵在后，义和团在前，合攻租界，洋兵开排枪御之，天明而止，计轰毙义和团二千余名，华兵伤者寥寥。事后探访，知官兵因义和团妄言惑众，恨之切齿，往村庄搜捕团匪，责令充先锋当前敌，否则杀死。团匪持刀前行，洋兵在前开枪轰击，官兵在后用枪击死，故是夕团匪死者如此之多，并非皆洋兵打死”（粤人某《遇难日记》）。此后团民避聂军搜捕，隐蔽在村庄中。聂士成痛恨不止，某次战罢归营，遽下令曰：“今日尽力攻团匪。”于是军四出，所击杀者千余人。聂士成如此残暴，激起义和团的报复，“乃乘其与洋兵苦战时，以多人捕其家属而去，老母年八十三，亦被掳去”，聂士成“闻信，急引兵追之。练军见聂军追匪急，欲救之，遽哗曰，聂军反矣！共开枪横击之，聂军败散”（《聂军门死事纪略》）。聂军兵士不少同情义和团，败散后不再归营，聂士成仅收集数营，六月十三日与洋兵战败死，多年训练的精锐部队，就这样消灭了。

聂士成屠杀义和团，但也抗击洋兵。继任的宋庆专杀义和团，见洋兵就逃遁，因此士成死后五天，天津城失陷。当时城外驻宋庆军、马玉昆军、练军约七八十营，城内驻兵极少。官绅们以为“城上不用炮击洋人，洋人必不用炮击城内”，拒绝军队入城防守。十五日，马玉昆军与联军大战，将士死伤甚重，官绅们得知李鸿章调任直隶总督，“奔走相告且相庆曰，津人有生机矣”。这些腐败已极的官绅，只希望及早投降，丝毫不作战争准备。十七日，联军炮击天津城，宋庆大杀义和团，城内外神坛多被捣毁。本来团民盘查奸细极严，经宋军惨杀，无人守城巡街，夜间教民混入城中，四更登城，引上教民数十人，遍插洋旗，乱放枪炮，大呼“洋兵来了”。居民梦中惊醒，仓皇向城门奔逃，城中大乱。十八日清晨，洋兵大队进城，率教民登城中心地鼓楼，向人丛连放排枪，每一排必倒毙数十人，又连放开花炮，死人更多。据《天津一月记》所说：“自城内鼓楼迄北门外水阁，积尸数里，高数尺，洋人入城后，清街三日尚未净。”据《遇难日记》所说：“城内但见死人满地，繁华街道均被焚烧，西门死尸山积，房屋十存一二。”城内残存团民半为洋人杀死，逃出城外又遭宋军残杀。宋庆等七八十营大军，不围攻天津，又不乘虚攻击租界，却帮助洋兵杀人。宋庆大杀义和团以后，晚间保护裕禄及官员到杨村，离天津六十里；马玉昆逃到北仓，离天津二十里。天津近郊不见一兵，全被洋兵占领。

北京失陷以前（十月二十四日以前） 五月十七日，京外义和团开始进城，神坛到处设立，形势确甚紧张，但并无攻使馆举动。使馆卫兵却超出自卫范围，先取攻势，“或有时上城放枪，或有时四出巡街，以致屡有放枪伤人之事。甚或任意游行，几欲闯入东华门，被阻始止。于是兵民交愤，异口同声，匪徒（义和团）乘隙横行，烧杀教民益无忌惮”（六月三日上谕）。按照外人记载，也说“德意兵曾攻入附近一庙中，拳民闻风退走”，又说“德国水兵在城头上向南城内集会拳众开枪”。康哲承认“使馆卫兵已杀戮拳众至百人之多”。德兵袭杀董军三人，康哲相信“外国军队之技术与勇敢的表示，实为一良好之实物教训”。这都说明二十四日以前，义和团先受外兵的攻击，死伤至少在百人以上。

五月二十五日西太后宣战上谕，有“与其苟且图存，贻羞万古，孰若大张挞伐，一决雌雄”等语，表示排外决心。同日谕各省督抚“招集义民成团，借御外侮”。二十六日发放粳米二万石给义和团。二十七日，令各督抚“将旧枪炮刀矛各种军械，赶紧修理，以备民团领用”。二十九日“赏神机营、虎神营、义和团民银十万两，甘军、武卫军赏银六万两”（前曾赏四万两）。在这五六天内，她是坚决主战者，相信“洋人命运该绝，如鱼在釜中……现在全国一心，必能战胜无疑矣”。二十九日起她开始动摇，对义和团也不再接济，此后战斗由义和团、董军在载漪、刚毅主持下，半自主进行。她实际倾向媾和，形势又不许停战，因此，把“约束”拳民看作第一事，攻使馆看成第二事。

与宣战同时，清政府悬赏购洋人头，“杀一男夷赏银五十两，女夷四十两，幼夷二十两”。恰巧德公使克林德坐轿往总署，路上被虎神营满洲兵丁枪杀，企图领赏银。这一野蛮的残杀案，揭开了战斗的序幕。接着义和团、董军、武卫中军（荣禄直属）及其他京营旗兵奉命攻击使馆。使馆方面有卫兵四百四十名，教民二千三百人，教士及眷属数百人，各馆男女人员约五六百人。天主教“北堂”方面有卫兵四十人，洋教士七十人，教民一千人，妇孺二千二百人。两个被攻地点战斗力都极有限，进攻军民不下十万，使馆被围攻五十六天（五月二十四日至七月二十日），北教堂被围攻六十三天（五月十九日至七月二十二日），结果只是教民不少人死亡，义和团手执刀、矛、木棒、石块日夜在火线上冲锋，死伤尤极惨重。造成这一大惨杀的帝国主义与满清顽固派，罪恶岂止上通于天而已。五月二十九日以前，西太后曾想一战攻破公使馆，二十九日以后她有意杀害义和团，心计非常险恶。

五月二十四日至二十九日，正式开战。武卫中军及其他旗兵发空炮虚张声势，并不真攻。实际进攻的是义和团及董军中一部分兵士，武卫中军及另一部分董军于二十六日大肆烧杀，抢劫孙家鼐、徐桐等大官僚住宅。西太后原想几天内战胜，军队的暴行，使她感到战事延长的危险。

二十九日载漪率义和团入宫谋杀光绪帝，她更感到危险，“下谕停止围攻使馆，并命荣禄赴各使馆商议和局”。恰巧裕禄谎报联军战败，她又令各军进攻。六月初四日董福祥借武卫中军大炮，被荣禄拒绝，董入宫请求，又被她大骂拒绝。如果要破使馆，不应拒绝借炮；如果不要破使馆，便应下令停战，这种战不求胜的怪异行为，正是故意借刀杀害义和团。同日，她“斥责载勋不能约束拳民，任令横行”，足见她对团民的憎恶。十一日，“天津战败的消息到京，太后甚为忧虑”。十五日，任命李鸿章为直隶总督兼北洋大臣，准备乞和。

十七日天津失陷，西太后极为恐慌。十八日，正式派荣禄向使馆求和。二十日，荣禄揭发载漪伪造公使团照会，开战的原因消失了，从此更积极求和，数次送公使馆西瓜、酒、蔬果、冰等物，又派奕劻前往慰问，表示好意。奕劻、荣禄连日写信商议和事，不能得公使团信任。六月二十七日，电催李鸿章“即刻起程来京”。七月十三日，任命李鸿章为议和全权大臣，总署通知使馆，请求联军停战。二十日，联军入城。义和团、董军攻使馆直到联军入城才停止。她一面急切求和，一面催促义和团进攻，显然她要团民大量死亡才有利于和议的进行。

北堂守兵仅洋枪四十杆，大炮一尊。义和团用掘地道、投石块、埋地雷、掷火药罐、放火等方法进攻，死伤极重。二十二日，联军陷北京，义和团才败散。

义和团攻使馆和北堂两处，前后死伤不可计数，至少在万人以上。这真是极度的愚昧行动。但爱生恶死，任何愚昧人不待教而知，义和团独违常情，这只有一种解释，就是帝国主义与满清政府的极度压榨，迫使人民愿死不愿活。

八国联军的“文明”行为 正当义和团运动高涨的时候，帝国主义者大肆叫嚣，宣称“黄种仇视白种”，“中国人仇视欧洲文化与文明”。其实，中国人何曾仇视白人，也何曾仇视欧洲文化与文明，中国人仅仅仇视外国侵略者及作为侵略工具的“文化与文明”。试看联军表现的“文明”，就证明义和团仇视的那一种外国人，丝毫不曾错误，错误只在方法太陈旧，陈旧也就免不了失败。

七月初八日，六国联军（奥、意两军尚未到），约四万人，自天津沿运河两岸向北京进发。左岸英、美、日三国，右岸俄、德、法三国，行至北仓，被马玉昆军、义和团阻击，血战多时，马军无援败退。是役联军死伤，日四百余人、英一百二十人、俄六百余人，足见战斗非常激烈。十四日，联军攻占杨村，美军充先锋，死七十四人、伤一百六十五人，英军死伤三十二人，俄军死伤二十六人，宋庆军大败逃退。李秉衡率勤王兵及义和团驻河西务，一战即溃散。李秉衡临死时，叙宋、马等败军情形说："军队数万，充塞道路，村庄巨镇如河西务、张家湾俱焚掠无遗，小村亦然。马见贼即退去，晨起请议战事，则又北去矣；宋则总未得见，顷闻已在通州；兵将如此，岂旦夕之故。"宋、马等军沿路焚掠，等于替联军扫清道路。通州本是义和团中心之一，联军到时已成空城。联军进北京后，义和团与旗兵在宫门外联合抵抗，"华人死伤甚多，街上尸骸枕藉"，联军所获得的胜利，实际只是战胜了手执刀矛的中国人民。

联军在京津及所到地区烧毁、残杀、抢劫、奸淫，不仅义和团绝无类似行为，就是满清军队程度上也还相差颇远。下面略举实例，可以推见帝国主义者对殖民地奴隶所施行的"文明"：

烧毁例——通州仓米抢掠一空（日军得米二十五万包）。城内房屋都被烧毁，较之天津遭祸更烈。

北京城内地安门及西四牌楼一带均成焦土，前门北至珠市口及崇文门内东交民巷无不被焚。

残杀例——洋兵至青县，知县沈某被杀，分割其肉，尸无完肤。

河东某甲于日昨迎娶，正行拜堂之礼，某洋兵疑女为“红灯照”，男为“拳匪”，用枪一并击毙。

各村居民在地捡拾柴禾，被洋兵击毙者不知凡几。

抢劫例——津城失守之日，西人皆率车往返六七遭，前之不名一钱者，今或数十万金。西兵出京，每人皆数大袋，大抵皆珍异之物。

自七月间有人将家财重宝藏匿棺中掩埋，被人暗通消息，洋兵大得利市。于是四郊之外及各省会馆、义园，几于无棺不破，抛尸道左。

联军三五成群，向河东及城厢内外一带铺户及民居翻箱倒笼，尽其所欲而去。

联军赴保时，沿途乡村皆已搜掠一空。

奸淫例——崇公爵绮眷属尽为联军所掳，驱逐天坛内，次第轮奸，以为戏乐，少长老幼无得免者。

倭仁妻年已九十余，为某国兵所获，挫辱备至而死。

联军将其所获妇女不分良贱老少，尽驱诸表背胡同，作为官妓，任联军人等入内游玩，随意奸宿（以上各条均见《拳匪纪事》）。

当时从公使、统兵、将官、兵士、普通外人（少数教士除外）以至翻译、汉奸、一部分教民都参加了这个“文明”运动，并且影响那些无耻的上流士绅，重价购用洋货，甚至“西人破帽只靴，垢衣穷裤，必表出之。矮檐白板，好署洋文，用以自附于洋，昂头自喜”。梁启超在辛丑年《清议报》描述当时士大夫风气的转变说：“吾闻数月以来，京师及各省都会，其翻译通事之人，声价骤增，势力极盛；于是都人士，咸歆而慕之。昔之想望科第者，今皆改而从事于此途焉。”满奴教育的八股科第转变为洋奴教育的翻译通事。这表示洋务派、买办、一切洋奴从此大抬头。顽固派力求洋务化，满清统治阶级全部被外国“文明”征服了。

第六节　人民的继续反抗

联军占领北京，派兵四出攻掠。西太后、光绪帝逃到太原，八月十四日宣布“剿匪”上谕，把一切责任都推给义和团，说“此案初起，义和团实为肇祸之由”，接着说“今欲拔本塞源，非痛加剿除不可。直隶义和团蔓延尤甚，着该地方文武严行查办，务绝根株”。统治阶级就是这样残忍反复的。当它要利用义和团攻战时，称为“承义民以血肉之躯，与枪炮相薄”，现在却要“责成带兵官实力剿办以清乱源”，作为向外人乞怜的礼物了。这道上谕颁布以后，西太后调各军“会剿拳匪”。联军路遇清军，随意枪杀缴械，或掳充奴役，例如九月十一日，“洋兵入固安县城，搜掠一空，城内所驻攻打拳匪之武卫军，俱被洋兵捉获，充当苦力，陆续运物回京”。又如九月二十日“联军由保定府归者，途遇华军，误伤直隶提督，闻该提督登时毙命”。这些奴隶军队不怕当牛马，却怕耽误“会剿”。政府竟向联军请求“助剿团匪”，李鸿章“传谕各军，如与联军抗拒，徒增国家之害，因此不准华军接战”。在南至直隶中部，西至阜平及西山一带，东至大沽、山海关，北至赤峰、长城、张家口，方圆数百里内清兵不得准许，不敢私进驻扎，这算是划分了双方担任的屠场；事实上，清军、联军逐渐实行互助来屠杀共同的敌人——中国人民。

京津失陷后，那些混入义和团的不良分子都逃散了，各地义和团退入乡村，不再是几万人的大集团，而是通常结合数十、数百人的小部队（有时集合至万余人）。对清军一般采取自卫态度，对联军则仍采取进攻姿势。关于清军联合联军的无耻镇压，略举几件事作例：

> 日前有四川来之拳匪甚多，行至霸州与驻防该处之津水师营炮船相遇，拳匪以官兵甚少，互相拒捕，所有炮船均被拳匪打散，兵勇受伤者不计其数。拳匪势甚猖獗。刻闻各国联军已派洋兵三四百名前往该州剿办。（《拳匪纪事》载天津来函）

四川义和团走数千里来作战，除了为高度的民族精神所驱使，再没有其他目的，这样可敬的爱国行动，却被称为“匪势猖獗”，欢迎联军代为报复，足证统治阶级是毫无心肝的匪贼。

> 署理天津镇徐总戎，日前在安肃地方率队与拳匪接仗时，适陕西勤王队道经是处，拳匪疑系后路，乘其不备，两下混战，致统领严观

察枪伤左腿，并伤亡马队魏管带一员，各营正副哨官十三名，兵丁共伤七百六十三名。

初二日，该统领带伤亲率所部赴安肃西乡方胜桥地方与匪复战，该处防军亦来助战，约三时许，匪党不支，概向保定大道窜去。阵斩匪党四百余人。德国马步军约数千名，分水陆二路开往保定一带剿办拳匪。（天津来函）

这又是清兵战败，联军助“剿”的实例。

河间板家窝地方，拳匪猖獗异常，经联军前往剿办，未能得手。昨又会同吕道生军门统带马步等队，攻打三四日，乃得将匪首拿获，送至河间枭示，余党尽行诛灭。而吕道生军门颈下受有枪伤一处，现经法军延医疗治。（天津来函）

这一例是清军替联军当猎狗有功，得法军的怜悯，比其他清军确遭遇了特殊的荣幸。与吕道生同样著名凶恶的提督梅东益，某次在沧州“为联军所攻，梅军门行李（掠得的赃物）悉为失去，梅军死者四十三人”。又联军途遇某军统领范廷桂，“范策马独前，告以此次偶尔相值，并非对敌云云。英兵不解其语，当将范廷桂枪毙”。又“意大利兵一大队，在固安县邻近某处遇中国步兵三队，意兵断之，华兵知抗御无济，因不开一枪，交呈兵器而降”。这些例证说明清军在联军面前何等卑贱怯懦，但仍竭诚助联军杀人，例如“涿州尚有拳匪，法兵到后，若击即悉行向南退去。次日，涿州有拳匪头目首级八具，发挂各处示儆。据云，此系华兵所为。德军见有华军若干人，当由德兵杀其一人，余者悉降”。法兵杀不到一人，清兵却杀了头目八人；德兵杀清兵一人，清兵立即投降，这是什么军队呢？这就是适合半殖民地统治阶级需要的军队。

义和团对联军一面自卫，一面仍取攻势，在庚子一整年中，不曾停止过战斗，生命财产的损失是无法计算的，但也教训了帝国主义者认识到“瓜分一事，实为下策”（瓦德西语）。

下列事实若干条，证明义和团不挠不屈的反抗精神没有被侵略者压倒。与清政府出卖东三省、丧权、赔款向联军摇尾乞怜的丑恶对照来看，不管义和团在思想上如何愚昧陈旧，它的气魄总是值得赞叹。

抗击例——“有溃兵以黑布缠头，自称黑义和团。当联军赴保定时，互相奋勇，向半途迎击，互有死伤。团匪死者八九百人，联军至保定，官吏出城迎接无一逃者”（八月天津来信）。

“九月初二日，联军在保定西北一带与拳匪开仗，西兵伤损四十六名之多”（北京来函）。

“十月初，联军归约克伯爵管带前往张家口。西人得津电云，德国统兵官约克伯爵在张家口阵亡（德军说是被煤气薰死），是役联军前往他处者亦不甚利”（《字林西报》）。

“离天津三十里之某村，有义和团与某国兵开仗，某国兵几大败。后幸法兵救之，始获胜”（十月天津来信）。

袭击例——“刻下团匪来攻者日多，前数日曾攻山海关塘沽铁路、天津至通州陆军所行之道，亦常为团匪所扰”（九月北京来电）。

“十月二十五日夜间，该处团匪余党纠集多人，袭击津沽间俄国护路兵队，后由天津派队往剿”（北京来信）。

“拳匪多人进攻杨村德人，随经击退，死伤颇多”（十月天津来电）。

“有骑马拳匪多人，前来军粮城攻击俄国护路兵，随经联军一队由天津前往击退”（十月德文报）。

谋攻京津例——联军在内地行军并不像预期那样便利，十月初，它宣称“京津一带拳匪将次肃清，因此不复遣兵前往各处”。镇压义和团的任务主要交付清军，自己着重守铁路及京津两城。义和团袭击铁路并谋攻取京津，当然，攻取京津是空想；但联军也颇感不安，不敢轻视这个攻势。

“刻下拳匪华兵（溃军）潜行入城者甚多，深恐封口后或有变端”（天津专电）。

“天津城内刻有团匪多人练习拳技，城中居民因恐为所刺，不敢报明”（京津七日报）。

“大青县（译音）拳匪五百六名，声言不日即将复攻天津。法德两国已遣兵往剿”（德文报）。

“保定府法国兵官报称，邻近某处拳匪尚多，声言将克服京津一带各处”（文汇报）。

“北京四面刻亦不甚安静，常有团拳匪告示，黏贴城墙”（天津来信）。

“有华人二人，欲炸发东局火药库，当火药库炸时二人亦轰毙”（天津电）。

“天津华人某君陈请联军宜预备一切，以防冬闲或有变动”（天津电）。

义和团是一种落后团体，当然不能有明确的政治思想。十一月初，清政府接受各国的条件——空前严重的条件，义和团被各方面诬蔑攻击，肯定为一切灾祸的主要负责者，群众逐渐离散，义和团运动也就逐渐停止。

直隶省以外，各省义和团或其他团体进行各种规模的反抗斗争，除自立会、兴中会属于新式起义，庚子一年内，所有旧式起义团体几乎全部起来有所表现。庚子以后，新式起义团体数量增加，旧式团体不再有号召力，这也是义和团运动给人民的一种教训。

各省反教反满情况简述如下：

山东省——袁世凯联合青岛德军竭力镇压义和团、

大刀会，但仍到处起事，攻破高密、阳信等县城。北京失陷后，德州地方义和团纠合溃兵共万余人，谋攻入山东境，被袁世凯击败。义和团分散潜伏，“东省各县皆有之，直至江苏徐州宿迁一带尚有该匪踪迹”。袁世凯的疯狂屠杀，事实上并不成功。

东三省——沙俄军队借口保护铁路，侵占东三省。义和团联合清军，焚毁铁路、教堂，如牛庄城等处教堂一律被毁无存。清军溃散后，“拳匪”“马贼”继续反抗。

江苏、安徽、湖北、湖南——唐才常自立军约集会党起义。

浙江——有白旗党、百姓教、斋教起事，攻破江山、常山、开化三城。

江西——“各属会匪、斋匪、土匪起事，江西勤王兵忽接江抚急电，饬令折回赴省防。”

福建——“漳州百姓聚众拆毁教堂，欲与各洋教士为难，势甚汹汹。”

四川——“四川武备学堂肄业生为会党牵涉者三十余人，该省当道密派文武员弁带兵将学堂围住，悉行捕斩，脱漏者仅有一名。其湖北调往之领班学生数人亦在其例。”

广东——“驻沪美总领事得九月十五日驻粤美教士来电云，广东三合会匪五千人归二人统带，一为孙文（译音），一为杨某（译音）。其宗旨与满人为难，已败。官兵刻下占据沙湾。”

云南——“云南府乱匪肇事后，凡该处之内地会，圣书会等教堂均被拆毁，法兵现已调至蒙自，乱匪声言于某日抗拒法兵。滇省法国官民暨教士等均已离开矣。”

陕北——“延安府属境，突来蒙古人之习拳会者与教为难。”

义和团运动确把全中国震动起来，各省新旧起义团体到处发动，连帝国主义直接统治的上海租界，“谣言繁兴，人心惶惑，无识之徒，纷纷迁徙，自相惊扰”（上海各国总领事告示。）这是说，租界中商民不信租界当局能保护生命财产了。流亡到陕西的清政府，依然荒淫搜括，陕西人民饥饿“致有食人之事”（西安电）。十月，“甘肃省回匪四万五千人揭竿起事，以逐满为宗旨”（《字林西报》）。“西安回匪业已作乱”（德文报）。这个极度可憎的满清政府，一面由各省“勤王兵”保护，一面催促李鸿章急速签订条约，延续了卑污耻辱的残命。

第七节　英帝国主义指使下的分裂运动

鸦片战争以来，英、俄两大国据南北对立，相持不下。甲午战争后，德、日两国势力伸入中国。英、美、日为一伙，俄、法、德为一伙，英、俄对立形势愈益尖锐。政治上西太后、李鸿章亲俄，光绪帝亲英，俄占优势。经济上俄在北方虽也不弱，但在全国则居劣势。举一八九九年海关贸易为例，是年海关所收税银按百分比，英商占三十，美、德各占十三，日商占十五，华商占八，瑞典、挪威各占八，鸦片税占四，俄商只占一分。按东三省地区说，牛庄贸易总数四千八百万两，各国商船进口共五百九十五艘，内日船一百九十六，英船一百八十五，华船一百十二，其余各国八十九，俄船只十三艘。俄对华贸易总数二千二百万两，还不及各国对东三省贸易总数的一半，俄处绝对的劣势。除了商业部分，下表可略见各国在华势力的比较：

铁路权	财权	练兵权	租借地及势力范围
（一）东三省铁路 俄 （二）卢汉铁路 俄 （三）山西铁路 俄 （四）山海关至牛庄铁路 英 （五）滇缅铁路 英 （六）津镇铁路 英德 （七）山东铁路 德 （八）滇越铁路 法 （九）北海南宁铁路 法 （十）粤汉铁路美（未定）	（一）全国海关税权 英 （二）沿江六省厘金权 英 （三）山东全省矿务权 英德 （四）东三省矿务权 俄 （五）华俄银行 俄 （六）德华银行 德华俄道胜银行按条约规定，有管理中国收纳租课，铸造货币类似国库的特权。德华银行也有同样企图。	（一）江南洋操 德 （二）湖北洋操 德 （三）胶州练土军 德 （四）东三省洋操 俄 （五）直隶洋操 俄 （六）海陆军训练 英（预约） （七）威海练土军 英 （八）福州船政局 法	（一）威海卫 英 （二）九龙 英 （三）长江流域 英 （四）旅顺大连 俄 （五）长城以北 俄 （六）胶州湾 德 （七）广州湾 法 （八）两广云南 法 （九）福建 日

全国海关按条约永久请英人任总税务司，沿江六省（包括浙江）厘金也归总税务司管理。御史郑炳麟奏所谓“我中华财赋全视海关入款，若一失欢心，则饷源立绌”，就是说立即制清政府的死命。英人掌握财政权，足够与沙俄各种优势相对抗。义和团事起，沙俄攻占东三省，英国计划先占长江两广，再与各国争华北权利。庚子以前，英国报曾登载所谓《瓜分中国和平会章

程》，主要条款有：（一）每国派会员两三名，全权处理会事；（二）各国占领之地，归各国管辖。应照现时该国商务所销之多少，及该国权益所关系者，按图划分界限；（三）所有中国土地，既为万国管辖，任由万国通商（门户开放，利益均沾）。

庚子年英国进行分裂运动，大体按照这个“和平会”的预定计划。

长江方面 五月二十四日清政府对外宣战，两江（刘坤一）、两湖（张之洞）、两广（李鸿章）互约“凡二十四日以后之上谕概不奉行”，事实上等于以上各省对清政府宣告独立。西太后要“各督招集义民成团”，刘、张说：“沿江一带会匪、盐枭，安庆（清）道友甚多，与拳会各自为党，名号皆悖逆之语，并无拳会之党可招。”西太后要“暂行停还洋款”，李刘说“洋款若停，京饷及北上诸军饷项无从接济”。西太后要李鸿章迅速来京，李鸿章观望不行。西太后要刘坤一带兵援助，刘坤一拒绝北上。李、刘敢于违抗西太后，这些胆量的来源当然是英国。

六月初，由刘坤一出面，约请张之洞参加东南“自保”。大买办盛宣怀代表刘、张与外国交涉，以“上海租界归各国保护，长江内地均归督抚保护，两不相扰，保全中外商民人命产业”为主旨，与各国领事订立《东南保护约款》九条，完成了英国的初步计划。

七月，英国计划被法国揭发，巴黎报纸表示“法人甚恐中国从此分裂，再越一二月各国必因此纷争，自相残害。法人谓英国之意，甚愿南北分办，似有意以南京为东南数省之都城。如果实有其事，法国为自保起见，亦不能不有事于滇粤”。英国原想通过康有为使自立军起事，宣布东南“独立”，选择张、刘中一人为东南“独立”的政府首领。经法、德（德国所拟议和条款，其中一条是“仍宜以北京为都，南京过于迫海不可用”）等国反对，放弃东南“独立”的计划，借给张之洞英金七万五千镑（合银五十万两），专供湖北军费。唐才常自立军总部失去英租界的保护，被张之洞破坏。自立军失败，表示长江分裂运动的中止。

广东方面 英国计划在两广设一“独立”政府，香港议政局议员、英籍华人何启事先取得港督卜氏的同意，与香港兴中会员陈少白密商，主张“革命党与粤督李鸿章联合救国，由李首向政府宣告两广自主，而总理（孙中山）率党员佐之”（冯自由:《中华民国开国前革命史》）。陈少白使人约请“李鸿章幕下的要人刘学询（特务兼买办的洋务派）从中力助。他甚以为然，答应相助”（陈少白:《兴中会革命史要》）。何启拟定上香港总督书英文稿，由兴中会全体会员署名，送给总督，当然港督“极表同情，因向李鸿章再三接洽”。李鸿章“对卜氏提议，颇表示好感”。刘学询写信给孙中山说：“粤督李鸿章因北方拳乱，欲以粤省独立，思得足下为助，请速来粤协同进行。”孙中山偕杨衢云、日人宫崎等到香港，刘学询派“安澜”兵轮在港等候，专邀孙、杨二首领过船开会。这是特务们的毒计，不管两广是否“独立”，先捕获革命党首领总是一件“奇功”。孙中山得兴中会员报告，拒绝往广州。李鸿章深信沙俄定能保护西太后，在一度动摇以后，决心北上。七月初，离粤到上海，观望形势。路过香港时，港督竭力劝告，“使与民党合作，据粤自主”。李鸿章“意志坚决，无法劝阻”。英国分裂计划遭受挫折。

英对兴中会似乎兴趣更浓，因为兴中会提供的条件比自立会优厚。摘要比较如下：

兴中会平治章程六则（何启起草）	自立会对外宣言（容闳起草）
（一）迁都于适中之地（如南京汉口） （二）于都内立一中央政府，各省立一自治政府。设立议会，以驻京公使为中央议会暂时顾问局员以目前各国之总领事为各省议会暂时顾问局员。	复起光绪帝，立二十世纪最文明之政治模范，以立宪自由之政治权与之人民。保全中国自立之权。
（三）公权利于天下。	勿侵害外人之生命财产，保护租界，勿惊动教堂。
（四）增添文武官秘俸。 （五）平其政刑。 （六）变科举为专门之学。	所有清国专制法律，建设文明政府后一概废除。

英国分裂计划遭各国反对，傀儡政府又不易成立。它改变政策，主张“保全中国”，恢复光绪帝大权，力行新政，令西太后退位，不再预国政。沙俄主张“恢复旧政府而略加改革”，这就是支持西太后政权，取东三省作报酬。英俄在这一不同主张上对立起来。北京失陷以前，英、俄都主张分割中国；北京失陷以后，英倡“保全”，俄倡分割。美、日助英，法、德助俄，八月英、德又联合反俄，才取得妥协，成立《辛丑条约》。

第八节　帝国主义间分赃斗争

甲午战争的经验，列强相信只要近代军队一万，就可横行于整个中国。中国民众在不可忍受的满清统治下依然驯服不动，这又使列强相信，尽管畅所欲为，决不致引起抗议或仇恨的事情出来。他们以为瓜分一个“东方病夫”的财产，是不会引起反抗的。戊戌变法失败以后，瓜分中国论在国际间特别盛行，强盗们只感到一点困难，即如何分配赃物。英国某大臣在议院宣称：“我欧洲诸国，对东方之事，常互相猜忌，如此则徒耽误时日，坐失事机。为今日之计，必欧洲人各泯猜嫌，各商善法，然后亚洲乃可以落吾手。”《瓜分中国和平会章程》的发表，显示英政府企图用“和平协商”的方法来瓜分中国。这自然是一种空想，因为英国想从“和平协商”中取得中国三分之二的权利。

义和团运动爆发了，强盗们认为机会到来，借口“援助中国政府镇压叛徒”，实行军事进攻。从准备进攻大沽口到攻陷北京，英国利用“讨伐叛徒”名义，组织了各国在直隶省的共同行动；同时在中国中、南部利用

“反满”（南部）、“反旧政府”（中部）名义，进行着分裂阴谋。别有企图的沙俄也不得不参加西摩尔统率的联军。这一时期中，英国俨然是瓜分中国的领导者。北京失陷以后，军事、外交方面，各国间都表现出意见的分歧和利益的不同。那短时期的共同行动已经过去，暂时隐伏的敌对现象又复重现，每个国家都想用自己的方法达到自己的目的。法国外交部长宣言：“如欲中国兵事早息，各大国必须各无嫌猜，会同办理；无论各国所怀之意如何，总不可向中国有所他求（割地），如是则欧洲和局可保。”（八月初六日巴黎电）分赃不均有引起各国间战争的危险，阻碍了瓜分计划的实现。不过这只是次要的原因，侵略者并不畏惧战争，瓜分殖民地本来是用战争方法解决的。阻止瓜分的主要原因，还是中国人民的反抗，侵略者从来不曾预想到会有这样的反抗。

各国不可解决的矛盾简述于下：

英国——确实保持既得的权利，并增进政治和商业的地位，不让沙俄在中国北部扩充势力，也不愿法国进据云南、日本占领福建。对清政府主张扶帝斥后。它要垄断长江流域，遭各国全体反对，“认为势难坐视”（瓦德西语）。

沙俄——企图独占东三省。暗中允许援助西太后，高唱着“宽大政策”、“温和手段”，来减轻英、德对清政府的报复。它不愿西方列强利用条约攫取中国的财政管理权，或增加通商的范围，或改变顽固派的政治制度。它的独占东三省，遭各国全体反对，认为必须“退还中国”。

德国——德国利用克林德事件，主张极端的强硬政策，就是说，要瓜分中国。联军统帅瓦德西在起程东来前两个星期，常到柏林外交部参阅有关中国的文件，借以了解中国的形势。他在笔记中曾说：“我国对华政策，除惩儆华人外，并无预定之目标。德国诚有瓜分中国之渺茫的观念，然其主要目的，实欲在世界政治舞台上一显身手，初不计其结果如何。”因为它的野心被事实阻止，闰八月二十三日，英、德签订协定，相约不在中国获得领土利益，维持中国领土不变更。英、德协定成立后，奥、法、意、日、俄、美六国先后表示赞同，列强间冲突才开始和缓起来。

法国——法国虽然是沙俄的联盟，但是对于反对英国扩充商业利益及反对改变中国政治组织两点，赞助俄国，至于惩罚祸首及要求担保等事，与沙俄相反，主张严厉的处置。

日本——日本早想乘机派遣多数军队，在联军中争取重要地位。西摩尔联军被义和团败退，北京使馆形势迫切，英国请日本出兵，并愿“为财政上之补助”。日本出兵二万五千人，任联军主力，战斗十分出力；它是后起的强国，有吞并中国的野心，不愿德占山东，认为“危险万分”，也不愿俄占东三省，认为必须武力排除。因此反对瓜分，对清政府表示和协态度，借以换取清政府的好感。

美国——庚子以后，美国成为对华主要侵略国之一，原因是，美国图在东亚获得商业军事根据地。美国与西班牙开战中夺得西属殖民地菲律宾群岛。它在远东第一次获得领土，基础不固，参加瓜分中国运动，对本身不利，因此它反对瓜分。一八九九年，国务卿海约翰宣布所谓“门户开放”政策，这个政策一面要列强开放在华租借地以及所谓“势力范围”，使美国享有均等的利益与机会；另一方面要中国内地全部开放，使外国人享有投资权利。中国是丧失治外法权的半殖民地国家，凡外人所到的地方，侵略势力随之到来，如果“门户开放”政策彻底实现，中国就完全变成殖民地。英国首先赞同，德、俄、法、日、意五国先后愿意接受，美国此后成为以经济侵略作主要手段的对华侵略国。

对镇压义和团，美国特别积极。当时它正在疯狂屠杀菲岛“叛乱者”，引起一部分舆论界的批评。它利用故意夸大的关于义和团方面骇人的报告，在报纸上大事宣传，借以说明美国对于菲律宾的“叛乱”应严加压制，否则菲律宾也将产生可怕的义和团。因为它对中国抱着“门户开放”的野心，坚决反对瓜分，希望缔结一种和约，能扩充商业企图的机会及改进中国对外交涉的外交机关（即改互相推诿的总理衙门为部长负责的外交部）；关于惩办祸首、赔款保证等问题，它赞成俄、日的“宽大政策”，“温和手段”，就是说，不反对西太后的顽固政府。

奥、意、西、荷、比五国——奥地利、意大利两国追随德国，西班牙、比利时、荷兰三国追随法国，在联军中不起什么作用。

以英、俄为首的两个侵略集团，借义和团事件，各谋实现自己的野心。但各国利害关系如此复杂，不可能求得一致。从“瓜分中国”转到“保全中国”，中间经过三个斗争时期：（一）英、俄主张瓜分，双方争夺清政府；（二）英、俄争与国，英、德成立协定；（三）英、德、日在斥后扶帝问题上对俄、美、法让步。

英、俄主张瓜分（庚子年三月初至八月初旬） 三月初，直隶义和团声势渐盛，英、美联合德、法、俄，要求清政府“一律剿除”。五月初，各国派兵进京保护使馆，英、俄各调大兵准备行动。俄调兵便利，声称准备保护卢汉铁路，又通知清政府“贵国愿借客兵以平祸乱，敝国愿承斯乏”，这都是反对英国的表示。日公使照会清政府，“如许俄国调大队兵士进京，则日本调兵进京之数自必照加一倍”。俄独占华北计划被阻止。大沽口失陷后，英、俄两集团矛盾更显著。俄国允许暗中阻止联军进京，清政府允许增进俄国在北方的地位。联军攻天津，俄军借口英军供给日军粮饷，宣称准备撤退；占领津榆铁路，自称愿修理轨道，五天还修不到一里。联军进攻北京，俄、法、德军自走一路。北仓大战，俄、法兵战后才到，说是路被水淹，不便行走。俄国计划关内主缓进，使联军停顿在京津路上；关外主急进，用最残暴的屠杀手段夺取东三省。同时英国在中部、南部制造独立政府，对京津战事主急进，以便成立光绪帝当权的亲英政府。北京失陷后，英、俄、德继续增调海陆大军，日本配备精兵四万五千人声援英国，军事上英国较占优势。

英、俄争与国（八月中旬至闰八月底） 八月初，俄、法承认德将瓦德西为联军统帅，俄、法、德联合，摈退原来的统帅英将西摩尔。八月中旬，俄国通告美国说："中国皇太后已愿保护各国商务利益，并设法平定土匪，使地方永远平靖。"又声明"本国并无向中国索地之意"。美国同意俄国撤退北京驻军及承认李鸿章为议和大臣的提议，法国也声称同意撤兵，外交上俄国获得优势。英国反对撤兵，宣言"即使他国退兵，吾英必须留兵北京"。瓦德西率陆军二万二千人、战舰九万吨来华，原想大有所获，当然反对撤兵。这样，英德意见接近了。当时各国争执的问题，形式上是先撤兵后议和（俄、美主张），与先议和后撤兵（英、德主张），实际是选择自己合意的傀儡——西太后或光绪帝。闰八月下旬，英、德签订协定，俄、法声称加派“头等铁甲战舰三十艘来华防御”，说明外交上英国获得胜利。

英、德、日对俄、美法让步（九月初至十月底） 李鸿章自上海到天津，清政府指定乘俄国兵船，到京后，寓所由俄兵保卫。当时所谓议和，实际是议惩罚祸首西太后的问题。其他条件只要各国提出，清政府一律接受，决无异议。英、德、日主张“须俟中国立有合例政府方可开议”。就是说，不承认祸首西太后的政府及其所派议和大臣为合法。俄、美、法“认皇太后为合例”。卖国贼李鸿章秘密出卖东三省，请俄国主张“两宫仍旧临朝”。英、日决心准备另一战争去解决东三省问题（英日同盟与日俄战争），对西太后问题让步，借以换取随意开列的条件，即所谓“不能换回的条件”。十一月初一日公，使团提出议和大纲十二条，西太后接到这个免罪赦书，立即“全行照允”。她的统治地位重新得到保证，从此一意安心充当“足适诸国之意妥办”的奴隶总管。

第九节 《辛丑条约》与东三省交涉

西太后依然执政，引起全国维新派人士（包括保皇党）大愤恨。这一派人原想英、德、日主张获胜，“光绪皇上复辟”，中国再行新政。议和大纲发表以后，这一派人失望了。西太后要和缓这种不满情绪（也是对外国表示态度），二月初十日，下了一道预约变法的上谕。她首先肯定变法的性质说：“世有万古不易之常经，无一成不变之法。穷变通久，见于大易；损益可知，著于论语。盖不易者三纲五常，昭然如日星之照世；而可变者令甲令乙，不妨如琴瑟之改弦。”这就是专制制度万古不变，不抵触专制制度的旧法可以变通。其次她教奴才们议变法，“举凡朝章、国政、吏治、民生、学校、科举、军政、财政当因当革，当省当并”，着内外文武大官“各举所知，各抒所见”。戊戌新政最重要的“民权”，她却说是“康逆之谈新法，乃乱法也，其祸更甚于红拳”。这道丑恶的上谕确也诱惑了不少维新派。二十六日，又下一道所谓“罪己诏”，对洋务派“新政”予以斥责，说：“各省平时无不以自强为辞，究之临事张皇，一无可恃。近二十年来，每一次衅端，必申一番诰诫。卧薪尝胆，徒托空言；理财自强，几成习套；事过以后徇情面如故，用私人如故，敷衍公事如故，欺饰朝廷如故。大小臣工清夜自思，即无拳匪之变，我中国能自强耶。”洋务派“新政”久被维新人士攻击，公认为蠹国殃民的弊政，经“罪己诏”明白斥责，又诱起不少维新派的幻想，以为这次变法，总在戊戌变法与洋务派“新政”之间，不满情绪渐变为善意的盼望。西太后对外卖国、对内欺骗双方成功，顺利的恢复了统治地位。

光绪二七年（辛丑）七月，李鸿章代表满清政府与德、奥、比、西、美、法、英、意、日、荷、俄十一国公使签订《辛丑条约》十二条。依据这个条约，中国半殖民地程度又大进一步。第一，财政经济大破坏。赔款按中国人口数每人罚银一两，计四万万五千万两。四厘起息，分三十九年本息还清（一九四〇年），共计九万万八千余万两。镑亏（银两换外币的亏折）平均每年约三百万两。当时海关税每年约收二千数百万两，除海关费、驻外使馆费等四百万两，余款二千数百万两仅敷旧外债抵偿。此次骤增新债，公使团指定海关税、内地关税、盐税三项充偿金来源，远不足应缴银数。清政府强迫各省每年摊派二千数百万两（最贫瘠的贵州省也摊派二十万两），才勉强足数（不足时借外债弥补）。国内所有重要税收（除田赋）全被外人管理，清政府不得不另立捐税来填补已失的财源。这样巨大的负担全部加在从事生产的农工肩上，自然人民生活愈益穷困，社会经济愈益凋敝。第二，确定中国政府的性质与任务。条约规定："永禁创设或加入与诸国仇敌之会，违者皆斩。诸国人民遇害、被虐各城镇停止文武各等考试。文武大小各官，倘遇有伤害外人之事，必须立时弹压惩办，否则该员即行革职，永不叙用。"明白一点说，就是中国人民被认为奴隶，永远不得反抗侵略者，中国政府及其官吏被用作大小奴隶管理员，负完全责任替侵略者弹压人民的反抗行为。第三，国家主权的丧失。使馆界内由使馆自行防守管理，从北京到山海关，沿铁路重要地区外国派兵驻守。拆毁大沽炮台。北京城内由外兵驻扎监视，这还像一个国家不像呢？不是人民努力反抗，中国早被那些奴隶管理员断送干净了。

七月，《辛丑条约》签字，列强完全满意。八月，联军自直隶境内撤退。流亡在西安的西太后也完全满意，又回到北京来继续其腐败的统治。

庚子七月，她挟着光绪帝，带领一大群贵族、官员、太监、军队逃出北京，经山西逃入陕西。凡是这一群所到的地方，人民无不遭殃，比任何盗匪都凶恶，因为他们都是“合法”的盗匪，用各种方法向人民掠夺。

军队——西太后带京旗兵、马玉昆兵二千余人出逃。沿路抢掠，“各铺户均闭门逃遁，到处均无从购物”（《两宫西狩记》）。后来军队增加，作恶更大，“官军任意剽掠，沿途抢夺妇女，拔队时随意留遗至数百人之多”（十一月上谕）；“兵勇占住民房，诸多骚扰，以至商旅裹足，粮食日昂”（十月上谕）。仅据这些自供，人民受祸程度可以想见。

官员——大批官员到西安当差，沿途勒索酒食钱财。例如河南地方，“饷差、贡差以及官眷过境，类皆需索酒食，车马舍馆供应之外，又折价银，甚且殴打办差家人”（九月上谕）。

贵族——王爵每日给津贴银六十两，依次递减。这些人毫无所事，政府大修戏园，召北京名角演剧，让贵族官员“娱乐如太平时”。

太监——“西安情形异常混乱，赏罚黜陟之权，太监李莲英实主之”(《字林西报》)。各省贡物仍照旧索取规费，多或三千数百两（如浙江贡费），少或一千六百两（如湖北贡费），否则退还贡物。商店“最怕太监买货，不肯给钱”。凡与西太后有关的大小事件，承办人必须送太监“宫门费”，例如西太后每晨要吃燕菜一碗，地方官每天送宫门费三百两，才收受这碗燕菜。

这一大群盗匪的总魁首自然是西太后。她沿途看戏作乐，到西安每天看戏。令各省进贡名贵食物，每天膳费仍开支二百余两，还说是“可谓省用”。养乳牛六头，每月饲养费二百余两。她一大群盗匪害得陕西“人相食”，甘肃回民起义“逐满”，他们才感到不安，密电鄂督张之洞：“陕西奇荒，两宫万难驻跸，拟暂幸湖北。”这个专标“三纲五常”教人的张之洞，居然表示拒绝。他们想到四川去，又被川督奎某拒绝。荣禄电李鸿章“两宫目下所处之境甚苦，务须仰体上意，早安大局”。西太后盼望李鸿章卖国成功，如饥如渴。她说：“我一日不见京电，便觉无措，然每见一电，喜少惊多，心实胆怯。”公使团提出议和大纲，这才使一群盗匪大喜，专等联军撤退后回据老巢。

辛丑年八月，西太后带行李车三千辆，出潼关，经河南、直隶回北京。到开封办了一次“万寿庆典”，又收得无数贡品。她经过的道路，全用发光的黄土铺平，极其细软，大队人马走着不闻脚步声。铺路费每一英里需一千英镑。地方官勒令沿路人民用毛帚刷路，不许黄土中有一小石块。大路两边结彩挂灯，设立香案，陈列糖果细饼，供盗匪们任意取食。她进宫第一件事，就是发掘逃走前埋藏的金玉宝器，果然并未丧失，奴才们跪下磕头，对她贺喜。她的统治地位因《辛丑条约》得到保证，“大修颐和园，穷极奢丽，日费四万两，歌舞无休日”。凡外人有所要求，“曲意徇之，各国公使夫人，不时入宫欢会，与闻内政”。半殖民地政府应如何替侵略国服务，她现在完全学会了。

与联军侵略同时，沙俄占领东三省。庚子八月黑龙江、吉林失陷。闰八月，俄军入沈阳。中俄进行交涉，商谈实际出卖东三省的条约。各国阻止清政府签约，日本尤坚决反对。刘坤一、张之洞联名劝政府联英、日拒俄。李鸿章力主签约，说“各国私议，全系日本从中唆弄，刘、张素昵英、日，易为日本所动”（辛丑正月电奏）。他公然攻击刘、张是英日派，足见卖国情急，不惜揭露政敌的面目来达到亲俄派的目的。二月，俄提出最后约稿，限期画押，不准更改一字。日、英、德、美及刘、张极力阻签，西太后电令驻俄公使杨儒“全权定计，朝廷不为遥制”。李鸿章电令杨儒“即酌量画押，勿误”。“即画押勿误”是西太后、李鸿章的真意，“全权定计”“酌量”是日后推卸责任的诡谋。杨儒不敢负卖国重责，坚持非奉确旨不画押。清政府在北京公使团压力下，通知各公使“中国不敢遽允俄约画押，请先议公约”（《辛丑条约》）。俄约拒签后，李鸿章仍许俄公使“候公约定后再画押”，决心出卖东三省。但各国是不允许的。政敌张之洞大肆攻击，说“若仍允画押，则是贻笑外人，前功尽弃，各国必怒，起而效尤”，尽量揭露他的罪恶。这个七十八岁的老卖国贼“忧郁焦急，肝疾增剧，时有盛怒，或如病狂”。九月，吐血毙命。临死时，他向西太后保荐袁世凯继任直隶总督，说“环顾宇内人才，无出袁世凯右者”，卖国衣钵传授有人，老贼死了等于不死。

第十节　帝国主义者认识了中国人民

义和团运动是落后的中国社会产物，它不能提出进步口号，是很自然的。但是同样的运动不产生于其他殖民地或半殖民地而产生于中国，表现出中华民族特有的反抗精神，使高谈瓜分的帝国主义者不得不认识“中国群众含有无限蓬勃生气”。“近年以来，瓜分中国之事，为世界各国报纸最喜讨论之题目”（瓦德西:《拳乱笔记》）。义和团运动以后，各国报纸再不喜讨论这个“题目”。为什么呢？因为“无论欧美日本各国，皆无此脑力与兵力可以统治此天下生灵四分之一。故瓜分一事，实为下策”（瓦德西对海辣特访员谈话）。义和团“灭洋”战斗是惨败了，义和团运动却阻止了各侵略国的瓜分运动，这一功绩是不可磨灭的。

横行不法的教士、教民，受了义和团运动的教训，改变蛮横的态度，从此教案减少，民教逐渐相安。英外相在英国传教会演说：“外务部深不惬意于传教之人。此次中国之事，确系传教者所致。我劝诸君以后传教，不必过于踊跃，总以谨慎为主。”印度总督古尔逊也说：

“按一八九〇年传教之男女共一千三百人，而华人之从教者仅三万七千三百人。计一教士得三十徒耳。以中国户口总计之，仅一万人得一人，经营五十年而所得只此数，事之无益，从可之矣。”（《教士论》）他劝英美教会“慎选教士”，劝教士“自爱，以防后患”，说明侵略者不再利用传教作明目张胆的工具，教堂也不敢滥收教徒，向平民故意寻衅。

各国统治人士，对中国人民有了新认识，因之改变旧的侵略方法，提出各种新法来。

英外部副大臣在议院演说：“中国此后仍须以华人治华地，凡有意开通中国之人，应须小心谨慎，团匪之事即可取以为鉴。我英亦不能以待印度者待中国也。”

奥京某报说：“近日中国北方之事，实因欧洲各国往往无理干预。惟戕害洋人身家性命，理应各国合力剿捕；所虑者今日平之，明日复起，则又将奈何。计惟有以西学教华人，与我洋人无异，然后可望太平耳。各国其慎思所以待华人之法，勿仍蹈前四十年之所为。”

法议员在国会演说：“中国地方广阔，民气坚劲，殊非印度、南洋各处可比。华人久受政府压抑，故智力莫显，若从而拨动之，谁敢谓亚洲堂堂之大国，无华盛顿其人者起。吾故谓瓜分之说，不啻梦呓也。为吾西人计，莫善于广索矿山及开通口岸两端。”

以上三点，一致放弃旧的武力压迫，改为以华治华，文化、经济侵略等新法。英国侵华的重要代理人赫德著《中国实测论》，发挥以华治华说，尤为透彻。摘录于下：

> 今次中国之问题，当以何者为基础而成和议乎？大率不外三策：一曰分割其国土，二曰变更其皇统，三曰扶植满洲政府是也。然变更皇统之策，终难实行，因今日中国无一人有君临全国之资望；若强由此策，则骚扰相续，迄无宁岁耳。策之最易行者，莫如扶植满清朝廷。而漫然扶植之，则亦不能绝后来之祸根。故论中国最终之处分，则瓜分之事实无所逃避，而无奈瓜分政策，又不可遽行于今日。盖中国人数千年在沉睡之中，今也大梦将觉，渐有“中国者中国人之中国也”之思想。故义和团之运动，实由其爱国之心所发，以强中国拒外人为

目的者也。虽此次初起，无人才，无器械，一败涂地，然其始羽檄一飞，四方向应，非无故矣。自今以往，此种精神必更深入人心，弥漫全国。他日必有义和团之子孙，辇格林之炮，肩毛瑟之枪，以行今日义和团未完之志者。故为今之计，列国当以瓜分为最后之一定目的。而现时当一面设法，顺中国人之感情，使之渐忘其军事思想，而倾服于我欧人。如是则所谓“黄祸”者，可以烟消烬灭矣。(《饮冰室辛丑集》)

赫德居留中国数十年，深通中国国情。他看出义和团反抗精神的危险，但又看出中国人正统思想（惰性）的弱点大可利用，因此选定“扶植满洲政府”为治华上策。别一深通中国国情的美教士丁韪良（北京同文馆总教习），拟条陈五条，送公使团核览:(一)使皇上复辟，归各国协同照料；(二)废除皇太后之政令及其所用人员;(三)皇上复辟后所有新政，须各国许可，然后可行;(四)各国可将其分界分别清楚（势力范围），每国应派一人管理各省政府所为之事；（五）各国宜设一公会，凡与各国利权有碍者可蠲除之。他在说明中指出“中国不可使一概自主，以上数节可使中国不乱而便利新政，且得智慧华人之助。否则惟有废去大清政府而瓜分之耳。此事一办，则后来战争之日无已时矣。如按照吾言行之，各国则得以时使其政策合用，而中国之法亦可渐变，其所得者较瓜分为多也。再治中国须以华人，无他术也”（登载《京津七日报》）。公使团采纳赫德、丁韪良的意见，技巧的运用到议和条约里。第一，保存一般人认为正统朝代的满洲政府；第二，扶植封建专制制度；第三，公使团充任实际的各国“公会”。英、德、日放弃“光绪复辟”的主张，同意俄、美、法的“两宫仍旧临朝”，因为前者认识到西太后比光绪帝更适合于外国的使用，光绪帝多少倾向“民权”的。

最了解中国情况的要推瓦德西，他在给德皇信里很明白的解答了瓜分问题。他说：

所有上流阶级，对于世界情形毫无所知，直是骄傲自大，盲目反对白人（当然还有奴颜婢媵的媚外部分）至于官吏人员，则为腐败之气所充塞，毫无精神之可言。

其在皇室方向，则又似乎不能再行产生振作有为之人物。

整个统治阶级腐败不堪，侵略者看得如此真切，瓜分论的根据就在于此。但在义和团运动中，他们又发见了另一方面，他说：

吾人在此却有一事不能忘去者，即中国领土之内，除开西北两面之属国不计外，共有人口四万万，均系属于一个种族，并且不以宗教信仰相异而分裂，更有“神明华胄”之自尊思想充满脑中。

此外更有一事亦复不能忘去者，即吾人对于中国群众，不能视为已成衰弱或失德性之人。彼等在实际上，尚含有无限蓬勃生气，更加以备具出人意外之勤俭巧慧诸性，以及守法易治。

至于中国所有好战精神，尚未完全丧失，可于此次“拳民运动”中见之，在山东直隶两省之内，至少当有十万人数加入此项运动。彼等之败，只是由于武装不良之故，其大部分甚至于并火器而无之（义和团失败是由于愚昧落后，武器不是主要原因）。

伟大团结的民族思想，生气蓬勃的农工群众，勇敢坚韧的反抗精神，这些他们以前都不曾仔细考量过，瓜分论必须停止的原因就在于此。那么，帝国主义者怎样进行侵略呢？瓦德西建议两种方法：

第一，着重经济侵略。理由是“扶助中国，使其经济发展，国力增强，而吾人商业关系，当然亦将随之而进步。至于并吞土地一事，与其谓为促进商业，则毋宁谓为阻碍商业”。这里所谓发展经济，增强国力，当然是发展侵略者的经济，增强侵略者的国力，到一定时期，经过帝国主义大战来解决中国问题。

第二，阻止中国进步。利用中国人民觉悟程度低下，遵守反动统治之法，甘受专制政府之治，永久沉溺在奴隶生活中。他引证一个中国老人的宣言说："我们自四百年以来，皆在睡梦之中，但其间我们深觉安适无已。你们白人，必须促我们醒觉，则将来终有一日，你们对于此举，深为扼腕。"他同意这个老人的话，断言"助中国发达是完全错误之政策"。

外国侵略的深入与人民觉悟的提高是不可解决的矛盾，中国历史在这个矛盾中继续演下去。义和团运动教训了中国人民，抛弃旧式的起义，转向自觉的民主运动。

（第一分册终）

三联经典文库第二辑简目

《游击战教程》　明凡 / 著

《游击战术纲要》　陶剑青 / 编著

《汪精卫卖国的理论与实践》　钱俊瑞 / 著

《抗战以来》　韬奋 / 著

《陕行纪实》　楚云 / 著

《随军散记》　沙汀 / 著

《被日寇囚系半载记》　王研石 / 著

《倭营历险记》　房沧浪 / 著

《活跃的新西北》　田影 / 编著

《保卫华北的游击战》　刘清扬　陈北鸥等 / 著

《徐州突围》　《徐州突围》编委会 / 编

《沦亡的平津》　长江　小方等 / 著

《淞沪火线上》　胡兰畦等 / 著

《瞻回东战场》　长江　罗平 / 著

《东线的撤退》　胡兰畦等 / 著

《抗战中的西北》　徐盈 / 著

《鲁闽风云》　徐盈等 / 著

《西线生活》　西北战地服务团集体创作

《中国解放区见闻》　［美］福尔曼著 / 朱进译

《全面抗战论》　潘汉年 / 著

《日本的间谍》　范士白自述 / 尊闻译

《日本大陆政策的真面目》　国难资料编辑社 / 编

《民众动员论》　李公朴 / 著

《中国外交史》　钱亦石 / 编著

《太平洋军事地理》　蒋震华 / 著

《世界经济地理讲话》　思慕 / 著

《列强军力论》　［德］马克斯·威纳尔著 / 宾符　仲持　梅益等译

《近代国际关系史》　张铁生 / 著

《太平洋现势手册》　沈志远　石啸冲 / 编著

《近代世界政治史》　钱亦石 / 著

《从战争到和平——一九四五年的世界政治》　乔木 / 著

《战后日本问题》　思慕 / 著

《最近一年间的国际动态（1946.7–1947.6）》　《东北日报》社 / 编

《论政党》　翟放 / 著

《法与宪法》　韩幽桐 / 编著

《中华民国宪法刍议》　罗家衡 / 著

《民主·宪法·人权——作之民》　费孝通 / 著

《宪法论初步》　潘念之 / 著

《对反民主的抗争》　韬奋 / 著

《农村改进的理论与实际》　江恒源 / 著

《上海产业与上海职工》(上下)　　朱邦兴　胡林阁　徐声 / 合编

《陶行知教育论文选辑》　　陶行知著 / 方与严编

《中国通货膨胀论》　　杨培新 / 著

《中国及其未完成的革命》　　H·普拉特著 / 蒋天佐译

《中国的建设问题与人的训练》　　卢作孚 / 著

《论中国特殊性及其他》　　艾思奇 / 著

《中国经济问题讲话》　　钱俊瑞　徐雪寒　王渔邨　姜君辰　骆耕漠 / 合著

《中国经济的道路》　　许涤新 / 著

《中国财政之病态及其批判》　　孙怀仁 / 著

《官僚资本论》　　许涤新 / 著

《五四运动之史的评价》　　陈端志 / 著

《中国通史简编》(上下)　　中国历史研究会　范文澜 / 主编

《论文学的工农兵方向——读〈在延安文艺座谈会上的讲话〉》　雪苇 / 著

《中国近代史(上编　第一分册)》　　武波 / 编著

《文学百题》　　傅东华 / 编

《中国史学之进化》　　周谷城 / 著

《论民族形式问题》　　胡风 / 著

《论批评》　　荃麟等 / 著

《中国史纲》(第一卷上下、第二卷上下)　　翦伯赞 / 著

《近代中国思想学说史》(1–4)　　侯外庐 / 著

《中国政治思想史》（上下）　　吕振羽 / 著

《中国哲学史纲要》　　向林冰 / 著

《中国政治史讲话》　　钱亦石 / 著

《中国社会经济史纲》　　王渔邨 / 著

《新财政学大纲》　　千家驹 / 著

《太平天国革命运动论文集——金田起义百周年纪念》

华北大学历史研究室 / 编

《理性与自由——文化思想批评论文集》　　胡绳 / 著

《战斗者的诗人》　　黄药眠 / 著

《国语文法》　　曹朴 / 著

《教育哲学》　　张栗原 / 著

《妇女问题讲话》　　杜君慧 / 著

《婚姻·子女·继承》　　沙千里 / 著

《性教育新论》　　布士克　雅各生合著 / 董秋斯译

《狱中杂感》　　杜重远 / 著

《七人之狱》　　沙千里 / 著

《爱迪生传》　　伍况甫 / 译

《歌德自传》（上下）　　歌德著 / 思慕译

《尼赫鲁自传》　　[印度] 尼赫鲁著 / 毕来译

《列宁传》　　[苏] 凯尔任采夫著 / 企程　朔望译

《罗斯福总统传》　　C．Mackenzie 著 / 张尚之译

《托尔斯泰传》（1–3）　　[英] 阿尔麦·莫德著 / 徐迟译

《革命文豪高尔基》　［美］亚历山大 · 康恩著 / 韬奋编译

《鲁迅纪念特辑》　新中国文艺社 / 编

《回忆鲁迅先生》　萧红 / 著

《人民文豪鲁迅》　平心 / 著

《亡友鲁迅印象记》　许寿裳 / 著

《鲁迅思想研究》　何干之 / 著

《鲁迅研究》　夏征农 / 编

《过来的时代：鲁迅论及其他》　雪峰 / 著

《电影戏剧表演术》　洪深 / 著

《日常心理漫谈》　［美］约瑟夫 · 查斯特罗著 / 曾宝施译

《心理常识漫话》　朱智贤　杨云美 / 著

《读书的方法与经验》　王任叔 / 著

《美国黑人生活纪实》　［美］加德维尔　斯坦倍克著 / 董秋斯译

《初访美国》　费孝通 / 著

《事业与成功》　［美］马尔腾著 / 汪原放译

《萍踪寄语（初集）》　韬奋 / 著

《一生的幸福前途——〈生活周刊〉信箱选集》　生活书店 / 编选

《深刻的印象》　生活周刊社 / 编

《海外的感受》　生活书店编译所 / 编

ISBN 978-7-108-04593-5
9 787108 045935 >
定价：66.00元